WD

501 479 877

परिवर्तन के महानायक

बराक ओबामा

परिवर्तन के महानायक

बराक ओबामा

शैलेन्द्र सेंगर

प्रकाशक

इम्प्रेशन बुक्स

नई दिल्ली-110048

ISBN 978-81-904831-3-1

प्रकाशक : **इम्प्रेशन बुक्स**
W-116, ग्रेटर कैलाश-I
प्रथम तल, नई दिल्ली-48

मूल्य : 300.00 रुपये

प्रथम संस्करण : 2009

मुद्रक : बी. के. ऑफसेट, नवीन शाहदरा, दिल्ली-32

Parivartan ke Mahanayak : Barak Obama (in Hindi)
By Shailendra Sengar

विषय सूची

1

इतिहास पुरुष ओबामा

अमेरिका में नई सुबह

बराक हुसैन ओबामा ने 20 जनवरी 2009 को अमेरिकी इतिहास की नई इबारत लिखी। अमेरिका के पहले अश्वेत राष्ट्रपति ओबामा ने देश के 44वें राष्ट्रपति के रूप में शपथ ली। कैपिटल हिल में करीब 20 लाख लोग इस ऐतिहासिक पल के गवाह बने।

काले रंग का सूट पहले और लाल टाई लगाए 47 वर्षीय ओबामा ने पूर्व राष्ट्रपति अब्राहम लिंकन की बाइबिल पर शपथ ली। लिंकन को अमेरिका में दासता का अंत करने के लिए जाना जाता है। भारत के साथ मजबूत संबंधों के हिमायती ओबामा को सुप्रीम कोर्ट के मुख्य न्यायाधीश जान राबर्ट्स ने स्थानीय समयानुसार दोपहर 12 बजकर छह मिनट पर शपथ दिलाई। ओबामा ने शपथ में अपना पूरा नाम 'बराक हुसैन ओबामा' दोहराया। शपथ लेते वक्त सुनहरे रंग की डिजायनर पोशाक पहने ओबामा की पत्नी मिशेल उनके बगल में ख़ड़ी थीं।

ओबामा के शपथ पूरी करते ही समारोह में मौजूद लाखों लोगों ने हर्षध्वनि की। ओबामा ने जब जनता का अभिवादन किया तो कई अश्वेत लोगों की आंखों में आंसू निकल आए। ओबामा ने इसके बाद अपनी पत्नी मिशेल और बेटियों साशा व मेलिया को चूमा। ओबामा से पहले जोसेफ बिडेन ने उप राष्ट्रपति पद की शपथ ली। आठ साल के जार्ज डब्ल्यू बुश के शासन के बाद भीषण आर्थिक मंदी के दौर से गुजर रहे अमेरिका को बदलाव का नारा देने वाले ओबामा से बड़ी उम्मीदें हैं। राष्ट्रपति बनने के बाद देश के नाम ओबामा

के पहले संबोधन में इसकी झलक दिखी। ओबामा ने कहा, 'देश युद्ध के दौर से गुजर रहा है। अर्थव्यवस्था संकट में है। लोगों को नौकरियों से हाथ धोना पड़ रहा है। देश को इस स्थिति से उबारने के लिए कड़े फैसले लेने पड़ सकते हैं।' आतंकवाद के सफाए के प्रति अपनी प्रतिबद्धता जताते हुए ओबामा ने कहा कि वह आतंकवाद को जड़ से उखाड़ फेंकेंगे। ओबामा ने अपने भाषण में मानवीयता, समानता और आजादी सरीखे शब्दों का बार-बार जिक्र किया। अमेरिकी नागरिकों से जिम्मेदारी भरे नए युग का सूत्रपात करने का आग्रह करते हुए ओबामा ने कहा, 'अमेरिका ईसाइयों, मुसलमानों, यहूदियों और हिंदुओं का देश है। हमारी विविधता भरी विरासत हमारी ताकत है। हमें दुनिया में शांति का नया युग लाने में अपनी भूमिका निभानी चाहिए।' ओबामा ने अपने भाषण में निवर्तमान राष्ट्रपति जार्ज डब्ल्यू बुश को उनकी सेवाओं के लिए धन्यवाद दिया। ओबामा के शपथ समारोह में दुनिया भर की जानी-मानी हस्तियों के साथ अमेरिका के सभी जीवित पूर्व राष्ट्रपति मौजूद रहे। समारोह में भारत का प्रतिनिधित्व राजदूत रोनने सेन ने किया। शपथ ग्रहण समारोह से पहले ओबामा ने व्हाइट हाउस के करीब एपिस्कोपल चर्च में विशेष प्रार्थना सभा में हिस्सा लिया। ओबामा के जीवन के यादगार दिन का यह पहला सार्वजनिक कार्यक्रम था। ओबामा ब्लेयर हाउस स्थित अस्थायी आवास से पत्नी मिशेल के साथ 'द बीस्ट' नामक चमचमाती लिमोजिन पर सवार होकर चर्च पहुंचे। चर्च में निर्वाचित उप राष्ट्रपति जोसेफ बिडेन और उनकी पत्नी जिल ओबामा का इंतजार कर रहे थे। प्रार्थना सभा में हिस्सा लेने के बाद ओबामा और बिडेन व्हाइट हाउस रवाना हुए जहां बुश और उनकी पत्नी लौरा ने ओबामा का स्वागत किया। व्हाइट हाउस में बुश के साथ काफी पीने के बाद ओबामा यहां से अन्य लोगों के साथ कैपिटल हिल स्थित नेशनल माल रवाना हो गए। कड़े सुरक्षा प्रबंधों के बीच तड़के ही लोग नेशनल माल स्थित शपथ ग्रहण समारोह स्थल पहुंचना शुरू हो गए थे। कई राष्ट्रपतियों के शपथ समारोह का गवाह बन चुके बुजुर्गों ने कहा कि उन्होंने इससे पहले वांशिगटन में इतना बड़ा हुजूम नहीं देखा। समारोह के लिए वांशिगटन में जबरदस्त सुरक्षा इंतजाम किए गए थे। सड़कों और छतों पर करीब 20 हजार सुरक्षाकर्मी तैनात थे। आकाश में लड़ाकू विमान गश्त लगा रहे थे।

बराक ओबामा बने अमेरिका के पहले अश्वेत राष्ट्रपति

अमेरिका में नस्लवाद पर हुए गृहयुद्ध के डेढ़ सौ साल बाद नवम्बर 2008, सुबह 9 बजकर 30 मिनट पर नस्लवाद की आखिरी जंजीर भी टूट गई। अब्राहम लिंकन और मार्टिन लूथर किंग जूनियर का सपना पूरा करते हुए बराक ओबामा ने इतिहास रच डाला। डेमोक्रेटिक पार्टी के उम्मीदवार ओबामा अमेरिका के पहले अश्वेत राष्ट्रपति बन गए। उन्होंने अपने प्रतिद्वंद्वी रिपब्लिकन प्रत्याक्षी जॉन मैक्केन को भारी मतों से हराया। 20 जनवरी 2009 को उन्होंने राष्ट्रपति पद की शपथ ली।

जॉन मैक्केन ने स्वीकारी हार

ओबामा ने मैक्केन को 149 मतों के मुकाबले 349 मतों से हराया। उन्हें 52 फीसदी मत मिले जबकि मैक्केन को 46 फीसदी मत मिले। उनके प्रतिद्वंद्वी रिपब्लिकन पार्टी के जॉन मैक्केन ने भी अपनी हार स्वीकार कर ली। वेस्ट कोर्ट में मतदान समाप्त होते ही इलिनोएस के सीनेटर के कैलीफोर्निया, वाशिंगटन, ओरेगन और हवाई तथा वर्जीनिया से विजयी होने के अनुमान लगाए जाने लगे थे। एक अनुमान के मुताबिक इस बार के चुनाव में लगभग 13 करोड़ अमरीकियों ने मतदान कर देश में बदलाव की हवा को नया रुख देने में ऐतिहासिक रूप से बढ़-चढ़ कर हिस्सा लिया।

हावी रहा आर्थिक मुद्दा

4 नवंबर को अमेरिका में हुए राष्ट्रपति पद के चुनाव में मदाताओं के बीच अर्थव्यवस्था की खराब हालत के प्रति चिंता सबसे ऊपर थी। मतदान के पहले कराए गए सीएनएन के सर्वेक्षण से यह परिणाम सामने आया। सर्वेक्षण के अनुसार 62 प्रतिशत मतदाताओं ने खराब अर्थव्यवस्था को चुनाव का सबसे महत्वपूर्ण मुद्दा बताया। केवल 10 प्रतिशत लोगों ने इराक युद्ध और 9 प्रतिशत ने आतंकवाद या स्वास्थ्य सुविधाओं जैसे मुद्दों को चुनाव का सबसे प्रमुख मुद्दा बताया।

गरीबों के मसीहा ओबामा

बराक हुसैन ओबामा शुरू से ही मेधावी तथा उदारवादी और गरीबों के

मसीहा रहे हैं। केन्याई पिता और श्वेत अमरीकी मां के बेटे ओबामा ने वर्ष 1983 में कॉलेज की पढ़ाई पूरी करने के बाद न्यूयॉर्क की एक वित्तीय कंपनी और उपभोक्ता संगठन में बतौर सलाहकार काम किया। 1985 में ओबामा हावर्ड ला स्कूल चले गए जहां वह लॉ रिव्यू के पहले अश्वेत अध्यक्ष बने। शिकागो में एक लॉ फर्म में उन्होंने सहायक के रूप में काम किया।

96 में बने थे सीनेटर

वर्ष 1996 में वे इलिनाओसिस प्रांत से सीनेट के लिए चुने गए। सांसद के रूप में पुलिस पूछपाछ की इलेक्ट्रॉनिक रिकार्डिंग तथा हत्या के मामलों की जांच के लिए इकबालिया बयान की जरूरत जैसे नैतिक कानूनों तथा कल्याण के लिए काम किया। उन्होंने मुख्य न्यायाधीश जान राबर्ट्स और न्यायाधीश सैम्युएल अलितो की सुप्रीम कोर्ट में नियुक्ति का विरोध किया था।

ओबामा और भारत

ओबामा के राष्ट्रपति बनने के बाद कुछ मुद्दों पर तो भारत की राह आसान होगी, मगर कुछ मुद्दे ऐसे भी हैं जहां राजनीतिक हलकों में पेशानी पर बल पड़ने की उम्मीद जताई जा रही है।

खुशी

स्वाभाविक सहयोगी: ओबामा ने कहा है कि वे भारत को अमेरिका के स्वाभाविक सहयोगी के रूप में देखते हैं।

आतंकवाद और पाकिस्तान: पाकिस्तान में बढ़ते आतंकवाद पर ओबामा नाराजगी जता चुके हैं। भारत के लिए यह अच्छा संकेत है।

इराक और मुस्लिम जगत: इराक से सेनाओं की वापसी से अमेरिका से संबंधों के बावजूद मध्य-पूर्व में संबंध आसानी होगी।

अर्थव्यवस्था: ओबामा आव्रजन कानूनों में सुधार एवं 'एच1बी' वीजा कार्यक्रम के हिमायती हैं।

चिंता

सीटीबीटी: परमाणु अप्रसार के प्रबल पक्षधर ओबामा भारत को व्यापक

परमाणु परीक्षण प्रतिबंध संधि (सीटीबीटी) पर हस्ताक्षर करने के लिए बाध्य करने का प्रयास कर सकते हैं।

कश्मीर: कश्मीर में शांतिरक्षक की भूमिका निभाने का प्रयास कर सकते हैं। यह भारतीय दृष्टिकोण के खिलाफ है।

आउटसोर्सिंग: वैश्विक वित्तीय संकट के कारण ओबामा संरक्षणवादी रुख अपना सकते हैं। ओबामा नए रोजगार पैदा करने के लिए अमरीकी कंपनियों को करों में राहत देने का वादा कर सकते हैं।

पाटिल और मनमोहन की बधाई

राष्ट्रपति प्रतिभा पाटिल और प्रधानमंत्री मनमोहन सिंह ने अमेरिका का राष्ट्रपति चुने जाने पर सीनेटर बराक ओबामा को बधाई दी। इसके साथ ही दोनों ने ओबामा को भारत यात्रा पर आने का न्योता भी दिया।

चिंता की जरूरत नहीं

भारतीय वित्तमंत्री ने कहा कि मुझे पूरा विश्वास है कि भारत और अमेरिका के संबंध और मजबूत होंगे। आउटसोर्सिंग पर एक टिप्पणी से हमें परेशान नहीं होना चाहिए। ओबामा के बयान के मायने इसे बन्द करना नहीं है।

बराक ओबामा के परिवार का रोचक इतिहास

अमेरिका के 44वें राष्ट्रपति चुने गए बराक ओबामा केन्याई पिता और अमेरिकी श्वेत माता की संतान हैं। पेश है उनके परिवार की चार पीढ़ियों का संक्षिप्त लेखा-जोखा:

पहली पीढ़ी: बराक हुसैन ओबामा (जन्म-4 अगस्त 1961, होनोलुलु हवाई द्वीप में)।

पिता: बराक हुसैन ओबामा सीनियर, निवासी न्यांगोमा-कोगेलो, केन्या।

मां: एन डनहम, निवासी विचिता, कंसास (दोनों की मुलाकात हवाई यूनिवर्सिटी में ही हुई, जहां ओबामा सीनियर पढ़ने आए थे।)

विवाह और तलाक: ओबामा सीनियर और एन की शादी के दो साल बाद तलाक हो गया। बाद में एन ने लोलो सोइतोरो नामक एक इंडोनेशियाई मैनेजर से शादी कर ली। तब बराक ओबामा छह साल के थे।

भटकाव: कुछ माह एन अपने दूसरे पति सोइतोरो और बेटे ओबामा के साथ जकार्ता रहीं। चार साल बाद एन ने बेटे को नानी के पास अमेरिका भेज दिया।

शिक्षा: ओबामा ने कोलंबिया यूनिवर्सिटी और हॉवर्ड लॉ स्कूल से ग्रेजुएशन किया।

विवाह: पढ़ाई के दौरान बराक और मिशेल रॉबिन्सन की दोस्ती हुई। बाद में शादी कर ली। मैलिया और साशा उनकी बेटियां हैं।

दूसरी पीढ़ी (माता-पिता)

(पिता)-बराक ओबामा सीनियर: जन्म 1936, न्यांगोमा-कोगेलो, केन्या में।

मृत्यु: 1982 में एक कार दुर्घटना में।

परिवार: तीन पत्नियां, छह बेटे, एक बेटी।

(माता)-एन डनहम: जन्म-27 नवंबर, 1942, विचिता, कंसास में।

मृत्यु: सात नवंबर, 1995 को गर्भाशय में कैंसर के कारण।

परिवार: एन डनहम और बराक हुसैन ओबामा की शादी 1960 में हुई। दोनों का एक बेटा बराक हुसैन ओबामा जूनियर से हुआ।

तीसरी पीढ़ी (दादा-नानी)

(दादा)-हुसैन ओन्यांगो ओबामा: 1895-1979

पेशा: मिशनरीज के लिए रसोइए का काम करते थे। पहले विश्व युद्ध में भी भाग लिया। जंजीवार की यात्रा के दौरान ईसाई से इस्लाम धर्म अपनाया।

अकुमु: ओन्यांगो ओबामा की दूसरी पत्नी।

परिवार: 1. साराह ओबामा 2. बराक हुसैन ओबामा सीनियर 3. अउमा ओबामा।

मैडलीन ली पायने: जन्म-पांच मई 1940, वर्तमान में हवाई में रहती हैं।

परिवार: उनकी बेटी स्टैनली एन डनहम।

चौथी पीढ़ी: (परदादा-परनानी)

(परदादा)-ओबामा: जन्म-केंडुबे, केन्या।

न्यायोके: ओबामा की चार पत्नियों में से एक ओन्यांगो उनकी पांचवीं संतान थी।

(परनानी)-रा-फ वाल्डो एमरसन डनहम: 1884-1970, निवासी-एरग्रोनिया, समर काउंटी, कंसास।

रुथ ल्यूसाइल आर्मर: 1900-1926, राल्फ ने रुथ से 1915 में शादी की थी।

उनकी संतानें: राल्फ इमरसन डनहम जूनियर (1916) स्टैनले आर्मरन डनहम।

रोला चार्ल्स पायने: 1892-1968।

अमेरिका की फर्स्ट लेडी

मिशेल ओबामा: अमेरिका के 234 साल के इतिहास में बराक ओबामा पहले अफ्रीकी-अमेरिकन राष्ट्रपति होंगे। उनकी पत्नी मिशेल का उनकी सफलता में बड़ा हाथ है। दरअसल, वह सही मायनों में अमेरिका की फर्स्ट लेडी बनने की हकदार हैं।

ओबामा का प्यार

बराक मिशेल की तारीफ करते नहीं थकते। वह कहते हैं, 'मिशेल मेरे परिवार की वह कड़ी है, जिससे सभी फैमिली मेंबर्स भावनात्मक रूप से जुड़े हैं। वह मेरी जिंदगी का प्यार है।' मिशेल फायर बैंड लेडी होने के साथ-साथ स्टाइल आइकन भी हैं। उन्होंने ओबामा के राष्ट्रपति बनने के दिन मशहूर डिजाइनर नारकिसो रोड्रिग्स की डिजाइन की हुई ड्रेस पहनी थीं।

परवरिश और माहौल

मिशेल की परवरिश दक्षिणी शिकागो में हुई। उनके पिता वॉटर प्लांट में कर्मचारी थे और उनकी मां एक स्कूल में सेक्रेटरी थीं। उन्होंने प्रिंसटन यूनिवर्सिटी और हार्वर्ड लॉ स्कूल में ग्रेजुएशन किया। फर्स्ट डेट पर बराक और मिशेल स्पाइक ली की फिल्म 'डू द राइट थिंग' देखने गए थे। इसके बाद

उन्होंने अक्टूबर 1992 में शादी कर ली। उनकी दो बेटियां हैं, मालिया और शाशा।

एंग्री यंग लेडी

मिशेल स्टूडेंट पॉलिटिक्स में काफी एक्टिव थीं। खासतौर पर नस्लभेद को लेकर उनके विचार काफी क्रांतिकारी हैं। वह अपने दिल में कोई बात छिपा कर नहीं रखतीं। जो सच्चाई होती है, वह सबके सामने बता देती हैं। उनकी बातों में मजाक और व्यंग्य की तल्खी भी मससूस की जा सकती है। कुछ लोग उन्हें 'एंग्री यंग लेडी' तक कहते हैं। जब बराक को पहली बार इलिनोस से सीनेटर चुना गया, तो उनका कहना था, 'मुझे पता है कि बराक एक न एक दिन कुछ ऐसा जरूर करेंगे, जिससे सारे देश की निगाहें उन पर टिक जाएंगी।'

जो दिल में, वही जुबान पर

अमेरिकी राष्ट्रपति के चुनाव में ओबामा के रणनीतिकार डेविड एक्सलरॉड कहते हैं, 'मिशेल मिलनसार और ईमानदार हैं। जो उनके दिल में होता है, वही जुबान पर होता है। उनको इस बात की कोई परवाह नहीं होती कि उनकी बातों का दूसरा व्यक्ति पॉलिटिकल एंगल से क्या मतलब निकालेगा। अपने बोलने के आक्रामक अंदाज से वह कई बार मुश्किल में फंस चुकी हैं। हाल ही में ओबामा की चुनावी सभा में उनके मुंह से निकल गया था, 'आज जिंदगी में पहली बार मुझे अपने देश पर गर्व हो रहा है।' इस पर आलोचकों ने तुरंत उनकी देशभक्ति पर सवाल उठा डाले। लेकिन उनकी फैमिली, दोस्त, रिश्तेदार या परिचित, जो भी उन्हें करीब से जानता है, उनका कहना है, 'मिशेल सेल्फ मेड वुमेन हैं और काफी बोल्ड हैं।'

सफल पुरुषों के पीछे महिलाओं का हाथ हमेशा से ही रहा है। पहले जहां वे घर की चारदीवारी में पूरी जिम्मेदारियों को उठाते हुए पुरुषों को आगे बढ़ने का हौसला देती थीं, वहीं आज वे घर और बाहर दोनों फ्रंट्स पर उनकी सफलता में पूरा योगदान दे रही हैं।

ओबामा और माया

ओबामा की जीत के बाद अगले लोकसभा चुनाव में कुछ ऐसी ही जीत का सपना उत्तर प्रदेश की मुख्यमंत्री मायावती भी देख रही हैं। मायावती का

ऐसा सोचना स्वाभाविक है। पर क्या उनके पास ओबामा जैसे समझदार, बहुमुखी प्रतिभा के धनी, अनुभवी और योग्य सलाहकारों की टीम है?

नौ वर्ष पहले जिस बराक ओबामा को कांग्रेस अधिवेशन में प्रवेश पत्र देने लायक भी नहीं समझा गया था, आज वही ओबामा अमेरिका के ही नहीं पूरी दुनिया के सबसे ताकतवर व्यक्ति बनकर उभरे हैं। ओबामा का नारा 'यस वी कैन' गोरों और कालों सबके दिलों पर छा गया। 47 वर्ष के ओबामा जिस साधारण पारिवारिक पृष्ठभूमि से व्हाइट हाउस तक पहुंचे हैं, वह कोई साधारण बात नहीं। लोकतंत्र का यही कमाल है। साफ है कि बराक हुसैन ओबामा इरादे के पक्के और आत्मविश्वास से पूर्ण हैं। तभी अपना लक्ष्य इतनी सी उम्र में हासिल कर सके। उन्होंने अमेरिका के मतदाताओं को एक नया जोश और नई उम्मीद दी। अगर वे अपने वायदे के मुताबिक अमेरिका की जनता के लिए कुछ भी कर पाते हैं तो अगले आठ साल तक वे इस पद पर बने रह सकते हैं। अमरीकी संविधान के अनुसार कोई भी व्यक्ति राष्ट्रपति के पद पर दो ही बार रह सकता है।

बिल क्लिंटन के साथ भी यही हुआ। उन्होंने डूबती अर्थव्यवस्था को उबारा और आई. टी. के विस्तार ने उन्हें ताकत दी जिससे वे लोगों का दिल जीत सके। बराक ओबामा भी अगर कुछ कर दिखाते हैं तो लोग उन्हें कन्धों पर बिठा लेंगे। करना तो उन्हें पड़ेगा ही क्योंकि 47 बरस की उम्र में दुनिया के सबसे ताकतवर पद पर पहुचने के बाद भी एक लंबी जिन्दगी उनके सामने है, जिसमें उन्हें विश्व में ऐतिहासिक भूमिका निभाने का मौका मिलेगा।

कोई चुनाव में भारी सफलता प्राप्त करके भी अपने कार्यकाल में सफल हो, इसकी गारण्टी नहीं होती। अगर आपने अपने सलाहकार ठीक नियुक्त नहीं किए। अगर आपका अपने मतदाता से सीधा संबंध नहीं रहा। आपने चुनाव जीतने के बाद खुद को सुरक्षा के कड़े घेरे में बन्द कर लिया। अगर आपके विश्वासपात्र सहालकारों ने जानबूझकर आपको आम लोगों से दूर रखा तो आपकी सफलता खतरे में पड़ जाएगी। राजीव गांधी के साथ यही हुआ। मां की हत्या के बाद, हालात के कारण, बिना तैयारी व अनुभव के भी प्रधानमंत्री के पद पर बिठा दिए गए राजीव गांधी को लोकसभा के चुनाव में भारी बहुमत मिला। 508 सांसदों की लोकसभा में उनके 401 सांसद थे। इतना बड़ा बहुमत

भारत के संसदीय इतिहास में किसी राजनैतिक दल को नहीं मिला था। स्वाभाविक है कि लोगों की अपेक्षाएं बहुत बढ़ गईं। अपने शुरुआती उद्‌बोधन में जिस तरह के क्रांतिकारी विचार राजीव गांधी ने जनता के सामने रखे उनसे उनकी छवि एक साफ, जिम्मेदार व विचारवान नेता की बनी। पर थोड़े ही दिनों में लोगों का मोह भंग हो गया। राजीव गांधी को ऐसी चौकड़ी ने घेर लिया जिन्होंने राजीव को जनता की निगाह में 'बाबा लोगों की सरकार' के रूप में प्रस्तुत किया। वे विफल करार दिए गए। हालांकि आई.टी. व संचार के क्षेत्र में उन्होंने ऐतिहासिक पहल की।

ओबामा की जीत के बाद अगले लोकसभा चुनाव में कुछ ऐसी ही जीत का सपना उत्तर प्रदेश की मुख्यमंत्री मायावती भी देख रही हैं। अखबारों में कार्टून छपे हैं कि मायावती सोच रही हैं कि अगर अमेरिका में पिछड़ी नस्ल का व्यक्ति राष्ट्रपति बन सकता है तो भारत में दलित प्रधानमंत्री क्यों नहीं? मायावती का ऐसा सोचना स्वाभाविक है। पर क्या उनके पास ओबामा जैसे समझदार, बहुमुखी प्रतिभा के धनी, अनुभवी और योग्य सलाहकारों की टीम है? हकीकत यह है कि वे किसी पर विश्वास नहीं करती। असुरक्षा की भावना से ग्रस्त हैं। अपने अधिकारियों के काम का निष्पक्ष मूल्यांकन किए बिना ही कानों की सुनी बातों पर उनके बार-बार तबादले करती हैं या उन्हें छोटी-छोटी बात पर घर बिठा देती हैं। क्या वे ओबामा की तरह पूरे भारत के हर सम्प्रदाय व जाति के व्यक्ति को भावनात्मक रूप से अपने साथ जोड़ पाई हैं? क्या उनके पास नए भारत के निर्माण की कोई दृष्टि है? क्या इस दृष्टि के अनुरूप वे कोई कार्यक्रम आदर्श के रूप में जनता के सामने सफलतापूर्वक लागू कर पाई हैं? अगर इन सवालों का जवाब ढूंढ़ा जाए तो प्रमाणित होता है कि उनको अपना सपना पूरा करना सुगम नहीं होगा। अगर चुनावी गणित और संयुक्त सरकार की मजबूरियों के चलते वे प्रधानमंत्री पद हासिल भी कर लें तो भी शायद वह सब कुछ लोगों को न दे पाएं जिसका आश्वासन वो चुनाव से पहले देती रही हों। इसलिए मायावती को अपने रवैए में काफी फेरबदल की जरूरत पड़ेगी। यदि वे बराक ओबामा से प्रेरणा लेकर वास्तव में भारत में अपनी छवि एक युगदृष्टा, कर्मठ और विचारवान नेता की बना पाती हैं तो उनके विकास की आंधी को कोई नहीं रोक पाएगा।

अभी मायावती की जो कार्यशैली रही है, उससे नौकरशाही तो काबू में आई है पर कुछ कर नहीं पा रही। जनता को सरकार की योजनाओं का लाभ नहीं मिल पा रहा। जरूरत इस बात की है कि मायावती हर वर्ग की जनता की अपेक्षाओं पर खरी उतरें, तब लोगों को उन पर विश्वास होगा। अच्छे सलाहकार अर्जी लगाकर घर मिलने नहीं आते। यदि मायावती वास्तव में चाहती हैं कि उनके सलाहकार मण्डल में नवरत्न हों, तो उन्हें ऐसे लोगों के पास खुद पैगाम भेजना होगा। उन्हें वार्ता के लिए सन्देश भेजकर बुलाना होगा। संजीदगी से और धैर्य से उनकी बात सुननी होगी। यदि उनकी बात में मायावती को दम नजर आए तो उनको ही यह प्रस्ताव देना होगा कि अपने इन बहुमूल्य विचारों के क्रियान्वयन के लिए ये लोग मायावती की टीम में ओबामा की टीम की तरह जुझारू सदस्य बनें।

इसके बाद मायावती की सेना विजयी भव के भाव से चुनाव की वैतरणी आसानी से पार कर लेगी, वरना यह लक्ष्य पाना सरल नहीं होगा। फैसला मायावती को ही करना है।

ओबामा दूर करेंगे शंकाएं

अमरीकी नौकरियों के विदेशों में चले जाने के मुद्दे पर ओबामा का रुख नरम नहीं रहेगा और शायद वे इसके खिलाफ कड़े कदम अपनाएं जो भारत की आउटसोर्सिंग इंडस्ट्री खासकर ज्ञान संबंधी उद्योग के लिए नुकसानदायक रहेगा।

अमेरिका के नव-निर्वाचित बराक ओबामा 20 जनवरी 2009 से 1600 पेनिसिल्वेनिया एवेन्यू के नए बाशिंदे हैं। उन्होंने पहले अश्वेत अमरीकी राष्ट्रपति बनने के साथ ही पहली दफा सीनेटर बनकर सीधे व्हाइट हाउस पहुंचने का इतिहास भी रचा है। अब जबकि अमेरिका ने युवा ओबामा को इस उच्चतम पद के लिए चुना है तो भारत के लिए इसका मतलब क्या होगा? क्या वे दिल्ली के साथ मित्रवत रहेंगे? दोनों देशों के गहराते संबंधों की दृष्टि से भारत के लिए नए अमरीकी राष्ट्रपति की खासी अहमियत है। भारत में यह छवि आम है कि डेमोक्रेटिक पार्टी के राष्ट्रपति भारत के लिए अच्छे नहीं होते जबकि रिपब्लिकन पार्टी के राष्ट्रपति ज्यादा दोस्ताना होते हैं। कुछ आशावादी उम्मीद लगाए बैठे हैं कि शायद ओबामा इस धारणा को गलत

साबित कर देंगे क्योंकि भारत आर्थिक रूप से सशक्त व व्यापार की दृष्टि से आकर्षक हो गया है और कोई भी अमरीकी राष्ट्रपति भारत को नजरअंदाज नहीं कर सकता।

ओबामा ने कुछ स्पष्ट संकेत दिए हैं कि वे भारत की अनदेखी नहीं करेंगे। यहां तक कि उन्होंने अपने भारतीय अमरीकी मतदाताओं को रिझाने के लिए दीपावली की शुभकामनाएं भी भेजी थीं। ऐसा भारतीय मूल के अमरीकियों के बढ़ते प्रभाव के साथ ही अमरीकी कांग्रेस में भी इनके प्रभाव की वजह से हुआ है। जॉर्ज बुश को सत्ता में आने से पहले यह तक पता नहीं था कि भारत कहां है, जबकि इससे इतर ओबामा के कुछ भारतीय मित्र हैं और उनके भारतीय भोजन को पसंद करने संबंधी हाल की खबरें जाहिर करती हैं कि नई दिल्ली को भुलाया नहीं जाएगा। निर्वाचित राष्ट्रपति के भविष्य की नीतियों में कुछ बिंदु ध्यानार्थ हैं। कई लोगों का मानना है कि अगर मैक्केन सफल होते तो भारत के लिए बुश की कई नीतियां जारी रहतीं। लेकिन अब डेम्रोक्रेटिक राष्ट्रपति के बनने से व्हाइट हाउस से कौन से बदलाव अपेक्षित हैं?

पहला मुद्दा आउटसोर्सिंग का है। अमरीकी नौकरियों के विदेशों में चले जाने के मुद्दे पर ओबामा का रुख नरम नहीं रहेगा और शायद वे इसके खिलाफ कड़े कदम अपनाएं जो भारत की आउटसोर्सिंग इंडस्टी खासकर ज्ञान संबंधी उद्योग के लिए नुकसानदायक रहेगा। अमेरिका इन दिनों भारी आर्थिक संकट के दौर से गुजर रहा है जो वैश्विक मंदी की वजह से बना है और इस कारण कई अमरीकियों की नौकरियां चली गईं या चले जाने के कगार पर है। ओबामा को अभी कई नई चुनौतियों का सामना करना है लेकिन अब उनका पहला कर्तव्य अमरीकी अर्थव्यवस्था को वापस स्थापित करना है। इसलिए आउटसोर्सिंग पर बाहर गई नौकरियां स्वाभाविक ही ध्यान में खींचने वाले मामलों में से एक हैं।

दूसरा मुद्दा परमाणु करार को लेकर है। अब जबकि एक डेमोक्रेट राष्ट्रपति बना है तो इस बहुप्रतीक्षित समझौते के लिए इसका क्या मतलब है? क्या इस पर एक बार फिर विचार किया जाएगा या इसे लागू करने में क्या कोई बाधाएं आएंगी? कई लोग नहीं भूले हैं कि ओबामा पहले सीनेट में भारी संशोधन लाए थे लेकिन बाद में उन्होंने परमाणु करार के पक्ष में मतदान किया।

इसके बाद से उन्होंने परमाणु समझौते के मुद्दे पर कोई विरोधी बयान नहीं दिया। लेकिन चिंता की बात यह है कि भारत पर दबाव बना सकते हैं। प्रबल संभावना है कि ओबामा अब सीटीबीटी के मुद्दे को वापस ला सकते हैं क्योंकि सीनेट पर अब डेमोक्रेटिक पार्टी का कब्जा हो गया है। यदि अमेरिका ने सीटीबीटी की पुष्टि कर दी तो चीन का औपचारिक समर्थन भी लगभग अनिवार्य हो जाएगा। अगर ऐसा होता है तो भारत का कदम क्या होगा? क्या पूर्व प्रधानमंत्री अटल बिहारी वाजपेयी के उस कथन का समर्थन किया जाएगा जो उन्होंने संयुक्त राष्ट्र में दिया था कि भारत सीटीबीटी के लागू होने की राह में खड़ा रहेगा और हमेशा इसका विरोध करेगा। भारतीय नीति निर्माताओं को इस चुनौती का सामना करने के लिए तैयार रहना होगा।

चौथी मुख्य चुनौती, भारत और अमेरिका के आतंकवाद से लड़ने के लिए हुए समझौतों से संबंधित है। यह ध्यान देने वाले क्षेत्रों में से एक था और दोनों देशों ने इस मामले पर एक साथ काम करने की जरूरत महसूस की थी। एक अखबार को दिए साक्षात्कार में ओबामा ने आतंकवाद के गंभीर मुद्दे पर भारत के साथ काम करने के बयान ने अच्छे संकेत दिए हैं। ओबामा का पाकिस्तान के प्रति कड़ा रुख भारत के लिए एक अन्य मुद्दा है। निर्वाचित राष्ट्रपति ने अपने पद ग्रहण करने के बाद के कामों का कोई ब्योरा अभी पेश नहीं किया है। उन्होंने चेतावनी दी है कि अगर पाकिस्तान अफगानिस्तान में आतंकवाद को खत्म करने और ओसामा बिन लादेन को खोजने के अपने वादों से मुकरता हुआ पाया जाता है तो वे अमरीकी सेना को जानकारी के आधार पर वहां भेजने से कोई गुरेज नहीं करेंगे। धीमे लेकिन इराक से अफगानिस्तान और पाकिस्तान की तरफ बढ़ते, 'आतंक के युद्ध' के गंभीर परिणाम भारतीय सुरक्षा के लिए अत्यंत नकारात्मक रहेंगे।

एक बात स्पष्ट है कि व्हाइट हाउस में चाहे कोई भी हो भारत की बढ़ती महत्ता के चलते उन्हें भारत-अमरीकी संबंधों को अधिक बेहतर बनाना ही होगा। इसलिए भय जताने के स्थान पर हमें अमेरिका ही नहीं बल्कि समूचे विश्व में बदलाव लाने के लिए ओबामा को उत्साहित करने वालों में शामिल हो जाना चाहिए। वे एक नई शुरुआत कर रहे हैं और उन्हें खुद को साबित करने का मौका अवश्य दिया जाना चाहिए।

क्या ओबामा नई विश्व व्यवस्था कायम करने में कामयाब होंगे?

अमेरिका में चालीस वर्ष बाद इतिहास ने नई करवट ली है। अश्वेत समुदाय के लिए मानवाधिकार आंदोलन चलाने वाले मार्टिन लूथर किंग-जूनियर ने पूरी दुनिया में धाक जमाई। उन्हें 1964 में नोबेल शांति पुरस्कार भी मिला, लेकिन चार वर्ष बाद 4 अप्रैल 1968 को उनकी मेम्फिस में हत्या कर दी गई। अब राष्ट्रपति के पद पर डेमोक्रेट प्रत्यासी बराक ओबामा का निर्वाचन अश्वेतों में नया आत्मविश्वास जगाएगा। उन्हें लगेगा कि राजनीति में अपनी भूमिका को लेकर उनका संशय तथा लम्बे अर्से से उन्हें मताधिकार से वंचित होने का जो डर सता रहा था, दोनों ही निराधार थे। अब तो चार वर्ष तक अमेरिका का प्रथम परिवार अश्वेत ही रहेगा।

ओबामा ने अपनी विजय के बाद शिकागो के ग्रांट पार्क में मौजूद दो लाख समर्थकों को कहा कि अमेरिका में बदलाव आ गया है। निश्चय ही उन्होंने यह सिर्फ अश्वेतों के संदर्भ में नहीं कहा, क्योंकि वे तो अब पूरे राष्ट्र के रहनुमा हैं। सवाल यह उठता है कि क्या उनका निश्चय वित्तीय संकट से जूझते अमेरिका और उसकी बीमारी से संक्रमित विश्व को ढांढ़स बंधाएगा? ओबामा ने प्रचार के दौरान जो वादे किए, उनमें अफगानिस्तान में अमरीकी सैन्य बल बढ़ाना तथा इराक से 16 माह के अंदर अमरीकी सैनिकों की वापसी शामिल है। कई लोगों को दोनों बातें विरोधाभासी लगेंगी, पर शायद उनकी नजर में इराक और अफगानिस्तान दोनों समस्याओं के समाधान भी एक-दूसरे के विपरीत हैं।

मार्टिन लूथर किंग महात्मा गांधी के अहिंसक आंदोलन से प्रभावित थे। वे 1959 में भारत आए तथा 'गांधी परिवार' से मिले। तब उन्होंने कहा था, 'यहां आकर मुझे पता चला कि मानवीय गरिमा और न्याय के लिए संघर्ष कर रहे दलितों के पास अहिंसक प्रतिरोध ही सर्वाधिक शक्तिशाली हथियार है।' क्या ओबामा इस राह पर भी कुछ सोचेंगे? चुनाव प्रचार के दौरान प्रकारांतर से यह भी कहा गया कि वे आतंकवादियों के साथी (पैल) हैं। तो क्या उनकी यह आलोचना आतंककारियों को सही राह पर लाने में वरदान साबित होगी?

अमेरिका में ओबामा की प्रचंड विजय के साथ ही संसद के दोनों सदनों में डेमोक्रेटिक पार्टी का वर्चस्व भी हो गया है। ऐसे विराट जनादेश के बाद वे

पॉल वॉकर को अपना वित्त गंत्री चुनें या टिमोथी गीथनर अथवा लॉरेन्स समर्स को, जनता को तो मुसीबत से छुटकारे की लालसा है। यही नहीं पूरा विश्व उन्हें इस उम्मीद से देख रहा है कि क्या वे नई विश्व व्यवस्था कायम करने में कामयाब होंगे? अगले चार वर्ष उनके लिए अग्नि परीक्षा के रहेंगे, जिसमें उन्हें खरा उतरना होगा, तभी दूसरे कार्यकाल की बुश उपलब्धि उन्हें नसीब होगी।

ओबामा की अगवानी में

अमेरिका पहली बार अपने राष्ट्रपति भवन व्हाइट हाउस में एक अफ्रीकी-अमेरिकी काले आदमी को बैठाने जा रहा था। रंगभेद जिस सभ्य संसार की समस्या रहा था। उससे अपना सीधा कोई साबका नहीं पड़ा। अपने देश-समाज में गोरे रंग की बड़ी महिमा है। लेकिन सोलह गुण संपन्न कृष्ण को सांवरा बना कर हमने गौर वर्ण को फीका कर दिया। अपने यहां भी बहुत भेदभाव और ऊंच-नीच है। लेकिन एक जात के सभी लोग चमड़ी काली होने के कारण भेदभाव के शिकार रहे हैं। लेकिन इसके कई कारण और कई परतें हैं। इसलिए रंगभेद उतना निंदनीय या वांछनीय नहीं होता जितना पश्चिमी समाज में है। इसलिए ओबामा का अश्वेत होना, उनके व्हाइट हाउस में राष्ट्रपति होकर बैठना हमें उतना उल्लेखनीय नहीं लगता जितना अमेरिका के श्वेत अश्वेत लोगों को लगता होगा। उनकी प्रतिक्रिया को हम सिर्फ बौद्धिक स्तर पर ही समझ सकते हैं।

फिर भी यह चुनाव देखा तो इसलिए भी नहीं कि कैसे एक अमेरिकी दलित अपने समाज में बदलाव और आशा का प्रतीक पुरुष बन कर लोकतांत्रिक प्रक्रिया से महानायक बन कर निकला है। सच पूछिए तो बराक हुसैन ओबामा उस तरह के दलित हैं भी नहीं कि जैसे हमारे रामविलास पासवान या मायावती हैं या जगजीवन राम हुआ करते थे। उनकी मां एन डनहम अमरिकी मध्यवर्ग की थी और पढ़ने-लिखने और समाज कार्य में लगी थी। उनके पिता बराक ओबामा सीनियर जरूर अफ्रीकी देश केन्या या केन्या के बकरी पालने वाले गड़ेरिया परिवार के थे और हवाई में छात्रवृत्ति पर पढ़ने आए थे। गोरी एन का काले बराक से प्रेम हुआ और एन जब महज अठारह साल की थी, उसने बराक जूनियर को जन्म दिया। इस तरह ओबामा गोरी मां और काले बराक के बेटे

हैं। दो साल में ही एन और बराक की शादी टूट गई। एन ने अपने बाप की मदद से बराक हुसैन को पाल-पोस कर उछेरा। फिर अपने बेटे को मां-बाप के पास छोड़ एन फिर विवाह करके इंडोनेशिया चली गईं। नाना-नानी ने पहले बराक को होनोलुलु में पढ़ाया फिर कोलंबिया विश्वविद्यालय और हॉरवर्ड लॉ स्कूल में। बराक पहले समाज-संगठन के कार्य में लगे, कोलंबिया विश्वविद्यालय में कानून पढ़ाया और नागरिक अधिकारों के मामलों के वकील हो गए।

हॉरवर्ड लॉ रिव्यू के पहले अश्वेत संपादक बनने पर पहली बार दुनिया की आंखों में आए। सन् दो हजार में हारे, लेकिन चार साल बाद डेमोक्रेट उम्मीदवार के रूप में अमेरिकी सीनेट में पहुंचे। यहीं एक भाषण ने उन्हें होनहार राजनेता बना दिया। उनकी नानी मेडलीन की मृत्यु कैंसर से हुई उनके चुनाव अभियान के आखिरी दिन। वे अपने नाती को राष्ट्रपति निर्वाचित होते हुए देख नहीं सकीं।

अब यह जीवन-वृत्त बराक हुसैन ओबामा को खांटी भारतीय दलित की छवि में फिट करता है। खुद ओबामा ने कहा है कि मेरी कहानी तो सिर्फ संयुक्त राज्य अमेरिका में ही हो और लिखी जा सकती थी। लेकिन हमारे यहां एक हिंदी और एक अंग्रेजी चैनल ने इस बात पर बहुत उदासी और खेद जताया कि हमारा कोई दलित नेता ओबामा क्यों नहीं है या हो क्यों नहीं सकता। अब एक नेता एक देश-समाज की बिलकुल अपनी सामाजिक, आर्थिक, राजनीतिक और ऐतिहासिक परिस्थितियों में से अंकुर की तरह फूट कर फलता-फूलता है। ऐसा नहीं हो सकता कि किसी पौधे को कहीं से उठा कर कहीं भी रोपा जा सके और वह फल-फूल कर वृक्ष हो जाए। लेकिन दुनिया में कहीं भी कुछ विशेष हो रहा हो तो हम हिरसने लगते हैं कि हाय हमारे यहां ऐसा क्यों नहीं हो रहा। खासकर अमेरिका में हो रहा हो तो हमारे मध्यवर्ग की हीनता ग्रंथि एकदम वाचाल हो जाती है। देखिए एक दलित अमेरिका में ओबामा हो सकता है, लेकिन हमारा पासवान पासवान ही रह जाता है।

मायावती मायावती से ज्यादा कुछ नहीं होती। एक अखबार ने उन्नीस साल से खेल रहे सचिन को ओबामा बना दिया, फिर कुछ लज्जा आई होगी तो ओबामा को सचिन बना दिया। बेचारे न क्रिकेट समझते हैं न राजनीति। ओबामा का ऐसे लोकप्रिय बहुमत से राष्ट्रपति चुना जाना ऐतिहासिक है, लेकिन

अमेरिकी संदर्भ में ही, जहां सवा सौ साल पहले तक अफ्रीकियों को लाकर दास बना कर रखा जाता था, ऐसे ही दास लोगों में से कोई व्यक्ति लोकतांत्रिक पद्धति से राष्ट्रपति चुना जाए तो यह निश्चित ही ऐतिहासिक है। नागरिक अधिकारों के लिए लड़ने वाले जेसी जैक्सन उस रात ओबामा का भाषण सुनते हुए रोते रहे। वे जानते हैं कि यह किस तरह से एक दास का राष्ट्रपति बनना अमेरिकी समाज में हो रहे बुनियादी बदलाव का नतीजा है। हमारे यहां भी राष्ट्रपति हुए नारायणन केरल के ऐसे ही दलित थे। वे शपथ लेकर राष्ट्रपति भवन की सीढ़ियों पर खड़े हुए और सलामी गारद को सलामी देने लगे। जिस दिन मनमोहन सिंह प्रधानमंत्री हुए हमने कहा-अब यूरोप वाले हमें अल्पसंख्यकों के बारे में उपदेश न दें-हमारा राष्ट्रपति मुसलमान, प्रधानमंत्री सिख और सबसे शक्तिशाली राजनीतिक नेता एक ईसाई है। हम लोकतंत्र हैं और हमारे अस्सी प्रतिशत से ज्यादा लोग हिंदू हैं।

तो ओबामा के राष्ट्रपति चुने जाने को भारत में सिखावन की तरह देखे और पढ़े जाने की जरूरत नहीं है। हमारे समाज में विषमता, ऊंच-नीच और भेदभाव हैं। सदियों से चले आ रहे हैं। अमेरिका तो अभी जुम्मा-जुम्मा आठ दिन का है। वहां भी भेदभाव और विषमता है। ओबामा उसी में से एक समस्या के हल की तरह निकल कर आए हैं। बड़ी बात है। लेकिन हम मायावती के प्रधानमंत्री बनने की संभावना को नाकुछ क्यों बताएं। पासवान दुनिया में सबसे बड़े बहुमत से जीत कर आए सांसद हैं। वे क्या सिर्फ दलितों के वोट से जीत का रेकार्ड बना सकते थे? उन्हें भी सर्व समाज ने चुन कर भेजा है। और उन्हें भी चुनने वाला समाज एक है जैसा कि ओबामा को चुनने वाला समाज एक है, जैसा कि ओबामा को चुनने वाला अमेरिका एक है। सही है कि हमारे समाज में विघटनकारी शक्तियां कम नहीं हैं। जैसा कि अमेरिका में भी हैं और वे उस देश को सिर्फ गोरों और ईसाइयों का देश नहीं बनने दे रहे।

अमेरिकी राष्ट्रपति संसार का सबसे सत्तावान नेता होता है और अमेरिकी चुनाव लोकतंत्र की जीत कहा जाता है। ये अमेरिकी मुहावरे हैं, जिन्हें हम अपने मुर्खपन से दुहराते हैं। भारत में भी चुनाव लोकतंत्र की छोटी-मोटी जीत नहीं होते। भारतीय समाज की जटिलताओं को अगर आप समझें तो यहां के आम चुनाव लोकतंत्र की कई गुना बड़ी जीत दिखाई देंगे। भारत दुनिया का

सबसे शक्तिशाली भले न हो। भारत में ऐसे कई बुद्धिजीवी, संपादक आदि हैं जिन्हें मलाल है कि वे अमेरिकी नागरिक क्यों नहीं हैं कि राष्ट्रपति चुनाव में भागीदारी कर सकें। इनमें से ज्यादातर को आप भारत के आम चुनावों को हिकारत से देखते और उन्हें लोकतंत्र का मखौल बताते हुए देखेंगे। इनका स्वर्ग लोकतंत्र में नहीं, अमेरिका में है। इनकी नजर से आप अमेरिकी चुनाव को देखेंगे तो हाथ केवल हीनता लगेगी।

हमने अमेरिकी चुनाव में दिलचस्पी इसलिए ली कि चुनाव से डेढ़ महीने पहले ही अमेरिका और पूरे संसार को चलाने वाली वॉल स्ट्रीट का दिवाला पिटा है। अमेरिका 1930 की मंदी में उतर रहा है और उसने पूरे संसार को ही वित्तीय संकट में घेर लिया है। हम समझना चाहते थे कि ऐसे मुश्किल समय में अमेरिका की जनता क्या करती है? पिछली बार उसने बावजूद इराक के जॉर्ज बुश को दूसरे कार्यकाल के लिए चुन लिया था, क्योंकि उसने आर्थिक स्थिति बहुत बेहतर कर दी थी। अब उन्होंने वॉल स्ट्रीट के सट्टाखोरों को ऐसी छूट दी थी कि वे जनता का कोई एक ट्रिलियन धन डुबो गए। जनता उनसे निश्चित ही नाराज थी। उसने उनकी पार्टी के मैक्केन को नहीं ओबामा को वोट दिया। पैंसठ प्रतिशत लोगों के लिए आर्थिक स्थिति सबसे बड़ा मुद्दा था। दो महीने पहले तक इराक और आतंकवाद सबसे बड़े मुद्दे थे और मैक्केन को ओबामा पर बढ़त मिल रही थी। वित्तीय संकट ने सब बदल दिया। अब जनता बुश और रिपब्लिकन पार्टी को सजा देना चाहती थी। उसने एक ऐसे ओबामा पर भरोसा किया जो जनता से पैसा लेकर चुनाव लड़ रहा था और किसी कॉरपोरेट-लॉबी का नुमाइंदा नहीं।

चुनाव प्रचार के दौरान ओबामा ने कहा था कि वे ज्यादा जोर जन स्वास्थ्य सेवाओं के सुधार, मध्यवर्ग की कर कटौती और संपन्न लोगों पर कर बढ़ाने पर देंगे। इस पर मैक्केन ने उनकी भर्त्सना की। उन्हें समाजवादी और संपन्नता का पुनःवितरक कहा। लेकिन जनता ने मैक्केन को हराया और ओबामा को जिता दिया। लेकिन क्या आर्थिक और वित्तीय संकट इतना विकट नहीं है कि ओबामा अपना एजेंडा छोड़कर पहले आर्थिक संकट से निपटें। वे जरूर निपटेंगे, लेकिन वॉल स्ट्रीट को डुबोने वालों के नुस्खों से नहीं। वे नौकरियां बढ़ाना चाहते हैं और सरकार का निवेश और खर्च बढ़ाना चाहते हैं ताकि

अर्थव्यवस्था में जान डाली जा सके। वे उन लोगों की नीतियों पर नहीं चल सकते हैं, जिन्होंने अनियंत्रित लालच और निजी क्षेत्र को पवित्र माना और ऐसे जबर्दस्त आर्थिक संकट में दुनिया को डाल दिया।

भारतीय ओबामा की खोज के अंदेशे

जब से बराक ओबामा अमेरिका के राष्ट्रपति चुने गए हैं भारत में पार्टी-पॉलिटिक्स के मौजूदा नजारे से असंतुष्ट लोगों की कल्पनाशीलता को एक नई हवा मिल गई है। वे सवाल पूछ रहे हैं कि भारत को उसका अपना बराक ओबामा कब मिलेगा? उनकी यह भोली सी जिज्ञासा अपने साथ कई पूरक सवालों को भी ले कर आती है। जैसे, अगर भारत को अपना ओबामा कभी मिला तो कब मिलेगा, कैसे मिलेगा? और अगर नहीं मिलेगा तो क्यों नहीं मिलेगा, और उसके न मिलने में कौन-कौन सी बाधाएँ हैं? मीडिया के टिप्पणीकारों ने इस सिलसिले में कयास और विश्लेषण की मिली-जुली कवायद शुरू कर दी है। भारतीय ओबामा की यह तलाश बताती है कि हमारे बुद्धिजीवियों का एक हिस्सा भारतीय राजनीतिक नेतृत्व की क्वालिटी से काफी नाखुश है। उसका ख्याल है कि देश के सभी नेता निजी तौर पर आधे-अधूरी शख्सियत के मालिक हैं और सार्वजनिक हित की नुमाइंदगी करते हैं। न केवल अधिकतर भारतीय नेताओं का समर्थन-आधार संकीर्ण है, बल्कि उनका राजनीतिक एजेंडा भी व्यापक नहीं है। यह नेता-मंडली कोशिश करने पर भी पूरे राष्ट्र का प्रतिनिधित्व नहीं कर सकती, क्योंकि उसमें इस तरह की संभावना ही नहीं है। ये लोग आपस में जोड़-तोड़ करके किसी तरह राजनीतिक बहुमत तो बना लेते हैं, पर दरारें साफ दिखती रहती हैं।

भारतीय राजनेताओं की यह निराशाजनक तस्वीर बताती है कि आज हमारे पास ऐसा कोई नेता नहीं है जिसे ओबामा की तरह 'ट्रांसफॉर्मेटिव लीडर' कहा जा सके यानी परिवर्तन के वाहक की तरह देखा जा सके। कहना न होगा कि ओबामा जैसा संभावनाशील नेता किसी देश को आसानी से या रोज-रोज नहीं मिलता। किसी समाज और देश को इस तरह का नेता इतिहास की शक्तियों द्वारा थमाया जाता है, और इतिहास ही आगे चल कर साबित करता है कि उस नेता की अंतर्निहित संभावनाएँ फलीभूत होंगी या नहीं। भारतीय राजनीतिक नेतृत्व की यह आलोचना पहली नजर में सही लगती है।

वास्तव में आज हमारे पास ऐसा कोई नेता नहीं है जो एक मंच पर खड़े हो कर पूरे राष्ट्र को संबोधित कर सके, और सभी लोग उसकी अपील बिना किसी अंदेशे के ग्रहण कर सकें। राष्ट्रपति का चुनाव जीतने के बाद दिए गए ओबामा के चमकदार भाषण ने हममें से कई लोगों को यह सोचने पर मजबूर कर दिया है कि हमारे पास इस तेवर के साथ ऐसी एकताकारी बात बोलने वाली आवाज क्यों नहीं है? आजादी के बाद जवाहरलाल नेहरू के स्वर में इस तरह की विशेषता थी। 'ट्रिस्ट विद डेस्टिनी' जैसे भाषण में इस खूबी के दर्शन किए जा सकते हैं। नेहरू के ही जमाने में शायद लोहिया भी कुछ दूसरे तरह की प्रेरक बातें करने की श्रेणी में आने के दावेदार बन सकते थे। सत्तर के दशक की शुरुआत में इंदिरा गाँधी ने बहुत थोड़े समय तक इस तरह की चमक दिखाई। लेकिन उन्होंने अपना यह रुतबा जल्दी ही छिन जाने दिया और चुने हुए प्रधानमंत्री के बजाय विपक्ष के गैर-संसदीय नेता के तौर पर जयप्रकाश नाराणय ने कुछ दिनों तक यह रूपांतरणकारी भूमिका निभाई। लेकिन उनके और उनकी राजनीति के अवसान के बाद राजनीति के मैदान में सन्नाटा छाया हुआ है। राजीव गाँधी ने एक पल के लिए नयेपन की गलतफहमी पैदा की थी। अटल बिहारी वाजपेयी चाहते और अगर राष्ट्रीय स्वयंसेवक संघ उन्हें इजाजत देता तो उनकी शख्सियत में भी तबकाई और सामुदायिक हितों को परे जाने की क्षमता थी। पर वे अपने वक्त की सीमाएँ लांघने में नाकाम रहे।

यह ताज्जुब की बात है कि भारत का मार्क्सवादी आंदोलन अपनी तमाम विविधता, प्रतिभा और जनोन्मुखता के बावजूद राष्ट्रीय मंच पर ऐसी कोई शख्सियत पेश करने में विफल साबित हुआ है। संभवतः इसका कारण यह रहा होगा कि उनका गहरा लाल रंग लोकतंत्र के संसदीय सतरंगेपन के भीतर आज तक अपना सहज-स्वाभाविक स्थान नहीं बना पाया है। लेकिन, उन्हें भी दोष क्यों दिया जाए? जो रानीतिक धाराएं संसदीय लोकतंत्र का दम भरती हैं, वे भी तो ऐसी कोई उपलब्धि नहीं कर पाईं। अमेरिकी लोकतंत्र रेडिकल गणतांत्रिक भावनाओं में पला-बढ़ा है। उसके राजनीतिक मानस पर राजतंत्र और कुलीनतंत्र की परंपराओं की कोई छाप नहीं है। वहां दलीय प्रणाली बहुत पहले ही परिपक्व और स्थिर रूप ग्रहण कर चुकी है। अमेरिकी राजनीति में राष्ट्रीय मतैक्य सुपरिभाषित और निर्विवाद है। लेकिन भारतीय जन-मानस साठ वर्ष के

लोकतांत्रिक प्रयोग के बावजूद अभी तक घोर आपत्तिजनक रुझानों से पीड़ित है। हमारी राजनीति पर वंशवाद और परिवारवाद का काला साया हमेशा मंडराता रहता है। इस मासूम अपील के पीछे छिपा दर्द कोई भी महसूस कर सकता है कि मेहरबानी करके मुझे 'राजकुमार' न कहा जाए, क्योंकि अपील करने वाला पहले कह चुका होता है कि अगर मैं चाहता तो प्रधानमंत्री बन जाता। देश की दो सबसे बड़ी पार्टियाँ जब सरकार बनाती हैं तो उनके सूत्र गैर-संवैधानिक सत्ता केंद्रों के हाथ में होते हैं। कांग्रेस के मामले में ये सूत्र गैर-सांविधानिक सत्ता केंद्रों के हाथ में होते हैं। और भाजपा के मामले में यह डोर झंडेवालान और नागपुर से खींची जाती है। क्षेत्रीय दलों की हालत यह है कि वे पूरी तरह अपने नेता और उसके परिवार के करिश्मे पर आधारित हैं। थोड़ा-बहुत पार्टीगत ढांचा कम्युनिस्ट पार्टियों के पास है, पर वे इस लोकतंत्र को मजबूरी का सौदा मानती हैं। भाजपा और कांग्रेस की आपसी तू तू-मैं मैं बताती है कि राष्ट्रीय हित के प्रश्न अभी कमोबेश अंतिम रूप ग्रहण नहीं कर पाए हैं, और इसी कारण से जिसे 'शासक वर्ग' कहा जाता है। उसकी रचना अभी अधकचरी ही है।

ऐसे दिक्कततलब हालात में अगर हमारे राजनीतिक क्षितिज पर ओबामा जैसा कोई नेता उभर आया तो इससे हमारा लोकतंत्र 'आपातकाल' जैसे अंदेशों का शिकार भी हो सकता है। जनता के सभी तबकों के समर्थन से लैस नेता लोकतांत्रिक व्यवस्था को संस्थागत प्रक्रियाओं के बजाय 'प्रत्यक्ष-लोकतंत्र' (अर्थात जनता और नेता के बीच किसी मध्यस्थ का न होना) जैसे उसूलों के तहत संचालित करने की कोशिश कर सकता है। ध्यान रहे कि ओबामा अपनी तमाम रेडिकल संभावनाओं के बावजूद अमेरिकी राजनीतिक प्रणाली के तहत बहुत लंबी आंतरिक जद्दोजहद के बाद जीत पाए हैं। उनके मुकाबले डेमोक्रटिक पार्टी के टिकट की दावेदारी कर रही हिलेरी क्लिंटन किसी भी तरह से हल्की नेता नहीं थीं। दूसरे, ओबामा का चुनाव, व्यवस्था के प्रति किसी जन-हताशा की उपज नहीं है। इसके उलट भारत में अगर किसी ओबामा का उभार होगा तो वह राजनीतिक खीज और गुस्से की भावनाओं का ही परिणाम होगा। एक अदद ओबामा तो हमें भी चाहिए, पर उसका जन्म किसी नकारात्मकता के गर्भ से हुआ तो वह उद्धारक और खेवनहार की भूमिका में

सामने आएगा। हम जानते हैं कि जिस व्यवस्था में जनता के बजाय कोई व्यक्ति उद्धारक का खिताब हासिल कर लेता है, वह जनोन्मुख नहीं रहता। भले ही वह व्यक्ति कितना भी रेडिकल और लोकप्रिय क्यों न हो।

रक्षा संबंधों पर आंच नहीं

बराक ओबामा के अमेरिकी राष्ट्रपति निर्वाचित होने के बाद परमाणु संधि और आउटसोर्सिंग को लेकर भले कुछ चिंताएं उभर रही हों, पर रक्षा संबंधों को लेकर स्थिति कमोबेश पहले जैसी ही रहेगी। दक्षिण एशियाई क्षेत्र में चीन के मुकाबले एक मजबूत साथी की जरूरत, हिन्द महासागर में समुद्री जहाजों की रक्षा, भारत की बढ़ती अर्थव्यवस्था और लोकतांत्रिक ढांचा दोनों को स्वाभाविक दोस्त बनाते हैं।

इस बात को ध्यान में रखना जरूरी है कि 1998 में पोखरण विस्फोट के बाद लगे प्रतिबंधों को खत्म कर दोनों देशों के बीच रक्षा संबंधों को पटरी पर लाने का काम एक डेमोक्रेट राष्ट्रपति यानी बिल क्लिंटन ने ही किया था। यह बात अलग है कि उसके बाद रिपब्लिन जॉर्ज बुश के वक्त ये संबंध नई ऊंचाइयों पर पहुंच गए। अब डेमोक्रेट बराक ओबामा की पाकिस्तान व चीन के प्रति नीति भी काफी हद तक भारत के साथ रक्षा संबंधों को निर्धारित करेगी।

वैसे आज अगर भारत मिसाइलों से लेकर मानवरहित विमानों तक इस्रायल के साथ आगे बढ़ रहा है तो उसके पीछे कहीं-न-कहीं अमेरिका का हाथ है। इस्रायल अमेरिका से हासिल प्रौद्योगिकियों को ही भारत के साथ साझा कर रहा है।

यह ठीक है कि ओबामा की सोच कुछ हद तक वामपंथी मानी जाती है, पर मंदी के दौर से गुजर रही अमेरिकी रक्षा कंपनियां भारत के साथ रक्षा सौदों पर आगे बढ़ने के लिए दबाव बनाए रखेंगी।

पालने में ही दिख गए थे पूत के पांव

इंडोनेशिया में बराक ओबामा के संग पढ़े उनके पूर्व सहयोगी उनकी जीत से गदगद हैं। आखिर खुश हों भी क्यों न, कल तक जो लड़का उनके हर

सुख-दुख में साथ देता था, आज वह अमेरिका का पहला अश्वेत राष्ट्रपति बन गया है।

उनकी एक सहपाठी देवी असमारा ने कहा, 'मुझे वह दिन याद है जब सभी बच्चों से यह लिखने को कहा गया था कि वे बड़े होकर क्या बनना चाहते हैं? किसी ने डाक्टर बनने की इच्छा जताई तो किसी ने इंजीनियर और पायलट बनने की। लेकिन ओबामा अकेला था जिसने राष्ट्रपति बनने की इच्छा जाहिर की। हम कभी नहीं समझ पाए कि उस दिन उसके दिमाग में क्या था?'

पारिवरिक पृष्ठभूमि

ओबामा सीनियर: ओबामा के पिता बराक ओबामा सीनियर का जन्म केन्या में हुआ था। उन्हें अमेरिका की हवाई यूनिवर्सिटी में पढ़ने के लिए वजीफा मिला और इस तरह वे अपने सपनों के देश पहुंचे। यहीं पर उनकी मुलाकाल अपनी भावी पत्नी एन डनहैम से हुई। पढ़ाई के दौरान ही दोनों ने शादी कर ली। हालांकि तीन साल बाद दोनों में तलाक हो गया। जब ओबामा जूनियर एक साल के थे, तभी ओबामा सीनियर पढ़ने के लिए हार्वड चले गए। पढ़ाई पूरी करके वे केन्या लौट गए। 1982 में उनकी कार दुर्घटना में मृत्यु हो गई। इस बीच वे सिर्फ एक बार हवाई लौटे, जब ओबामा दस साल के थे।

तलाक के बाद एन ने इंडोनेशिया के लोलो सोतोरो से शादी रचा ली। करीब दस साल की उम्र तक उनकी मां और सौतेले पिता ने ओबामा का पालन किया।

इसके बाद उनके नाना-नानी स्टेनले और मेडलिन डनहैम ने उनकी परवरिश की। उनके सात सौतेले भाई बहिन हैं। ओबामा को अपनी सौतेली बहन माया सोएतोरो और औमा ओबामा से बेहद लगाव है।

शिक्षा-दीक्षा

1983: कॉलेज की पढ़ाई पूरी करने के बाद ओबामा ने न्यूयॉर्क में आर्थिक सलाहकार का काम किया।

1985: ओबामा शिकागो के डेवलपिंग कम्युनिटी संस्था में गरीबों का स्तर बढ़ाने के लिए काम करते थे। इसके तीन साल बाद वो हार्वड स्कूल में कानून

पढ़ने चले गए, जहां उन्हें लॉ रिव्यू का पहला अश्वेत राष्ट्रपति चुना गया। शिकागो के सिडले लॉ फर्म में उनकी मुलाकात अपनी भावी पत्नी मिशेल से हुई।

1991: हावर्ड से स्नातक की पढ़ाई पूरी करने के बाद शिकागो के छोटे से फर्म में वकालत की।

1993: ओबामा शिकागो यूनिवर्सिटी में कानून के लेक्चरर बन गए।

1996: इलिनायस स्टेट से चुनाव जीता। अपने कार्यकाल के दौरान उन्होंने नैतिकता को आधार बनाते हुए काम किया।

2004: भारी मतों से अमेरिकी सीनेट का चुनाव जीता।

2007: साल के सबसे उदारवादी सीनेटर घोषित। 2005 में उन्हें उदारवादी सीनेटर की सूची में 16वां और 2006 में 10वां स्थान दिया गया था।

रोचक तथ्य

अमेरिका के नवनिर्वाचित राष्ट्रपति का नाम उनके पिता बराक ओबामा के नाम पर रखा गया है। स्वाहिली में बराक का मतलब होता है भाग्यशाली। बचपन में उन्हें बैरी नाम से बुलाया जाता था। ओबामा के बारे में एक खास तथ्य यह है कि वो जॉर्ज बुश और उप राष्ट्रपति डिक चेनी के दूर के रिश्तेदार भी हैं।

गांधी, हनुमान और दाल

बराक ओबामा को भारत समर्थक माना जाता है। हर भारतीय चीज से उन्हें लगाव है। सीनेटर के रूप में उन्हें जो आफिस मिला है, उसमें महात्मा गांधी की तस्वीर लगी हुई है। इसके अलावा उन्हें भारतीय व्यंजन दाल बहुत पसंद है। यही नहीं, ओबामा के पास हर समय हनुमान जी की एक छोटी सी मूर्ति रहती है, जिसे वे अपने लिए भाग्यशाली मानते हैं।

हकीकत में बदली फिल्मी कहानी

अब तक यह केवल हॉलीवुड की रीयल लाइफ में होता था। हॉलीवुड की फिल्मों में दुनिया के सबसे ताकतवर देश के राष्ट्रपति के रूप में किसी अश्वेत

व्यक्ति की कल्पना लंबे समय से की जाती रही। लेकिन, अमेरिकी राष्ट्रपति चुनाव में बराक ओबामा की जीत के साथ हॉलीवुड की रीयल लाइफ रिल में बदल गई।

हॉलीवुड की फिल्मों में अश्वेत अमेरिकी राष्ट्रपति की कल्पना तकरीबन एक सदी पुरानी है। 20वीं सदी के शुरुआत की कुछ फिल्मों में अफ्रीकी मूल के अमेरिकी व्यक्ति को देश का राष्ट्रपति दिखाया गया था। पिछले कुछ दशकों की फिल्मों की बात करें तो 1972 में रिलीज हुई 'द मैन' में अश्वेत राष्ट्रपति की कहानी पेश की गई थी। इसमें दिखाया गया कि एक इमारत गिरने से अमेरिका के राष्ट्रपति की मौत हो जाती है और उप राष्ट्रपति अस्वस्थता के कारण देश का कामकाज संभालने से इनकार कर देते हैं। ऐसे वक्त पर सीनेट अध्यक्ष डगलस डिलमैन अचानक व्हाइट हाउस पहुंचने वाले पहले अश्वेत नागरिक बन जाते हैं। डगलस डिलमैन का यह किरदार अभिनेता जेम्स अर्ल जोंस ने निभाया था।

वर्ष 1998 में प्रदर्शित फिक्शन फ़िल्म 'डीप इंपैक्ट' में अश्वेत अमेरिकी राष्ट्रपति के रूप में टाम बेक का किरदार दिखाया गया। इस भूमिका को मोर्गन फ्रीमैन ने बड़ी बखूबी से निभाया। फिल्म में वोल्फ बीडरमैन नामक काल्पनिक धूमकेतु की पृथ्वी से संभावित भिड़ंत की कहानी गढ़ी गई। देश और दुनिया के सामने मौजूद इस खतरे से सफलतापूर्वक निपट कर राष्ट्रपति बेक लोगों का दिल जीत लेते हैं। वर्ष 2003 में प्रदर्शित 'हेड आफ स्टेट' में मेज गिलियम आश्चर्यजनक तरीके से अमेरिकी राष्ट्रपति पद के उम्मीदवार बनते हैं। उनकी पार्टी के राष्ट्रपति और उपराष्ट्रपति पद के उम्मीदवार की विमान दुर्घटना में मौत के बाद उन्हें यह जिम्मेदारी मिलती है। तमाम दिक्कतों से पार पाते हुए अश्वेत मेज देश का राष्ट्रपति बनने में कामयाब रहते हैं। मेज के किरदार को अभिनेता क्रिस रॉक ने निभाया था।

पूरी दुनिया में जगी नई उम्मीद

राष्ट्रपति चुनाव में रिपब्लिकन उम्मीदवार जान मैक्केन को हराकर डेमोक्रेट ओबामा ने पहला अश्वेत अमेरिकी राष्ट्रपति बन इतिहास रचा। इस जीत पर विश्व भर के तमाम शीर्ष नेताओं ने अपनी प्रतिक्रियाएं दीं।

चीन की सरकार और स्वयं मैंने चीन और अमेरिकी संबंधों को हमेशा महत्व दिया है। नए ऐतिहासिक युग में मैं आपके साथ मिलकर काम करने की उम्मीद करता हूं। (हू जिंताओ, चीन के राष्ट्रपति)

ऐसे समय में जब हमें मिलकर तमाम चुनौतियों का सामना करना है, आपकी जीत ने फ्रांस, यूरोप और विश्व के अन्य तमाम देशों में उम्मीद की नई किरण जगाई है।

(निकोलस सरकोजी, फ्रांस के राष्ट्रपति)

मैं अमेरिकी लोगों के निर्णय की सराहना करता हूं। मुझे उम्मीद है कि अमेरिका में नया शासन जल्द ही विश्व भर के लिए उदाहरण बनेगा।

(हामिद करजई, अफगानिस्तान के राष्ट्रपति)

हम दोनों को विश्वास है कि हमारी सरकारें वैश्विक मंदी के इस दौर में लोगों की मदद करने का काम कर सकती हैं।

(गार्डन ब्राउन, ब्रिटेन के प्रधानमंत्री)

फिलस्तीन की समस्या को सुलझाने में हम आपकी ओर से सकारात्मक योगदान देने की अपेक्षा करते हैं।

(होस्नी मुबारक, मिस्र के राष्ट्रपति)

अमेरिका में अद्भुत

बराक ओबामा का अमेरिका का राष्ट्रपति बनना जितना प्रत्याशित है उतना ही अकल्पनीय भी। यह शायद अमेरिका में ही संभव था कि कोई पहली बार सीनेटर बने और फिर मात्र चार वर्ष के अंदर सर्वोच्च पद पर पहुंच जाए। कदाचित यह भी अमेरिका में संभव था कि वहां का श्वेत बहुल समाज एक अश्वेत को राष्ट्रपति पद पर आसीन करने के अभियान का अभिन्न अंग बन जाए। ध्यान रहे कि यह वही अमेरिका है जो अभी भी अश्वेतों के साथ असमान व्यवहार करने के लिए जब-तब कठघरे में खड़ा किया जाता है। यह तो समय ही बताएगा कि ओबामा के उदय ने अमेरिका में रंगभेद की दीवारों को पूरी तरह ढहा दिया या नहीं, लेकिन इसमें कोई संदेह नहीं कि आज विश्व में इस देश सरीखा भिन्न-भिन्न संस्कृतियों का गलन पात्र और कोई नहीं। केन्याई मूल के युवा डेमोक्रेटिक उम्मीदवार ओबामा का अमेरिकी राष्ट्रपति के

रूप में दुनिया के सबसे ताकतवर पद पर पहुंचना अमेरिका की राजनीतिक और साथ ही सामाजिक-सांस्कृतिक सोच में उल्लेखनीय बदलाव का परिचायक है।

दुनिया भर में जो लोग भी ओबामा की जीत से उत्साहित हो रहे हैं उन्हें इस बदलाव पर गौर करना चाहिए और हो सके तो आत्मसात भी। अमेरिकी समाज और राजनीति में तमाम खामियां हैं वे अन्यत्र कहीं नहीं। शायद इसीलिए अमेरिका निर्विवाद रूप से एकमात्र महाशक्ति है। वह चाहे-अनचाहे दुनिया भर को प्रभावित करता है। ऐसे शक्तिशाली राष्ट्र का राष्ट्रपति बनने के नाते ओबामा से अपेक्षाएं बढ़ना स्वाभाविक है। उनसे जितनी अपेक्षा अमेरिकी जनता को है उतनी ही विश्व समुदाय को भी। निःसंदेह ओबामा के समक्ष एक बड़ी समस्या अपेक्षाओं का अंबार है और वह भी ऐसे समय में जब अमेरिका आर्थिक रूप से गहन संकट में है। कुछ ऐसा ही संकट अमेरिकी विदेश नीति के मोर्चे पर भी है। अधिक अपेक्षाएं अपने आप में एक चुनौती होती है।

ओबामा की जीत ने भारत में भी व्यापक हलचल पैदा की है। यह हलचल राजनीतिक, आर्थिक और सामाजिक-सभी क्षेत्रों में हैं। अमेरिका और भारत के संबंधों में बढ़ती निकटता के चलते ऐसा होने में तनिक भी आश्चर्य नहीं, लेकिन जब हम अमेरिका को एक आदर्श महाशक्ति के रूप में देख रहे हैं तब यह आवश्यक हो जाता है कि उससे कुछ सबक भी सीखें। इस पर विशेष रूप से गौर करना होगा कि ओबामा महज एक अश्वेत उम्मीदवार के रूप में चुनाव नहीं लड़े। वह राष्ट्रपति उम्मीदवार के रूप में अमेरिकी समाज की मुख्य धारा का नेतृत्व कर रहे थे और ऐसा करते समय उन्होंने सभी वर्गों को अपने पीछे एकजुट रूप में खड़ा किया और उसका समर्थन भी हासिल किया। दुर्भाग्य से भारत में ऐसा नहीं होता।

हमारे देश में राजनेता और राजनीतिक दल मुख्यधारा का प्रतिनिधित्व करने के स्थान पर जाति, वर्ग, समुदाय, प्रांत, क्षेत्र आदि का नेतृत्व करते दिखते हैं। वे ऐसा दिखने के लिए अतिरिक्त परिश्रम भी करते हैं। उनकी नीतियां, उनकी भाषा, उनकी कार्यशैली, उनके मुद्दे-सभी कुछ कहीं न कहीं यह इंगित करते हैं कि वे इस या उस वर्ग अथवा समुदाय या फिर क्षेत्र का प्रतिनिधित्व अधिक कर रहे हैं। हैरत नहीं कि इस सबका दुष्प्रभाव हमारे समाज पर भी नजर आने लगा है।

अब बदलेगी दुनिया

अमेरिका में चली परिवर्तन की बयार ने अपना असर दिखा दिया। यहां 4 नवंबर मंगलवार (भारत में बुधवार) को जो हुआ, वह अमेरिकी लोकतंत्र के इतिहास में कभी नहीं हुआ था। अश्वेत मूल के बराक हुसैन ओबामा ने व्हाइट हाउस में अपनी जगह पक्की कर ली। मतदाताओं ने नस्लीय भेदभाव के बैरियर को तोड़ा और ओबामा इस बदलाव के अग्रदूत बन गए। इस पर अमेरिकियों ने खूब जश्न मनाया। इस जश्न में गोरे और काले, दोनों एक साथ शरीक हुए। नस्लभेद के लिए कुख्यात रहे अमेरिका में यह बदलाव का सबसे तात्कालिक असर था। ओबामा ने कहा कि यह तो बस शुरुआत है। अमेरिका बदला, अब बारी है दुनिया बदलने की।

शिकागो में भाषण

47 वर्षीय ओबामा ने समर्थकों से कहा, 'वैसे तो यह काफी समय से चल रहा था, लेकिन आज रात हमने जो किया, उस निर्णायक क्षण में अमेरिका में परिवर्तन आ गया है।' केन्याई पिता और अमेरिकी (कंसास) मां के बेटे ओबामा ने शिकागो के ग्रांट पार्क में यह भाषण दिया। वहां दो लाख से भी ज्यादा ओबामा समर्थक जुटे थे। उसी शिकागो में जहां 1893 में स्वामी विवेकानंद ने पश्चिमी ज़गत को हिंदुत्व से परिचय कराया था और नए परिवर्तन का सूत्रपात कराया था।

दुनिया में भी दिखेगा बदलाव

अमेरिका में चली परिवर्तन की ताजा बयार अब दुनिया को बदलेगी। इसके लिए ओबामा जुट गए हैं। तब चार साल तक भारत, पाकिस्तान, अफगानिस्तान और इराक भी अमेरिकी बदलाव का असर महसूस करता रहेगा। भारत को परमाणु सहयोग के मामले में बदलाव महसूस होगा। साथ ही, कश्मीर मसले पर भी ओबामा भारत-पाक के बीच शांतिदूत की भूमिका निभाने के इच्छुक लगते हैं। उन्होंने चुनाव प्रचार के दौरान ही कहा था कि उनका प्रशासन भारत और पाकिस्तान के बीच आपसी समझ मजबूत करने के लिए काम करेगा।

पाकिस्तान पर कस सकता है शिकंजा

भारत के पड़ोसी पाकिस्तान को आतंकवादियों के चुंगल से मुक्त कराने

के लिए ओबामा कुछ अलग और ठोस नीति बनाने के पक्षधर रहे हैं। तालिबान के खिलाफ सख्ती बरतने के लिए वह पाकिस्तान पर दबाव भी बना सकते हैं। ओबामा आतंकवाद के खिलाफ लड़ाई को और तेज करने की वकालत करते रहे हैं। उन्होंने कहा था कि पाकिस्तान ने नहीं किया तो अमेरिका वहां घुसकर आतंकियों को नेस्तनाबूद करेगा। वह पाकिस्तान को सैन्य मदद कम कर नागरिक मदद बढ़ाने के हक में भी रहे हैं। साथ ही, अफगानिस्तान में अमेरिकी सैनिकों की मौजूदगी भी कम करना चाहते हैं। इराक के बारे में तो ओबामा ने कहा है कि वह 16 महीने के भीतर वहां से अमेरिकी सैनिकों की वापसी पूरी करा लेंगे।

मनमोहन ने दिया ओबामा को न्यौता

भारत-अमेरिका रिश्तों के बेहतर दौर को जारी रखने की नीति के तहत प्रधानमंत्री मनमोहन सिंह ने बराक ओबामा को चुनाव जीतने के तत्काल बाद गरमाहट भरे शब्दों के गुच्छों के गुलदस्ते के जरिए बधाई दी। ओबामा को लिखी पाती में मनमोहन सिंह ने उनकी जीत को असाधारण यात्रा बताया। प्रधानमंत्री ने लगे हाथ ओबामा को भारत आने का न्यौता भी भेज दिया।

राष्ट्रपति बुश ने दुनिया की आर्थिक मंदी पर बुलाए अपने सम्मेलन में पहले ही अपने उत्तराधिकारी को विश्व के शीर्ष नेताओं से सीधे रूबरू कराने की घोषणा कर रखी है। इस प्रस्तावित मुलाकात से पहले शायद प्रधानमंत्री के गरमाहट भरे बधाई के शब्द ओबामा को भाएंगे। प्रधानमंत्री ने अपनी पाती में कहा कि वह उनके साथ काम करने के इच्छुक हैं।

ओबामा की कश्मीर-चीन नीति पर सस्पेंस

अमेरिकी राष्ट्रपति चुनाव में बराक ओबामा की जीत पर दुनिया भर में जताई जा रही खुशदिली में भारत के प्रमुख राजनीतिक दल भी शामिल हैं। मगर भारतीय राजनीतिक दलों को ओबामा प्रशासन से अपने लिए कुछ चिंताएं भी दिख रही हैं। सत्ताधारी कांग्रेस और मुख्य विरोधी दल भाजपा दोनों इस बात को लेकर एकमत दिखते हैं कि कश्मीर, परमाणु अप्रसार संधि और आउटसोर्सिंग पर नए प्रशासन के नजरिए को लेकर भारत को बेहद सतर्क रहना होगा। चीन को तवज्जो देते रहने की डेमोक्रेट प्रशासन की परंपरागत नीति भी भारत की

चिंता बढ़ा सकती है। कांग्रेस और भाजपा ही नहीं, घोर अमेरिकी विरोधी वामपंथी दलों का भी मानना है कि ओबामा की नीति में बहुत ज्यादा बदलाव नहीं होगा। लेकिन कांग्रेस और भाजपा दोनों का मानना है कि जम्मू-कश्मीर पर ओबामा ने प्रचार अभियान के दौरान मध्यस्थता की जो बात कही थी, उसे लेकर भारत को सतर्क रहना होगा। बुश प्रशासन ने इस मामले में भारत की कश्मीर पर तीसरे पक्ष की मध्यस्था स्वीकार नहीं करने की नीति का सम्मान किया है। कांग्रेस का मानना है कि ओबामा आम भारतीयों की पसंद के रूप में उभरे हैं। लेकिन भारतीय प्रशासन के दिल के शायद उतने करीब नहीं हैं, इसकी वजह डेमोक्रेट प्रशासन की हस्तक्षेप करने की पुरानी नीति मानी जा रही है।

बिल क्लिंटन के कार्यकाल में अमेरिकी प्रशासन ने कोसावो, हैती और कांगो सहित कई देशों में दखल देने की नीति अपनाई। हालांकि बुश प्रशासन ने अफगानिस्तान और इराक में सीधा हस्तक्षेप किया, लेकिन कांग्रेस इसे अमेरिका के आतंकवाद का शिकार होने के पहले प्रत्यक्ष अनुभव का नतीजा मानती है। राजनीतिक दल इस राय से भी सहमत हैं कि रिपब्लिकन प्रशासन परंपरागत तौर पर चीन को रोकने की नीति अपनाता रहा है। जॉर्ज बुश ने भी भारत को इसीलिए ज्यादा अहमियत दी। लेकिन डेमोक्रेट चीन को रोकने के बजाय उसके साथ आपसी समझ-बूझ बढ़ाने की नीति पर चलते रहे हैं। कांग्रेस इस मामले में भी ओबामा प्रशासन की नीति पर सजग रहने की पक्षधर है। खास कर 1998 के क्लिंटन और तत्कालीन चीनी राष्ट्रपति जियांग जेमिन के गुप्त समझौते की बात को लेकर, जिसमें दोनों ने दक्षिण एशिया को संयुक्त रूप से प्रशासित करने की राय जाहिर की थी। सीटीबीटी के लिए ओबामा प्रशासन दबाव बढ़ा सकता है, कांग्रेस और भाजपा इस पर भी एकमत हैं। मुख्य विरोधी दल भाजपा नौकरियों की आउटसोर्सिंग पर ओबामा की नीति को लेकर कुछ ज्यादा ही चिंतित हैं। उसका मानना है कि ओबामा कर ढांचे को कठोर बना भारतीयों की नौकरियों के लिए चुनौती पैदा कर सकते हैं।

जादुई असर वाले ओबामा

ओबामा न केवल चुनाव जीत रहे थे, बल्कि वह भारी बहुमत से विजयी हुए, क्योंकि उनके पक्ष में एक तरह की लहर चल रही थी। इस बात का

अहसास इसलिए और सहज हो गया, क्योंकि डेमोक्रेटिक पार्टी के अंदर ओबामा का प्रतिद्वंद्वी खेमा अर्थात हिलेरी क्लिंटन के कट्टर समर्थक भी दबे मन से यह बात कह रहे थे कि ओबामा का जीतना तय है और अमेरिका का राष्ट्रपति बनना उनकी किस्मत में लिखा है। विपरीत परिस्थितियों के बावजूद माहौल जिस तरह से उनके पक्ष में जा रहा है, उससे लगता है कि ऊपर वाला ही उनकी किस्मत रच रहा है।

हिलेरी क्लिंटन के समर्थकों की इस बात से ही अंदाजा लग गया कि ओबामा बहुत मजबूत स्थिति में हैं और जॉन मैक्केन उनका मुकाबला नहीं कर पाएंगे। शायद यही वजह रही होगी कि बिल क्लिंटन और हिलेरी ने खुद स्थिति को भांपकर डेढ़ सौ स्थानों पर चुनाव प्रचार किया और ओबामा की जीत की अपील की। भले ही उन्होंने यह अपील दिल पर पत्थर रखकर की हो, लेकिन उसका श्वेत मतदाताओं में असर जरूर हुआ होगा। ओबामा के पक्ष में शुरू से ही सारे अश्वेत और अफ्रीकी मूल के लोग थे, जो भारी संख्या में अमेरिका में कई सदियों से बसे हैं। चालीस साल पहले तो उनको मतदान का अधिकार मिला था और पहली बार एक अश्वेत के राष्ट्रपति बनने का अवसर जानकर उन्होंने पूरी ताकत झोंक दी थी। जितने अन्य समुदाय के लोग थे, चाहे वे एशियाई हों, चीनी हों, फिलिपीन्स के हों या मध्य व दक्षिण अमेरिका के अथवा मुस्लिम समुदाय के वे सब भी ओबामा के समर्थन में थे। इन सबको मिलाकर एक बहुत बड़ा बैंक बन जाता है। ऐसे में यदि तीस प्रतिशत भी श्वेत मतदाता ओबामा के पक्ष में आ जाते तो उनका पलड़ा भारी हो जाता। शुरू में तो लग रहा था कि श्वेत मतदाता अंततः मैक्केन के साथ जाएंगे, लेकिन अचानक आई आर्थिक मंदी की वजह से एक अच्छा खासा प्रतिशत बदलाव की मांग करता हुआ ओबामा के साथ चला गया। इस तथ्य ने ओबामा के पक्ष में चुनाव से दस दिन पहले एक लहर सी पैदा कर दी।

ओबामा के खासमखास वरिष्ठ सांसद जेफ क्रीइली ने कई अमेरिकी सांसदों को लंच पर आमंत्रित किया था। वहां ये सब डेमोक्रेट पार्टी की तरफ से दोबारा चुनाव लड़ रहे थे, लेकिन लंच पर मस्ती के साथ बैठे थे। उनसे पूछा गया कि चार दिन बाद आप लोगों का चुनाव होने वाला है और आप सब एकदम बेफिक्र हैं। उन्होंने बहुत सहजता से उत्तर दिया कि पिछले चुनाव में हम

परेशान थे, लेकिन इस चुनाव में तो बराक ओबामा की वजह से डेमोक्रेटिक पार्टी के पक्ष में लहर सी चल रही है। ऐसे में हम लोगों को ज्यादा मेहनत करने की जरूरत नहीं है। उनके इस विचार से यह अंदाजा लगाया जा सकता है कि ओबामा का समूह चुनाव से कुछ दिन पहले ही कितना निश्चिंत हो गया था।

लोग कहते हैं कि मैक्केन की सबसे बड़ी गलती यह रही कि उन्होंने जो बिडेन जैसे व्यक्ति के आगे सारा पेलिन जैसी नौसिखिया महिला उम्मीदवार को उपराष्ट्रपति के चुनाव के लिए मैदान में उतार दिया, जिससे उनका माहौल बिगड़ा। बिडेन एक अच्छे राजनेता और भारत के अच्छे दोस्त हैं। फिर भी यह विचार सही नहीं कि हार की वजह सिर्फ पेलिन थीं। लेकिन उनकी मीटिंगों में जमकर भीड़ होती थी और यदि उन्होंने अपने को पढ़-लिखकर अगले चार सालों में राजनीति के लिए अच्छी तरह तैयार किया तो लगता है कि रिपब्लिकन पार्टी से राष्ट्रपति पद के लिए अगली उम्मीदवार वही होंगी। मुसलमानों ने ओबामा के नाम में हुसैन लगे होने की वजह से उन्हें जमकर समर्थन दिया, लेकिन तथ्य यह है कि पूरे प्रचार में ओबामा मुसलमानों से भागते रहे। किसी मुसलमान को उन्होंने अपनी टीम में नहीं रखा। उन्होंने हर जगह इस बात पर जोर दिया कि वे ईसाई हैं और ईसाई मजहब को पूरे मन से मानते हैं। वह लगातार चर्चों में भी जा रहे थे तथा चुनाव प्रचार में इस पर बहुत जोर दिया जा रहा था कि उन्होंने कई वर्षों तक चर्च के लिए सामाजिक कार्य किया है। मुसलमानों की सभाओं में जाने से भी उन्होंने परहेज किया और कहीं भी हुसैन शब्द अपने नाम में नहीं लगने दिया।

ओबामा हर भाषण में अलकायदा और तालिबान के खिलाफ बोलते थे और पाकिस्तान पर सीधे हमले की चेतावनी देते थे। ओबामा के इस रुख से उनकी जीत के बावजूद अमेरिका के मुसलमान अंदर से बहुत दुःखी हैं। उनके इस प्रचार अभियान कि वह हनुमान जी की मूर्ति रखते हैं, दाल बनाना जानते हैं और महात्मा गांधी के अनुयायी हैं, से भारतीय तो खुश हो गए, लेकिन वहां बसे पाकिस्तानियों को काफी बुरा लगा। कश्मीर पर उन्होंने एक नासमझी का बयान दिया, जो शायद उनके सलाहकार की गलती से हुआ होगा। राष्ट्रपति का चुनाव जीतने के बाद उन्होंने उस बयान में सुधार कर लिया और कश्मीर को भारत और पाकिस्तान के बीच द्विपक्षीय विषय ही रहने दिया। चुनाव प्रचार के

दौरान उन्होंने कहा था कि कश्मीर के हल के लिए वह किसी को शांतिदूत के रूप में भेजना चाहेंगे। इसके लिए उनके मन में पूर्व राष्ट्रपति बिल क्लिंटन का नाम था। क्लिंटन के नाम पर पाकिस्तानी खुश नहीं थे, दूसरे भारतीय समुदाय के कुछ प्रमुख लोगों, जैसे संत सिंह चटवाल आदि ने क्लिंटन को यह सुझाव दिया कि कश्मीर मामले को सिर्फ भारत-पाकिस्तान के बीच का मसला रहने दिया जाए और इसमें किसी तीसरे का हस्तक्षेप उचित नहीं होगा। इसके बाद बिल क्लिंटन ने खुद ही मन बना लिया कि वह इस मामले में नहीं पड़ेंगे। स्थिति की नजाकत को देखते हुए बाद में बराक ओबामा ने भी अपने रुख में संशोधन किया।

ओबामा को उनके किसी नासमझ सलाहकार ने समझा दिया था कि यदि पाकिस्तान को ठिकाने लगाना है तो पहले कश्मीर के मुद्दे को सुलझा कर पाकिस्तानियों को ठंडा कर दिया जाए और उसके बाद सीमावर्ती आतंकी ठिकानों पर अमेरिकी सेनाएं सीधे हमला करें। ऐसा करने से पाकिस्तान दबाव में रहेगा। सलाहकार को यह समझ में नहीं आया कि ये दोनों बातें अलग-अलग हैं बाद में जब ओबामा को समझाया गया कि कश्मीर में पड़ना खतरनाक हो सकता है और अलकायदा व तालिबान से सीधे लड़ा जा सकता है, तो सारा माजरा उन्हें समझ में आया और उन्होंने एक नया बयान जारी कर दिया। अमेरिका की विदेश नीति में भारत के लिए बदलाव हो चुका है। राष्ट्रपति किसी भी पार्टी का व्यक्ति बने, भारत के साथ अमेरिकी विदेश नीति अब दोस्ताना ही रहने वाली है। इसमें परमाणु समझौते की बहुत बड़ी भूमिका है।

ओबामा की जीत का अर्थ

शिकागो के ग्रांट पार्क में अथाह भीड़ के बीच खड़े रेवरेंड जेसी जैक्सन के अविरल बह रहे आंसू इस बात के गवाह थे कि बराक हुसैन ओबामा की जीत के साथ रंगभेद युगों का अंत हो रहा है। मानवाधिकारवादी जैक्सन वही शख्स हैं जिन्हें 1980 के दशक में इसी डेमोक्रेटिक पार्टी की दौड़ से बाहर कर दिया गया था। इसके पीछे उस समय शायद यही विचार काम कर रहा होगा कि अमेरिकी समाज अभी किसी अश्वेत को स्वीकार करने की मानसिकता नहीं बना पाया है। वैसे तो किसी भी हालत में किसी अश्वेत का अमेरिकी

राष्ट्रपति चुना जाना ऐतिहासिक से भी कुछ ज्यादा है। इस जीत का अनोखापन यह है कि ओबामा अश्वेत होने के साथ ही अप्रवासी अफ्रीकी मूल के माने जा सकते हैं, क्योंकि केन्या से सीधे उनके पिता का ही संबंध रहा है। दूसरे शब्दों में ओबामा की यह जीत अमेरिकी अश्वेत धारा से भी अलग दिखती है। ओबामा के नाम के बीच का 'हुसैन' शब्द भी अमेरिकी राजनीति में बहुत चर्चित रहा जिसे रिपब्लिकनों ने प्रचार के दौरान हवा देने और उनकी तुलना ओसामा बिन लादेन से करने का प्रयास भी किया।

इस जीत के ज़ोश में कुछ अतिशयोक्तिपूर्ण व्याख्याएं भी शुरू हो गई हैं। भारतीय मीडिया ओबामा की इस जीत को कुछ ज्यादा ही अतिरंजित करके देख रहा है। ध्यान रहे कि ओबामा की जीत में कुछ तात्कालिक कारणों का भी प्रबल संयोग रहा, जो बाद में अल्पकालिक सिद्ध हो सकते हैं। ओबामा को मिले मतों से यह साफ है कि बीते तीन-चार सालों में जॉर्ज बुश की अमेरिकी समाज में जितनी अलोकप्रियता बढ़ी उसकी वजह से हुई नकारात्मक वोटिंग का अच्छा-खासा लाभ ओबामा को मिला। हालांकि जॉन मैक्केन खुद भी बुश विरोधी थे, लेकिन उनकी समस्या यह थी कि जिस भयंकर युद्ध प्रेम के कारण बुश अमेरिकी समाज में अलोकप्रियता खो चुके थे वही मैक्केन का अतीत था। मैक्केन का पूरा जीवन सैन्य कार्रवाइयों से भरा पड़ा है। वह वियतनाम युद्ध के नायक थे और छह साल वियतनाम में बंदी रहकर यंत्रणा के शिकार भी रहे। इराक युद्ध की भयंकर अलोकप्रियता के बावजूद रिपब्लिकन इतना पीछे न छूटते, लेकिन बीती छमाही में उमड़े भयानक वित्तीय संकट और मंदी ने उनका बंटाधार कर दिया। फैनी और फ्रेडी और उसके बाद लेहमन ब्रदर्स जैसे वित्तीय क्षेत्र के महारथियों के डूबने के साथ ही मानो रिपब्लिकनों का भविष्य भी डूब गया।

ओबामा की जीत में भारतीय अमेरिकी समुदाय का भी बड़ा योगदान रहा है। वह परमाणु करार को लेकर सकारात्मक टिप्पणी कर चुके हैं। फिर भी यह भविष्य ही बताएगा कि क्या परमाणु करार को लेकर वह उसी साहस का परिचय देंगे जो जॉर्ज बुश दिखा चुके हैं? हमारी चिंता का विषय परमाणु अप्रसार संधि एनपीटी और सीटीबीटी पर ओबामा का नजरिया है। कश्मीर मसले पर ओबामा के नजरिये से भारतीय कूटनीतिज्ञों की पेशानी के बल शायद

ही शिथिल पड़े। ओबामा प्रचार के दौरान दो टूक कह चुके थे कि वह अपने देश की नौकरियों का निर्यात नहीं होने देंगे। अमेरिका से उपजी विश्वव्यापी मंदी का असर भारतीय बीपीओ कंपनियों पर साफ दिख रहा है। आईटी सेक्टर में भी संकट आया है, जिस पर ओबामा का रवैया सख्त संरक्षणवादी है। क्या इन ज्वलंत मुद्दों पर डेमोक्रेटों का नजरिया हमारी चिंताओं को कम कर पाएगा? अतीत पर नजर डालें तो डेमोक्रेटों के मानवाधिकार प्रेम की गाज विकासशील देशों पर गिरती रही है। भारत सरीखे विकासशील देशों को मानवाधिकार के नाम पर परेशान किया जाता रहा है। हालांकि, आतंकवाद के मसले पर ओबामा पहले ही सख्त नजरिया सामने रख चुके हैं और साफ तौर पर कह चुके हैं कि पाकिस्तान को खतरा भारत से नहीं, बल्कि मुल्क के अंदर बैठे जेहादियों व आतंकियों से है। बावजूद इसके कश्मीर मसले को लेकर भारत-पाक के बीच चौधरी बनने की अस्पष्ट इच्छा हमें सोचने पर जरूर मजबूर करती रहेंगी।

अमेरिकी समाज में आरक्षण की अलग व्यवस्था नहीं है, लेकिन उसे दूसरे तरीकों से लागू किया जाता रहा है जिसे एफरमेटिव एक्शन या पाजिटिव डिस्क्रिमनेशन कहा जाता है। एक प्रकार से अमेरिकी समाज आरक्षण के बिना भी अश्वेतों को मुख्यधारा में लाने का प्रयास करता रहा है। हालांकि, भारतीय दलित समुदाय की तुलना में उनका वैसा प्रतिनिधित्व शासन में नहीं है जैसा भारत में है। इसके बावजूद ओबामा की जीत पर दलित व भारतीय अमेरिकी समेत सारा अल्पसंख्यक समुदाय गर्व महसूस कर रहा होगा। लेकिन क्या ओबामा भी भारतीय हितों का उतना ही ध्यान रख पाएंगे? रिपब्लिकन पार्टी अमेरिका की मुख्यधारा की पार्टी रही है जिसे (डब्ल्यूएएसपी) यानी व्हाइट, ऐंग्लो सैक्सन, प्रोटेस्टेंट कहते रहे हैं। इसके विरुद्ध 1930 के दशक में फ्रेंकलिन रुजवेल्ट ने अलग-थलग पड़े वर्गों का समीकरण बनाया, जिनके चलते वह स्वयं एक दशक से अधिक समय तक अमेरिका के राष्ट्रपति बने रहे। रुजवेल्ट ने जो जबर्दस्त डेमोक्रेटिक समीकरण बनाए। उनकी धुरी रोमन कैथोलिक, अप्रवासी समुदाय, अश्वेत स्पैनिश आदि थे।

अमेरिका की मुख्यधारा से अलग-थलग पड़े जिन वर्गों के सहारे रुजवेल्ट ने अपने समर्थन की नींव रखी थी, ओबामा की जीत ने उसे और पुख्ता किया

है। बस इसमें एक बात यह नई जुड़ गई है कि अमेरिका की कमान अब सीधे अश्वेत ओबामा के हाथ में है। इस नजर से और इससे पहले एक मात्र अपवाद जान कैनेडी थे जो रोमन कैथोलिक होने के बावजूद श्वेत थे। यह देखना दिलचस्प होगा कि अमेरिकी समाज इस परिवर्तन को कितनी और कैसी सहजता के साथ स्वीकार करने के लिए अपने को तैयार कर पाया है, लेकिन कुछ बातें हम भविष्य को तय करने के लिए छोड़ दें और तब तक अमेरिकी समाज द्वारा किए गए इस सामाजिक न्याय की ऐतिहासिक विजय का स्वागत करें।

ओबामा के तीन मोर्चे

अमेरिकी राष्ट्रपति पद का चुनाव जीत कर बराक ओबामा ने भले ही बड़ी उपलब्धि हासिल कर ली हो, लेकिन इस चुनाव से कहीं बड़ी चुनौतियां व्हाइट हाउस में उनका इंतजार कर रही है। उनके समक्ष समस्याओं के ऐसे तीन टाइम बम हैं जिन्हें यदि वे निष्क्रिय कर सकें तो इतिहास उन्हें महान नेता के रूप में याद करेगा। ओबामा की पहली चुनौती है एक लड़खड़ाती अर्थव्यवस्था को स्थिरता प्रदान करना। हर मोर्चे पर ठीक वैसे ही संकट का सामना कर रहा है जैसा 1929 में उपस्थित हुआ था। ओबामा को यह निर्णय करना होगा कि डेमोक्रेटिक पार्टी की कौन-सी शाखा इसे दुरुस्त कर सकती है। उनके दक्षिणपंथी सहयोगी राजकोषीय घाटे में कमी की भी सलाह दे सकते हैं और केवल बड़ी कंपनियों को सरकारी सहायता देने की भी। ऐसे लोगों के पास धन कुबेरों तथा उनके विशालकाय संस्थाओं का समर्थन होगा। कुछ अलग राय रखने वाले लोग उन्हें स्वास्थ्य और मूलभूत ढांचे जैसे क्षेत्रों में भारी निवेश की सलाह देंगे। वे नई 'न्यू डील' (1930 की महामंदी से उबरने के लिए राष्ट्रपति एफडी रूजवेल्ट द्वारा किए गए उपाय) भी इस नजरिए वाले लोगों को सामान्य अमेरिकियों का समर्थन मिलेगा। ओबामा को ही निर्णय करना है कि वह किस राह पर चलें?

ओबामा के समक्ष दूसरी चुनौती है पर्यावरण संकट से निपटना। ओबामा एक ऐसे समय राष्ट्रपति बने हैं जब धरती के भविष्य के लिए महत्वपूर्ण क्षण आ खड़ा हुआ है। हम पर्यावरण के मामले में एक ऐसे बिंदु के करीब हैं जहां से वापसी की गुंजाइश नहीं है। धरती के तापमान में दो डिग्री की बढ़ोतरी हर

तरह की प्राकृतिक प्रक्रियाओं को हिलाकर रख देगी। पिछले दो राष्ट्रपतियों ने क्योटो प्रोटोकाल को दफना दिया। ओबामा क्योटो प्रोटोकाल पर जान डाल सकते हैं, जिस पर हर हाल में 2012 के पहले फैसला हो जाना चाहिए। इसके लिए ओबामा को दुनिया में सबसे अधिक कार्बन डाईआक्साइड का उत्सर्जन करने वाले अमेरिका को सही राह पर लाना होगा। आर्थिक संकट ने इस मामले में ओबामा को शानदार अवसर दिया है। वह अर्थव्यवस्था को कम कार्बन वाली अर्थव्यवस्था में बदल सकते हैं।

तीसरी चुनौती है अमेरिका के युद्ध। चूंकि लगभग 70 प्रतिशत इराकी चाहते हैं कि अमेरिकी सेना उनके देश से चलें जाए इसलिए ओबामा को इस बारे में ठोस निर्णय लेना होगा। इराकी प्रधानमंत्री नूरी अल मलीकी को अमेरिकी सेनाओं की वापसी पर बातचीत कर खुशी ही होगी। इराक से बड़ा खतरा अफगानिस्तान में सफलता महत्वपूर्ण है। सवाल यह है कि उस देश के लिए सफलता का क्या अर्थ है जो कभी भी काबुल के केंद्रीय नियंत्रण में रहा ही नहीं? ओबामा तालिबानवाद को ताकत के बल पर अफगानिस्तान से नहीं खदेड़ सकते। उनकी तादाद बहुत अधिक है और वह भूमि उनके अनुकूल है। अमेरिका जितनी अधिक ताकत का इस्तेमाल करेगा उतना ही अफगान तालिबान की तरफ मुड़ेंगे। अफगानिस्तान से अफीम की खेती मिटाने की प्रतिबद्धता वाशिंगटन पर भारी पड़ रही है। आखिर कौन देश चाहेगा कि उसकी अर्थवयवस्था का साठ प्रतिशत हिस्सा कोई विदेशी तबाह कर दे?

इस मसले पर एक राह यह हो सकती है कि अमेरिका अफीम की खेती खरीद ले और उसका इस्तेमाल दर्दनिवारक दवाओं के निर्माण में करे, जैसा उसने दक्षिणी टर्की में किया था। यदि अमेरिका यह राह चुनता है तो वह अफगान लोगों तक बंदूक के साथ नहीं, बल्कि पैसे की पोटली लेकर पहुंचेगा। इसके बाद अमेरिका को कुछ अटपटा करना होगा यानी तालिबान के साथ बातचीत। अमेरिका इस समय तालिबान का सफाया नहीं कर सकता। उसे कुछ उदार लक्ष्य अपनाना होगा। लगभग सभी खुफिया विशेषज्ञ इस पर सहमत हैं कि अफगानिस्तान में सक्रिय आतंकियों के बीच गहरे मतभेद हैं। ज्यादातर तालिबानों का स्थानीय अफगान एजेंडा है, जबकि अलकायदा का वैश्विक जिहादी एजेंडा है। अमेरिका को इसका फायदा उठाकर अल कायदा से

तालिबान तत्वों को दूर करना होगा, जिससे जिहादी अकेले पड़ जाएं और उनसे निपटा जा सके। दक्षिणपंथी सोच वाले लोग ओबामा पर तुष्टीकरण का आरोप लगा सकते हैं, लेकिन इसकी अनदेखी नहीं की जा सकती कि मौजूदा तौर-तरीकों से लड़ाई जीतना तो दूर अमेरिका की अफगानिस्तान में पराजय नजर आने लगी है। ओबामा इतिहास तो रच चुके हैं, लेकिन यदि अमेरिकी जनता को उसकी मौजूदा परेशानियों से राहत देनी है तो उन्हें अपने चार वर्ष के कार्यकाल में बार-बार इतिहास रचना होगा, क्योंकि बाकी दुनिया के लोग दूर बैठकर उन पर अपेक्षाओं का बोझ डालते रहेंगे।

ओसामा को पकड़ना मेरी प्राथमिकता

डगमगाती अर्थव्यवस्था को संभालने के साथ ही कुख्यात आतंकी ओसामा बिन लादेन को जिंदा या मुर्दा पकड़ना अमेरिका के नवनिर्वाचित राष्ट्रपति की पहली प्राथमिकता होगी। राष्ट्रपति चुनाव में ऐतिहासिक जीत दर्ज करने के बाद अपने पहले इंटरव्यू में बराक ओबामा ने कहा कि वह बुश प्रशासन द्वारा ओसामा के खिलाफ शुरू किए गए अभियान को जारी रखेंगे। ओबामा ने कहा कि इराक में तैनात अमेरिकी सैनिकों की वापसी का मसला भी उनकी प्राथमिकताओं में शामिल है।

अमेरिकी न्यूज एजेंसी 'सीबीएस' को दिए इंटरव्यू में ओबामा ने कहा कि हमारी पहली प्राथमिकता अलकायदा और ओसामा बिन लादेन को जड़ से उखाड़ फेंकना है। उन्होंने कहा, 'हम ओसामा को किसी भी सूरत में जिंदा या मुर्दा धर दबोचेंगे। ओसामा आतंकी संगठन का सरगना ही नहीं बल्कि बेहद सक्रिय सदस्य भी है। वह अमेरिका के खिलाफ हमलों की योजना तैयार करने में अलकायदा का प्रमुख सूत्रधार है।' ओबामा ने बुश की इराक नीति से सहमति जताई और इराक से जल्द सेना हटाने का अपना वादा फिर दोहराया। ओबामा ने कहा कि वह 16 महीने की अवधि में हर माह इराक से अमेरिकी सेना की एक या दो टुकड़ी वापस बुलाएंगे। इसके बाद इराक में अमेरिका की सिर्फ एक सामान्य सुरक्षा टुकड़ी ही रह जाएगी। उन्होंने कहा कि वह अफगानिस्तान में अलकायदा के नेटवर्क को तबाह कर देंगे। अफगानिस्तान के हालात पर ओबामा ने कहा कि वहां स्थिति बेहद खराब है। हमें अपने प्रयास और तेज करने होंगे।

ओबामा युग का आगाज़

सीनेटर बराक ओबामा की अमेरिकी राष्ट्रपति पद के चुनाव में ऐतिहासिक जीत ने सारी दुनिया में अत्यधिक रुचि तथा उम्मीद जगाई है और भारत भी इससे कोई अलग नहीं। गत दिवस हुए मतदान पर सारी दुनिया की निगाह लगी हुई थी। अपनी जीत सुनिश्चित हो जाने के बाद ओबामा ने शिकागो में जो गरिमामय भाषण दिए उसे भी पूरे विश्व ने गौर से सुना। ओबामा के इस संदेश में एक ऐसे समय पुनर्निर्माण पर जोर दिया गया जब अमेरिका और विश्व अनेकानेक चुनौतियों से घिरे हुए हैं। ओबामा ने अपनी जो छवि सामने रखी वह उससे एकदम वस्तुतः एकाधिकारवाद की पर्याप्त बनकर रह गई, जिसमें सैन्य शक्ति के बेपरवाह तरीके से इस्तेमाल की प्रवृत्ति प्रदर्शित की गई।

ओबामा की जीत तीन अलग-अलग स्तर पर प्रासंगिक है। पहला है अमेरिका का घरेलू परिप्रेक्ष्य। जॉन मैक्केन और ओबामा की प्रतिद्वंद्विता की प्रकृति वास्तव में अमेरिका में विद्यमान विभिन्नता के अस्तित्व की सूचक है। इस पर गौर करने की जरूरत है कि ओबामा लोकप्रिय मतों के आधार पर 51 प्रतिशत से कुछ अधिक समर्थन हासिल कर बहुत मामूली अंतर से उम्मीदवार जॉन मैक्केन (48 प्रतिशत) से आगे रहे। इस लिहाज से यह समझा जा सकता है कि रिपब्लिकन पार्टी की विचारधारा और ठेठ श्वेत समुदाय अगले चार वर्षों में अमेरिका की राजनीति में विश्वसनीय तथा वास्तुविक विपक्ष की भूमिका निभाएगा। अमेरिकी जनता द्वारा एक अश्वेत व्यक्ति को राष्ट्रपति की गद्दी पर बिठाना इस देश की सामाजिक-सांस्कृतिक क्रांति का एक निर्णायक बिंदु है। एक ऐसे देश जिसने गुलामी की प्रथा को बिना किसी शील-संकोच के अपनाया और दशकों तक गैर-श्वेत लोगों के साथ अमानवीय तथा असंवेदनशील व्यवहार किया, वहां ओबामा की जीत रंगभेद की व्याधि पर मरहम लगाने वाली है। अमेरिका के मौजूदा लोकतांत्रिक प्रयोग की प्रकृति तथा जीवंतता बेशक सराहनीय है।

बराक ओबामा की टीम के लिए तात्कालिक घरेलू चुनौती अमेरिकी अर्थव्यवस्था को संभालने की होगी। उसे उस वित्तीय सुनामी से निपटना होगा जिसने हाल के दिनों में पूरी दुनिया को अपनी चपेट में ले लिया है। ओबामा की जीत का दूसरा महत्वपूर्ण पहलू अमेरिका के बाकी दुनिया के साथ संबंधों

से जुड़ा हुआ है। यह देखना होगा कि राष्ट्रपति के रूप में ओबामा किस तरह अमेरिका की मौजूदा द्विपक्षीय नीतियों में निरंतरता कायम करते हैं? खास तौर पर दक्षिण एशिया तथा भारत के साथ संबंधों के मामले में ओबामा के तौर-तरीके गहन रुचि के साथ देखे जाएंगे। तीसरा पहलू उन मामलों में अमेरिका के रुख पर ओबामा के प्रभाव से संबंधित है जिन्हें अंतरराष्ट्रीय मसले कहा जा सकता है। इनमें प्रमुख है नाभिकीय अप्रसार, ग्लोबल वार्मिंग, व्यापार नीतियां, आतंकवाद तथा उदारवादी लोकतंत्र सरीखे महत्वपूर्ण मूल्य। भारत की इन सभी मसलों में रुचि है।

यदि साठ वर्षों की अवधि में भारत और अमेरिका के द्विपक्षीय संबंधों पर निगाह डाली जाए तो इसके संदर्भ में बहुत अधिक आश्वस्त होकर कुछ नहीं कहा जा सकता कि ओबामा की जीत इन संबंधों पर कैसा प्रभाव डालेगी? कोई भी देश उन वाह्य नीतियों पर अमल करता है जिन्हें वह राष्ट्र हित में मानता है और जहां तक भारत-अमेरिका संबंधों का प्रश्न है तो लगभग पांच दशक तक दोनों देशों के संबंध खिंचे-खिंचे ही रहे। इन खिंचे-खिंचे संबंधों में अक्सर कटुता का भाव भी रहा। क्योंकि तब दुनिया अमेरिका तथा सोवियत संघ के रूप में दो महाशक्तियों के खेमे में बुरी तरह विभाजित थी।

यह कहा जा सकता है कि जब भारत ने 1974 में पहली बार नाभिकीय परीक्षण किया तो नाभिकीय मुद्दा दोनों देशों के बीच सबसे बड़ा अवरोध बन गया। अमेरिका की नीतियां जानबूझकर भारत को दंडित करने के लिए बनाई गईं। वाशिंगटन को भारत के खिलाफ पाकिस्तान को समर्थन देने में भी कोई हिचकिचाहट नहीं थी। यह सिलसिला जुलाई 2005 तक चलता रहा, जब जॉर्ज बुश और मनमोहन सिंह की पहल से संबंधों में बदलाव आना शुरू नहीं हुआ। जिन दो क्षेत्रों में ओबामा की जीत भारत के लिए महत्वपूर्ण अमेरिकी नीतियों में बदलाव ला सकती है वे हैं नाभिकीय अप्रसार तथा आतंकवाद। परंपरागत रूप से डेमोक्रेट राष्ट्रपति नाभिकीय अप्रसार पर कहीं अधिक सक्रियता के लिए जाने जाते हैं। जिमी कार्टर और बिल क्लिंटन के कार्यकाल से यह स्पष्ट है। यदि ओबामा इस विषय पर सक्रियता दिखाते हैं तो भारत को सीटीबीटी तथा एफएमसीटी का सामना करने के लिए तैयार रहना चाहिए। यद्यपि नाभिकीय संधि के लिए एनएसजी से छूट मिल जाने के बाद भारत को विशेष दर्जा मिल

गया है, लेकिन सीटीबीटी और एफएमसीटी के संदर्भ में कुछ निश्चित फैसले लेने होंगे। यहां इसकी भी अनदेखी नहीं की जानी चाहिए कि हाइड एक्ट पर अमेरिकी कांग्रेस में बहस के दौरान ओबामा ने कतिपय संशोधन प्रस्तुत किए थे, जिन्हें 'किलर एमेंडमेंट' की संज्ञा दी गई थी। वैसे ओबामा और जॉन मैक्केन ने कुल मिलाकर 2005 के समझौते का समर्थन ही किया।

जहां तक आतंकवाद का संबंध है तो ओबामा ने अपने चुनाव प्रचार के दौरान कहा कि वह पाकिस्तान पर आतंकवाद के खिलाफ सक्रियता के लिए और अधिक दबाव डालेंगे। इसके साथ ही उन्होंने यह संकेत भी दिया कि कश्मीर मामले के शीघ्र समाधान से इस्लामाबाद को अपनी पश्चिमी सीमाओं पर ध्यान लगाने में मदद मिलेगी। ओबामा के इस विचार की कुछ लोगों ने भारत-पाकिस्तान संबंधों में अमेरिकी हस्तक्षेप की वापसी के रूप में व्याख्या की है, जो नई दिल्ली को स्वीकार नहीं होगा। वैसे ऐसा कोई विश्लेषण करना जल्दबाजी भरा होगा।

पाकिस्तान के प्रति अमेरिकी नीति का लंबा इतिहास रहा है और ओबामा की प्रमुख चुनौती यह होगी कि वह इस नीति के अनेक विरोधाभासों को समाप्त करें। एक समय था जब अमेरिकी नीति पाकिस्तान और उसकी सेना को आतंकवाद तथा मजहबी कट्टरता के मामले में चोरी-छिपे समर्थन देने की थी। आज हालात पूरी तरह बदल चुके हैं। ओबामा को यह सुनिश्चित करना होगा कि अलकायदा तथा पाकिस्तान-अफगानिस्तान सीमा पर उसका समर्थन आधार अमेरिकी हितों तथा दूसरे देशों के लिए खतरा न बन सके। भारत और अमेरिका के द्विपक्षीय संबंध बुश और मनमोहन सिंह की नाभिकीय पहल से पहले ही लाभान्वित हो चुके हैं, अब आतंकवाद तथा पाकिस्तान के मसले पर ओबामा को इन संबंधों को आगे ले जाना होगा। ओबामा की जीत को प्रकृति तथा कूटनीति, प्रतिभागितापूर्ण बहुलवाद के प्रति उनकी व्यक्तिगत वचनबद्धता आने वाले समय के लिए आशाएं उत्पन्न करने वाली है।

उम्मीद की किरण ओबामा

अमेरिका में राष्ट्रपति पद के लिए चुने गए बराक ओबामा (11 नवंबर) को राष्ट्रपति के आधिकारिक आवास व्हाइट हाउस पहुंचे और वहां पहली बार

ओवल आफिस देखा। करीब 25 साल पहले 1984 में ओबामा ने पहली बार व्हाइट हाउस के दर्शन किए थे। उस समय वह न्यूयॉर्क के सिटी कॉलेज के हॉरलेम कैंपस में कम्युनिटी ऑर्गेनाइजर के रूप में कार्य कर रहे थे। इसी समय अमेरिका के तत्कालीन राष्ट्रपति रोनाल्ड रीगन ने छात्र सहायता में कमी करने की योजना का खुलासा किया था। छात्र समुदाय को सरकार के इस प्रस्ताव पर कड़ी आपत्ति थी। प्रस्ताव पर विरोध जताने के लिए वे न्यूयॉर्क के अन्य छात्र नेताओं के दल के साथ व्हाइट हाउस पहुंचे थे। उस समय वहां मौजूद किसी भी शख्स को यह अंदाजा नहीं था कि एक दिन ओबामा देश के राष्ट्रपति के रूप में व्हाइट हाउस में प्रवेश करेंगे।

अमेरिका में अश्वेत राष्ट्रपति की जीत ने एक नया इतिहास रचा है। ओबामा की जीत पर हजारों लोगों ने व्हाइट हाउस के सामने एकत्र होकर अपनी खुशी का इजहार किया। ओबामा की जीत पर लोगों को उत्सव मनाते देख खुफिया सेवा के अधिकारी भी कहते हैं कि आज से पहले उन्होंने राष्ट्रपति के निर्वाचन पर लोगों को इस प्रकार खुशी व्यक्त करते नहीं देखा। राष्ट्रपति बुश ने ओबामा को बधाई देते हुए कहा कि आप जिंदगी की महत्वपूर्ण यात्रा शुरू करने जा रहे हैं।

इस पूरे संदर्भ में ओबामा कहते हैं कि मैं नहीं, शुरुआत में यह कहा गया कि ओबामा के पास देश को कुशल नेतृत्व देने के लिए पर्याप्त अनुभव नहीं है, पर ऐसा लगता है कि अमेरिकी जनता इस बात से बखूबी वाकिफ थी कि राष्ट्रपति पद की जिम्मेदारियों का निर्वाह करने के लिए सिर्फ अनुभवी होना काफी नहीं है। लोकप्रियता में अव्वल रहे अमेरिका के सोलहवें राष्ट्रपति अब्राहम लिंकन के पास भी राजनेता के रूप में कोई खास अनुभव नहीं था। राष्ट्रपति बनने से पहले लिंकन इलिनॉय स्टेट लेजिसलेचर में कुछ समय लेजिसलेटर रहे थे और अमेरिकी कांग्रेस में केवल एक कार्यक्रम पूरा किया था। ओबामा भी इलिनॉय से सीनेटर रह चुके हैं। ओबामा ने लिंकन के गृहनगर स्प्रिंगफील्ड, इलिनॉय से भी चुनाव जीता है।

मिलिए बराक ओबामा से

जन्म की तारीख : 4 अगस्त 1961

जन्मस्थान : होनोलुलु, हवाई में

धर्म : ईसाई

पिता : बराक हुसैन ओबामा (केन्याई ब्लैक मुस्लिम)

मां : एन डनहैम (कन्सास प्रांत की व्हाइट क्रिश्चियन)

बचपन: बराक जब दो साल के थे, उनके माता-पिता का तलाक हो गया। पिता वापस केन्या चले गए। कार एक्सिडेंट में मौत से पहले सिर्फ एक बार बराक की उनसे मुलाकात हुई। तलाक के बाद मां ने इंडोनेशिया के एक मुस्लिम युवक लोलो सोएटोरो से विवाह किया। परिवार इंडोनेशिया चला गया, जहां ओबामा ने दो साल तक एक मुस्लिम स्कूल में पढ़ाई की। कुछ अरसे बाद बराक अपने नाना-नानी के साथ रहने हवाई चले गए। वहीं उन्होंने हाई स्कूल तक पढ़ाई की।

जवानी: कोलंबिया से ग्रेजुएशन के बाद बराक ने शिकागो में गरीब लोगों के बीच काम किया। तभी उन्हें राजनीति में जाकर बदलाव लाने का खयाल आया। कॉलेज स्टुडेंट के तौर पर 1981 में वे पाकिस्तान गए। वहां कराची में अपने मुस्लिम दोस्त के घर ठहरे। बताया जाता है कि उसके बाद वह हैदराबाद (भारत) भी आए।

प्रतिभा: बराक दो बेस्ट सेलर किताबों के लेखक भी हैं। इनमें पहली "ड्रीम्स फ्रॉम माई फादर" उनका मेमॉयर है। दूसरी किताब है–"द ऑडेसिटी ऑफ होप"। बराक पेशे से वकील हैं। 1996 में वह इलिनॉय की सीनेट में चुने गए और 2004 में अमेरिकी सीनेट में पहुंचे।

परिवार: पत्नी का नाम मिशेल है। तो बेटियां हैं-मालिया एन (10 साल) और साशा (7 साल)।

आमदनी: बराक परिवार की आमदनी 42 लाख डॉलर है।

संकल्प: ओबामा ने स्मोकिंग छोड़ने का वादा किया है।

अतिरिक्त गतिविधियां: पसंदीदा खेल बास्केटबाल। आईपॉड में जैज के अलावा पॉप सिंगर शेरिल क्रो का म्यूजिक। बॉब डायलान और रोलिंग स्टोन के फैन। पसंदीदा फिल्में-गॉडफादर-वन और टू। पसंदीदा किताब टोनी मॉरिसन की सॉन्ग ऑफ ओलोमन।

बराक वाणी

अमेरिका वह जगह है, जहां कुछ भी मुमकिन है, जहां हमारे पुरखों के सपने आज भी जिंदा हैं। अगर इस बारे में किसी को अब भी संदेह है, अगर किसी के मन में हमारे लोकतंत्र की ताकत को लेकर शक है, तो आज की रात आपका जवाब हाजिर है।

यह जवाब दिया है बूढ़े और जवान ने, डेमोक्रेट और रिपब्लिकन ने, श्वेत, अश्वेत, हिस्पैनिक, एशियन, नेटिव, गे, स्ट्रेट, विकलांग और सक्षम ने। अमेरिकियों ने दुनिया को संदेश दिया है कि हम अकेले-अकेले लोग या नीले-लाल राज्यों का जमावड़ा भर नहीं हैं। हम संयुक्त राज्य अमेरिका हैं और हमेशा रहेंगे।

आज की रात हमने एक बार फिर साबित कर दिया है कि हमारे देश की असली ताकत हमारे हथियारों के बल से या हमारी दौलत से नहीं, बल्कि हमारे विचारों की सतत ताकत से आती है-लोकतंत्र, आजादी और अवसर कभी हार न मानने वाली उम्मीद से।

इस इलेक्शन में कई नई बातें हुईं और कई कहानियां बनीं, जिन्हें पीढ़ियों तक सुनाया जाता रहेगा। लेकिन आज की रात जो मुझे याद आ रही है, वह एक महिला के बारे में है, जिसने अटलांटा में वोट डाला। वह उन तमाम लोगों की तरह थी, जो अपनी बात कहने के लिए लाइन में खड़े थे, सिर्फ एक बात को छोड़कर एन निक्सन कूपर 106 बरस की हैं। वह दासता से एक पीढ़ी बाद पैदा हुई थीं, जब सड़कों पर कारें, आसमान में हवाई जहाज नहीं थे। जब उन जैसा कोई दो वजहों से वोट नहीं दे सकता था- एक तो महिला होने की वजह से और दूसरे, अपनी चमड़ी के रंग की वजह से। आज की रात मैं उन चीजों के बारे में सोच रहा हूं, जो उन्होंने अमेरिका में अपनी सदी में देखीं-दर्द और उम्मीद, संघर्ष और प्रगति, वे दौर जब हमसे कहा गया कि हम कामयाब नहीं हो सकते और वे लोग जो अमेरिका के इस नारे के साथ आगे बढ़े-हां, हम कर सकते हैं। अब 106 साल बाद उन्हें पता है कि अमेरिका बदल सकता है।

अमेरिका से सभ्य आचरण भी सीखे भारत

भारत के लोग एक ऐतिहासिक घटना से बराक ओबामा की जात का

महत्व अच्छी तरह समझ सकते हैं। बात 1965 के आसपास की है। सोशलिस्ट विचारक और नेता डा. राममनोहर लोहिया अमेरिका यात्रा पर थे। दक्षिणी राज्य में उनकी निगाह एक रेस्त्रां पर गई, जिस पर लिखा हुआ था-अश्वेतों के प्रवेश पर रोक। डॉ. लोहिया उस रेस्त्रां में गए और उन्हें गिरफ्तार कर लिया गया। बाद में प्रेजिडेंट जॉनसन ने माफी मांगी, तो उन्होंने कहा कि अमेरिकी प्रेजिडेंट को माफी दुनिया भर के अश्वेतों से मांगनी चाहिए।

इस घटना के कुछ वर्ष बाद एक नस्लवादी श्वेत ने मार्टिन लूथर किंग की हत्या कर दी। तब अश्वेत नेता स्टॉकली कारमाइकेल ने ऐलान किया, हमें बंदूकें दो हम श्वेत अमेरिका से निपट लेंगे। पांच दशक में अमेरिका इतना बदल गया कि एक अश्वेत कहकर चिढ़ाया गया हो-व्हाइट हाउस पहुंचा दिया।

भारत की तरह अमेरिका भी बहुलवादी देश है। हिस्पानी, मुसलमान और अश्वेतों का प्रभाव लगातार बढ़ रहा है और आशंका यहां तक जाहिर की जा रही है कि कुछ दशक बाद अंग्रेजी के मुकाबले हिस्पानी बोलने वाले ज्यादा तादाद में होंगे। अमेरिकी इस्टेबलिशमेंट को मेक्सिको की तरफ से इमिग्रेशन की चिंता सताती रहती है। इन सबके बावजूद हिंसक नस्लवादी संगठन, कूक्लक्स क्लान का आज नाम नहीं सुनाई पड़ता। भारत की तुलना में यह फर्क जरूर है कि अमेरिकी सभ्यता, संस्कृति और समाज में 'समानता' नहीं है।

इसलिए भारतीयों के लिए यह विशेष ध्यान देने की बात होनी चाहिए कि अमेरिकी प्रेजिडेंट के चुनाव में किस तरह प्रचार हुआ और नतीजा आने के बाद ओबामा और पराजित रिपब्लिकन उम्मीदवार मैक्केन ने क्या कहा। प्रचार अभियान के दौरान ओबामा पर व्यक्तिगत प्रहार तो हुए, मगर भारत में जो होता है, उसकी तुलना में इसे शालीन ही माना जाएगा। न कहीं मारपीट हुई न गालीगलौज। श्वेतों और अश्वेतों में कटुता भी नजर नहीं आई। मैक्केन और ओबामा ने अपने भाषणों से मिसाल पेश की कि बड़े देश के नेता किस तरह हार और जीत में अपने को पेश करते हैं। मैक्केन ने कहा कि हम सब साथ-साथ काम करेंगे, हम सभी अमेरिकी हैं, अमेरिकी हमेशा इतिहास बनाते हैं। ओबामा ने कहा कि हम जहां असहमत होंगे, वहां आपसे ज्यादा बात करेंगे। हमारी नियति एक है। हम सभी लोकतंत्र, स्वतंत्रता और अवसरों के समान मूल्यों में आस्था रखते हैं। हम कुल मिलाकर यूनाइटेड स्टेट्स ऑफ अमेरिका हैं।

भारत में कांग्रेस के अलावा किसी और पार्टी के विजयी नेता से उम्मीद नहीं की जा सकती कि वह जवाहर लाल नेहरू का अपने भाषण में जिक्र करेगा। डेमोक्रेटिक ओबामा ने 19वीं शताब्दी के रिपब्लिकन प्रेजिडेंट अब्राहम लिंकन का कई बार जिक्र किया। ओबामा ने लिंकन के गेटिसबर्ग भाषण का बड़ी गर्मजोशी से उल्लेख किया, जिसमें उन्होंने लोकतंत्र को परिभाषित किया था: जनता द्वारा जनता के लिए, जनता की सरकार। ओबामा ने शिद्दत से वादा किया कि वह सभी अमेरिकियों के प्रेजिडेंट होंगे।

अमेरिका भौतिक विकास की पराकाष्ठा पर है और भारत का 30-40 फीसदी हिस्सा बहुत ही अविकसित है। इसलिए आचरण में फर्क की गुंजाइश छोड़ देते हैं। कार्यकर्ताओं के स्तर पर अशोभनीय व्यवहार को माफ कर दें। विधानसभाओं और संसद में बैठने वाले अक्सर अशालीन व्यवहार का प्रदर्शन करते हैं और शालीन सदस्य टुकुर-टुकुर देखते रहने को मजबूर होते हैं। अनेक सदस्यों में सहिष्णुता और सभ्य आचरण के प्रति सम्मान नहीं दिखाई पड़ता। बाहुबल का प्रयोग और बुथ कैप्चरिंग का चुनावों में अहम रोल होता है। ये चुनावी संस्कृति का हिस्सा बन चुके हैं। विधानसभाओं और संसद में हंगामा, धक्का-मुक्की, गाली-गलौज और कभी-कभी सरफुटौवल हमारी राजनीति का प्रमुख तत्व बन चुके हैं।

बड़ी संख्या में भारतीयों के लिए अमेरिका एक ड्रीम है। उसे अवसरों की धरती और कामधेनु माना जाता है। वे अमेरिका की मुक्त कंठ से सराहना करते हैं। अमेरिका से सबक लेना चाहिए कि हम मुसलमानों, ईसाइयों, दलितों और अन्य अल्पसंख्यकों के साथ किस तरह पेश आएं और सही अर्थों में एक महान भारत का निर्माण करें। एक ऐसा भारत जिसे अपनाने में सभी को गर्व हो।

ओबामा का कैबिनेट

बराक ओबामा का बदलाव का वादा तो रंग लाया, लेकिन उसकी परख उनके प्रशासन और काम करने के तरीके से होगी। आर्थिक संकट, अफगानिस्तान और इराक के मोर्चे ओबामा की दूरदृष्टि वाले युवा नेता की छवि का कड़ा इम्तहान लेंगे। इस लिहाज से उनके सहयोगियों का चुनाव बहुत अहम होगा।

कुछ शख्सियतों के नाम चर्त्रा में हैं कि इन्हें ओबामा की फ्यूचर कैबिनेट में जगह मिल सकती है। इनमें से कुछ अहम हैं-

बिल रिचर्डसन और जॉन कैरी: रिचर्डसन न्यू मेक्सिको के गर्वनर हैं और कैरी मैसाचूसेट्स के सीनेटर। इनमें से कोई एक विदेश मंत्री बन सकता है।

पॉल वॉल्कर: जाने-माने आर्थिक विश्लेषक हैं। प्रेजिडेंट रोनाल्ड रीगन के समय में फेडरल रिजर्व के चेयरमैन रह चुके हैं। इन्हें 1980 के दशक की शुरुआत में आई मंदी से निबटने के लिए जाना जाता है। उम्मीद है कि यह अपने पुराने पद पर आकर मंदी से जूझ रहे अमेरिका को राहत दिलाएंगे।

वॉरन बफेट और रॉबर्ट रुबिन: बफेट अमेरिकन निवेशक हैं और रुबिन क्लिंटन प्रशासन में ट्रेजरी सेक्रेटरी थे। उम्मीद है कि ये दोनों व्हाइट हाउस में अहम आर्थिक पदों पर नियुक्त होंगे।

राहम इमैनुअल: इलिनॉय के प्रतिनिधि हैं। क्लिंटन के समय में भी यह व्हाइट हाउस में काम कर चुके हैं। उम्मीद है कि यह आने वाले प्रशासन में चीफ ऑफ स्टाफ का महत्वपूर्ण पद संभालेंगे।

रॉबर्ट गेट्मः यह वर्तमान बुश प्रशासन में रक्षा मंत्री हैं। चर्चा है कि ओबामा उन्हें इस पद पर बनाए रखना चाहते हैं। हालांकि, गेट्स ने कहा है कि वह रिटायर होना चाहते हैं।

कॉलिन पॉवेल: बुश के पूर्व विदेश मंत्री रह चुके हैं। उम्मीद की जा रही है कि ओबामा इन्हें व्हाइट हाउस के विशेष दूत की जिम्मेदारी सौंप सकते हैं।

(मु)बारक, ओ(ह) बा(प) मा(ता)

अमेरिकी राष्ट्रपति के नाम का हिस्सा 'ओ' लाचार कराह ओह के अर्थ में सुना जा सकता है! इसी तरह 'बा' का बाप का पर्याय माना जा सकता है। 'मां' माता में बदलना और भी सहज है। भारतीय जनतंत्र में सरकार और पार्टी की आलाकमान माई-बाप बनी हुई है, चुनावों में टिकटों का बंटवारा भी मां-बाप देखकर ही होता है।

यह शीर्षक पाठकों को अटपटा लग सकता है पर हमारी समझ में अमेरिकी और हिन्दुस्तानी राजनीति की असलियत और इन दो जनतंत्रों के

बुनियादी फर्क को सारगर्भित रूप में बखान करता है। मुबारक सिर्फ बधाई का पर्याय नहीं, बल्कि वह मूल नाम भी है, जो अमेरिका के नवनिर्वाचित राष्ट्रपति को बचपन में दिया जाने वाला था। अगर वह केन्या या इंडोनेशिया में ही रहे होते और अमेरिकी नागरिकता स्वीकार न करते तो शायद इसका संक्षेप 'बराक' करना जरूरी न समझा जाता और न ही इस पहले नाम को उनके मझले नाम हुसैन से अलग करना पड़ता। यह जोड़ने की जरूरत तो कतई नहीं होनी चाहिए कि स्वयं ओबामा हुसैन का संक्षेपाक्षर 'एच' भी इस्तेमाल नहीं करते और उनकी जन्मजात इस्लामी विरासत का उल्लेख बारंबार चुनावी अभियान के दौरान मुकाबले में खड़े प्रतिपक्षी उम्मीदवार से साफ करने के लिए समर्थक और विरोधी दोनों ही ने किया। इसे भले ही रिपब्लिक पार्टी के कुछ मंदबुद्धि कार्यकर्ताओं ने अमोघ सांप्रदायिक ब्रह्मास्त्र समझा हो, अमेरिकी मतदाता इस बेवकूफी का शिकार नहीं हुई। धर्म का मुद्दा उठा जरूर, पर उस तरह नहीं, जैसा हिन्दुस्तान में होता है।

अटकलें यह जरूर लगाई गईं कि क्या अपने पारिवारिक और शैशव तथा किशोर अवस्था के अनुभव के कारण ईरान या अन्य कट्टरपंथी इस्लामी तत्वों के साथ संवाद द्वारा घातक संघर्ष के संकट को घटाने में वह अपेक्षाकृत अधिक सफल हो सकते हैं या नहीं, पर इससे ज्यादा तूल इस बात ने नहीं पकड़ा। कुछ उसी तरह जैसे उनकी चमड़ी के रंग ने। अगर इसी तरह का संकर-मिश्रित वंशावली वाला कोई हिन्दुस्तानी उम्मीदवार चुनाव लड़ रहा होता तो कैसी ले-दे होती। उसे न तो सवर्ण अपना सगा समझते और न ही पिछड़े तगड़े उसे अपना भरोसे लायक मानने को तैयार होते। जाहिर है कि दलितों को भी बहुत कठिनाई से यह बात पचती कि वह उनके हितों की रक्षा करने में समर्थ उनकी विशेष जरूरतों को समझते हुए कर सकेगा।

यह तो सिर्फ एक जातीय पहचान की गुत्थी है। इसके साथ तो अभिन्न रूप से जुड़ा है क्षेत्रीयता, भाषा और शहरी या देहाती पहचान का मुद्दा। बहुत दूर या पहले का सफर तय करने की जरूरत नहीं, जब कर्नाटक में देवगौड़ा साहब की तू-तू मैं-मैं नारायणमूर्ति से और कांग्रेस के गौड़ साहब के साथ हो रही थी। कभी मुद्दा शहरी पश्चिम परस्त बड़े उद्योगपतियों और उद्यमियों के स्वार्थों का बेचारे देहाती किसानों के हितों के टकराव का बना दिया जाता था,

तो कभी इसमें जातीय वैमनस्य का पुट तड़के की तरह डाला जाता था। यह बात किसी से छुपी नहीं कि असली झगड़ा मैसूर, बेंगलूर राजमार्ग के निर्माण के दौरान संलग्न भूमि के विकास को कुनबापसस्त ढंग से भुनाने का था। इसके कुछ पहले जब पड़ोसी राज्य तमिलनाडु के साथ कावेरी जलविवाद खौल रहा था, उस वक्त कन्नड़ अस्मिता बनाम तमिल अहंकार के आधार पर अलग-अलग मोर्चे बने थे, जिन्होंने केंद्र सरकार का कामकाज दूभर कर दिया था। अभी हाल में सेतुसमुद्रम परियोजना हो या भारत-श्रीलंका संबंध, कूप-मंडूप प्रादेशिकता और राष्ट्र के लिए घातक सिद्ध हो सकने वाली स्थानीय सोच के दर्शन तमाम द्रविड़ पार्टियों के वक्तव्यों और क्रियाकलाप में देखने को मिलते रहे हैं। कभी बात उस मिथकीय कश्मीरियत की होती है, जिसका जिन्न बोतल से तभी बाहर निकाला जाता है, जब विघटनकारी अलगाववाद को बढ़ावा देना हो या बिगड़ैल अल्पसंख्यकों के तुष्टिकोण को तर्कसंगत सिद्ध करना हो।

इसी तरह के एक क्षेत्रीय सांप्रदायिक मानसिकता के सन्निपात ने खालिस्तानी संकट को जन्म दिया था। पूरा उत्तर पूर्वी सीमांत अपनी खास अलग पहचान को सबसे अधिक संवेदनशील और देश के लिए सामरिक रूप से महत्वपूर्ण बतलाकर केंद्र का लंबे समय से भयादोहन करता रहा है। विडंबना यह है कि खास अलग प्रादेशिक जनजातीय पहचान हर कीमत पर बनाए-बचाए रखने का हठ सिर्फ उत्तरपूर्व और देश के अन्य हिस्सों के बीच भावनात्मक खाई पैदा नहीं करता, बल्कि स्थानीय स्तर पर भी रणक्षेत्र जैसे हिंसक तेवर भड़कता है। महाराष्ट्र का मसला आज के हिन्दुस्तान की राजनीति का सबसे कुरूप हिस्सा बेनकाब करता है। यह बात दो टूक कहे जाने की जरूरत है, कि इसके लिए सिर्फ राज ठाकरे जिम्मेदार नहीं। क्या यह सच नहीं कि इस वक्त केन्द्रीय मंत्रिमंडल के वह सदस्य जो महाराष्ट्र से आए हैं एक कुटिल चुप्पी साधे हुए हैं। लगभग लौहपुरुष समझे जाने वाले ताकतवर शरद पवार हों या बार-बार कई मोर्चों पर धूल चाट चुके पर इसके बावजूद अपनी पोशाक को बुर्राक बचाए रखने में माहिर पूर्व गृहमंत्री शिवराज पाटिल। इससे भी विचित्र आचरण तो नागरिक उड्डयन मंत्री प्रफुल पटेल का है, जिन्होंने कैबिनेट प्रणाली में संयुक्त सामूहिक जिम्मेदारी के सिद्धांत को धता बताते हुए यह कहने की जल्दबाजी की है कि महाराष्ट्र में सार्वजनिक जीवन का संस्कार मराठी ही रहना

चाहिए। स्थिति इतनी विस्फोटक न होती तो इसे बेवकूफी कह खारिज किया जा सकता था। भला यह कौन सुझा रहा है कि भाषाई आधार पर राज्यों के पुनर्गठन के बाद महाराष्ट्र का संस्कार तमिलनाडु या मिजोरम जैसा होना चाहिए? जवाबी हमले में लालू जी ने तथा अन्य राष्ट्रीय स्तर के कद्दावर बिहारी नेताओं ने जो रणनीति अपनाई, उनके ऊपर भी यही बात लागू होती है। केंद्रीय मंत्रिमंडल में रहते हुए लालू सीना ठोक कर यह कहते हैं कि अगर यही सब चलता रहा तो महाराष्ट्र की नाकेबंदी कर दी जाएगी और भारतीय रेलों का वहां जाना रोक दिया जाएगा। कहने को बहाना रेल संपत्ति नुकसान के संकट का है पर असली बात छठ पूजा को निर्विघ्न निपटाने की है। इस वक्त किसी को छठ पूजा के महिमामंडन या इसकी पुनः प्राण प्रतिष्ठा में पौराणिक, क्षेत्रीय या सांप्रदायिक के विषाणुओं से ग्रस्त सांप्रदायिकता हिन्दुत्व का खतरा क्यों नजर नहीं आता?

जीत का जश्न मनाते वक्त भी ओबामा अपने धार्मिक-आध्यात्मिक मार्गदर्शक का कृतज्ञता ज्ञापन भूले नहीं। यह कैसी मजबूरी है कि जिन धार्मिक सांस्कृतिक मुद्दों को लेकर मरने-मारने पर आमादा हैं, उनका जिक्र धर्मनिरपेक्षता की चाक-चाक हो चुकी लोई के खुल जाने के बाद भी ईमानदारी के साथ करने को तैयार नहीं। इसीलिए अमेरिकी राष्ट्रपति के नाम का हिस्सा 'ओ' हमारे यहां लाचार कराह ओह ही सुना जा सकता है। 'बा' का बाप और 'मां' का माता में बदलना और भी सहज स्वाभाविक है। ओबामा के बारे में भी मौकापरस्त हिन्दुस्तानी नेताओं की मुद्रा 'त्वमेव माता च पिता त्वमेव' वाली ही दिख रही है।

व्हाइट हाउस की चौखट पर कहा-अब बदलाव का आगाज

लगभग 21 महीने के लंबे चुनाव प्रचार के बाद ओबामा ने निर्वाचक मंडल के कुल 538 वोटों में से 338 पर कब्जा किया जबकि उनके निकटतम प्रतिद्वंद्वी जॉन मैक्केन केवल 159 पर ही जीत हासिल कर पाए। अमेरिका में नस्लीय समानता के लिए हुए नागरिक अधिकार आंदोलन के करीब चार दशक बाद अमेरिकावासियों ने ओबामा की जीत के जरिए उन आंदोलनकारियों के सपनों को साकार किया। जीत के बाद ओबामा ने कहा कि अब अमेरिका में बदलाव का आगाज हो चुका है।

शिकागो के ग्रांड पार्क में अपनी पत्नी मिशेल और दोनों बेटियों के साथ हजारों समर्थकों का अभिवादन करते हुए ओबामा ने कहा कि अगर अभी भी कोई है जिसे अमेरिका में सभी चीजें संभव होने पर संदेह है, जिसे हमारे समय में हमारे पूर्वजों के सपने साकार होने में संदेह है, जो लोकतंत्र की ताकत पर अभी भी सवाल उठाता है तो उसके लिए जवाब है–आज की रात। उन्होंने कहा–आगे रास्ते लंबे होंगे। हमारी चढ़ाई कठिन होगी। हम इसे एक साल या एक कार्यकाल में हासिल नहीं कर सकते। लेकिन अमेरिका में आज रात से ज्यादा आशान्वित कभी नहीं रहा। उन्होंने अपने समर्थकों को धन्यवाद देते हुए कहा–आज रात आपकी जीत हुई है। इसे साकार होने में एक लंबा समय लगा लेकिन आज रात हमने जो किया है इस चुनाव में इस क्षण अमेरिका में बदलाव हो चुका है। ओबामा ने अपनी नानी को याद किया जिन्होंने उनके जीवन पर गहरा असर डाला। ओबामा की नानी का 3 दिन पहले निधन हो गया था। उन्होंने कहा मैं आज रात उन्हें याद कर रहा हूं और मैं जानता हूं कि उनका मुझे पर जो ऋण है उसे कतई आंका नहीं जा सकता।

डेमोक्रेट नेता ने कहा कि देश के सर्वोच्च पद के लिए वह सबसे पसंदीदा व्यक्ति नहीं थे। उन्होंने यह भी कहा कि उनका चुनाव प्रचार अभियान भी कम रकम और कम समर्थकों के साथ शुरू हुआ था। ओबामा ने कहा–हमारा चुनाव प्रचार अभियान वाशिंगटन के बड़े-बड़े हालों में शुरू नहीं हुआ, बल्कि इसकी शुरुआत देस मोइंस के पिछवाड़ों और कार्नकार्ड के बैठक कक्षों और चार्ल्सटन के पोर्च में हुई। उन्होंने कहा कि देश जानता था कि कल की चुनौतियां हमारे जीवन की सबसे बड़ी चुनौतियां हैं-दो युद्ध व सदी का सबसे बुरा वित्तीय संकट। उन्होंने कहा कि हम जानते हैं कि इराक के रेगिस्तानों और अफगानिस्तान के पहाड़ों में बहादुर अमेरिकी जाग रहे हैं और हमारे लिए अपनी जान खतरे में डाल रहे हैं। उन्होंने कहा कि ऐसे माता-पिता हैं जो अपने बच्चों के सो जाने के बाद जाग कर यह चिंता कर रहे होंगे कि वे अपने मकान की किस्त कैसे चुकाएंगे या वे डाक्टर का बिल कैसे भरेंगे या कॉलेज की पढ़ाई के लिए कैसे बचत करेंगे। नई ऊर्जा का दोहन करना है और नए रोजगारों का सृजन करना है, नए स्कूलों का निर्माण करना है और नई चुनौतियों का सामना करना है।

अंक 4 व 8 शुभ रहा है ओबामा के लिए

अंक विद्या में 13 का अंक विनाशकारी वह अशुभ माना गया है। परन्तु यह उतना दुर्भाग्यशाली नहीं होता जितना कि समझा जाता है। आज अमेरिका विश्व का सर्वाधिक शक्तिशाली राष्ट्र है क्योंकि वह स्वयं अंक 13 के प्रभाव में है। अमेरिका जब स्वतंत्र हुआ उसके 13 ही राज्य थे। अमेरिका के प्रथम राष्ट्रपति जार्ज वाशिंगटन का जन्म भी 13 अप्रैल को ही हुआ था और उन्हें दी जाने वाली तोपों की सलामी भी 13 ही थी। यह सब 13 के अंक का ही महत्व है। योगांक 13 जिसका मूलांक 1+3=4 बनता है, अप्रैल यानी 4 था महीना, 18वीं शताब्दी के 76वें साल में 7+6=13 यानी 1+3=4 में अमेरिका को 4 जुलाई को स्वतंत्र किया गया।

अंक 4 व अंक 8 एक-दूसरे के पूरक व सहयोगी अंक हैं। इन दोनों का आपस में सामंजस्य बना रहता है। अमेरिका के इतिहास में अपना नाम वही दर्ज करा पाता है जो इन अंकों से प्रभावित होता है। अमेरिका के प्रथम अश्वेत राष्ट्रपति पद के उम्मीदवार बराक ओबामा में काफी समानता है। दोनों ही अंक 4 व 8 के प्रभाव में हैं। जार्ज वाशिंगटन व 21वीं शताब्दी के प्रथम अश्वेत राष्ट्रपति पद के उम्मीदवार बराक ओबामा में काफी समानता है। जार्ज वाशिंगटन का जन्म वर्जिनिया में 13 अप्रैल यानी 1+3=4 को आग्नेय त्रिकोण की मेष राशि में ई. सन् 1732 अर्थात 1+7+3+2=13 को हुआ और ओबामा का जन्म भी आग्नेय त्रिकोण की सिंह राशि में 4 अगस्त, 1961 अर्थात 1+9+6+1=17 अर्थात 1+7=8 को ही हुआ। सन् 1754 अर्थात् 1+7+5+4=17 में 22 वर्ष की उम्र में जार्ज ने मार्थाकस्टिर से शादी की और ओबामा ने अंक 4 के ही आयु में मिशिली ओबामा से शादी की, अंक 4 के ही ई. सन् 1759 में उन्होंने राजनीति में प्रवेश किया। अठारहवीं शताब्दी के 76वें साल 7+6=13 अर्थात् 1+3=4 को 4 जुलाई को उनके नेतृत्व में अमेरिका आजाद हो गया। इसी प्रकार ओबामा भी 13वें जिले के 8 जनवरी, 1997 में ईलिनोयस सीनेट के सदस्य बन गए। जिस प्रकार 44 साल की उम्र में जार्ज वाशिंगटन को राष्ट्रपति का पद मिला। उसी प्रकार 44 साल की ही उम्र में बराक ओबामा नवंबर में यू.एस. के सीनेट बन गए। बराक ओबामा के नाम के अंकों का योग

भी 8, अंग्रेजी वर्णमाला के अनुसार उनके नाम बराक में इस्तेमाल हुए अक्षर बी का अंक 2, ए का 1, आर के 2, ए का 1, सी का 3 व के का 2 बनता है जिनका जोड़ करने पर 2+1+2+1+3+2=11 यानी 1+1=2 इसी प्रकार ओबामा शब्द में 7+2+1+4+1=15 यानी 1+5=6 बनता है। बराक शब्द का 2 ओबामा का 6 जोड़ देने पर 2+6=8 ही बना।

अगस्त 4, 2008 में उन्होंने अपनी उम्र के 47 साल पूरे करके अंक 4 व अंक 8 के 48 वें साल में प्रवेश कर लिया है। इन्हीं अंकों ने अमेरिका का 44 वां राष्ट्रपति बनाने में सहयोग किया यानी 2+3+3=8 में प्रवेश किया और बराक ओबामा की डैमोक्रेटिक पार्टी ने 112 यानी 1+1+2=4 में। निजी जिंदगी में भी अंक 4 का काफी प्रभाव रहा। उम्र के 31वें साल में उन्होंने अपने कैरियर की शुरूआत सन् 1992 में शिकागो लॉ स्कूल की युनीवर्सिटी में कोनसीट्यूशनल लॉ पढ़ा कर की। इसी साल 1992 में वे पब्लिक लाइज के बोर्ड ऑफ डायरेक्टरर्स के फाउंडिग सदस्य भी बने। जब उन्हें 22 साल 2+2=4 लगा हुआ था। उनके पिता की मृत्यु आटोमोबाइल एक्सीडेंट में हो गई और 35 साल 3+5=8 की उम्र में मां की मृत्यु भी ओवेरियन कैंसर में हो गई। न्यूयॉर्क में 4 साल तक काम करने के बाद वह कम्युनिटी ओरनाइजर के रूप में काम करने के लिए शिकागो चले गए।

ओबामा के मुख्य प्रतिद्वंद्वी जोहन मैक्केन का जन्म 29 अगस्त, 1936 को हुआ। उन्होंने भी अपनी उम्र के 72 साल पूरे करके 73वें साल 7+3=10 में प्रवेश कर लिया है। उनके जन्म का साल 1936 अर्थात् 1+9+3+6=19 यानी 1+9=10 में प्रवेश कर लिया है। चुनाव का साल भी 2008 अर्थात् 2+8=10 ही है। भारत के पूर्व राष्ट्रपति शंकर दयाल शर्मा भी तभी राष्ट्रपति बने थे जब उन्हें भी इसी प्रकार के 10 अर्थात 1+0=10 अंक का ही योग लगा हुआ था। अमेरिका के राष्ट्रपति पद के लिए मुख्य प्रतिद्वंद्वी के रूप में खड़ा होना कोई न जोहन छोटी बात नहीं। मैकलेन जोहन के नाम के अंकों का योग 8 बनता है जो काफी संघर्ष के बाद मिली सफलता का सूचक है। अंक 8 व अंक 1 दोनों एक-दूसरे के विपरीत व विरोधी अंक हैं। उनको अपने नाम जोहन में एक ए और मैकलेन में भी एक जोड़ देना चाहिए। जिससे ए के जोड़ दोनों में 8+2=10 बन जाएगा।

बराक ओबामा के राष्ट्रपति बन जाने से भारत के अमेरिका के साथ बहुत अच्छे संबंध हो जाएंगे क्योंकि भारत के गणतंत्र की स्थापना 26 जनवरी 2+6=8 को हुई थी। दोनों देशों के मध्य न्यूक्लियर डील भी उस वक्त हुई जब भारत की सत्ता पर 4 व 8 अंकीय कांग्रेस का राज है। जुलाई 4 अमेरिका आजाद हुआ और ई. सन् 1885 अर्थात् 1+8+8+5=22 और 2+2=4 को भारतीय कांग्रेस की स्थापना हुई। इक्कीसवीं शताब्दी के 4वें साल में कांग्रेस सत्ता में आई और 8वें साल में उसकी सरकार अल्पमत में आ गई परंतु 4 के ही योगांक 22 जुलाई को अपनी सरकार बचा भी ले गई। भारत की शासनाध्यक्ष माननीय प्रतिभा देवी सिंह पाटिल भी स्वयं 4 व अंक 8 अंक के प्रभाव में हैं, और इन्हीं अंकों के सहयोग से भारत की राष्ट्रपति भी बनीं।

2

बदल गया है अमेरिका

अमेरिका से आवाज आई अब नहीं कोई गोरा-काला, 47 वर्षीय अफ्रीकी-अमेरिकी मूल के बराक हुसैन ओबामा को विशाल बहुमत से दुनिया के सबसे शक्तिशाली लोकतंत्र ने शक्ति के स्रोत व्हाइट हाउस की कुंजी सौंप दी। यह जीत इस मायने में भी अहम है कि उन्होंने उन दो राज्यों में जीत हासिल की जो कभी डेमोक्रेटिक उम्मीदवार के खाते में नहीं गए थे।

शिकागो में बराक हुसैन ओबामा के विजयी संबोधन को सुन रहे जन सैलाब में अश्वेत नेता जेसी जैक्सन का आंसुओं से नहाया चेहरा यह बयां कर रहा था कि अमेरिका के 44वें राष्ट्रपति के चुनाव का अनेक अमेरिकियों के लिए क्या मतलब है।

जैक्सन एकमात्र अफ्रीकी अमेरिकी हैं जिन्होंने डेमाक्रेटिक पार्टी का उम्मीदवार बनने की दो बार कोशिश की। ओबामा ने अपने लाखों प्रशंसकों का शुक्रिया अदा करते हुए कहा, 'यहां तक आने में लंबा वक्त लगा लेकिन इस चुनाव में हमने आज जो तारीख दर्ज कराई, वह यह बताती है कि अमेरिका में बदलाव आ गया है।'

ओबामा की जीत केवल इस कारण ही अभूतपूर्व नहीं है कि यह उपलब्धि हासिल करने वाले वह पहले अश्वेत अथवा ऐसे व्यक्ति हैं जिनके नाम के साथ मुस्लिम पहचान भी जुड़ी हुई है, बल्कि उन्होंने व्हाइट हाउस की कुंजी बड़े धमाकेदार अंदाज में हासिल की। दो राज्यों के नतीजे शेष रहने के साथ ओबामा ने निर्वाचक मंडल में प्रतिद्वंद्वी जॉन मैक्केन के 162 के मुकाबले 349 मत हासिल किए। और तो और उन्होंने नेवादा और वर्जीनिया जैसे राज्यों में भी

जीत हासिल की जो देश के चुनावी इतिहास में कभी भी डेमोक्रेटिक के खाते में नहीं गए।

केनियाई पिता और श्वेत अमेरिकी मां के बेटे के पक्ष में कम से कम 45 फीसदी श्वेतों और तीन चौथाई हिस्पैनिक्स (मिश्रित मूल के लोगों) ने वोट दिए। साथ ही डेमोक्रेटिक पार्टी ने सीनेट की पांच और प्रतिनिधि सदन की 20 नई सीटें हासिल कर कांग्रेस पर भी अपनी पकड़ मजबूत कर ली। चुनाव विश्लेषक नेट स्मिथ ने कहा, 'इन चुनावों में ब्रेडली प्रभाव (गुप्त नस्लभेदी मतदाताओं का पता न चलना) का किसी तरह का कोई लक्षण नजर नहीं आया।' रिपब्किन उम्मीदवार जॉन मैक्केन ने अपनी हार स्वीकार करते हुए ओबामा को बधाई दी। इसके तुरंत बाद राष्ट्रपति जॉर्ज डब्ल्यू बुश ने भी बधाई देते हुए ओबामा के नेतृत्व में अमेरिका के उज्जवल भविष्य की कामना की।

ओबामा को इस चुनाव में 52 फीसदी पॉपुलर वोट हासिल हुए, जबकि प्रतिद्वंद्वी मैक्केन को 47 फीसदी वोट मिले। ओबामा ने पिछले चुनाव में बुश को निर्णायक बढ़त दिलाने वाले प्रांत ओहियो में जीत दर्ज कर मैक्केन की रही-सही उम्मीदों पर भी पानी फेर दिया। इसके अलावा रिपब्लिकन पार्टी का सबसे मजबूत गढ़ माने जाने वाले प्रांत कैलीफोर्निया में भी डेमोक्रेटिक पार्टी को मिली जीत ओबामा के लिए सबसे शानदार तोहफा साबित हुई। कैलीफोर्निया में डेमोक्रेटिक पार्टी को 1964 के बाद पहली बार जीत मिली है। इस बार के चुनाव में लगभग 13 करोड़ अमेरिकियों ने मतदान किया। इस चुनाव में अमेरिका से शुरू हुआ विश्वव्यापी आर्थिक संकट सबसे बड़ा मुद्दा बन कर उभरा।

धरती के आकश पर एक नया सितारा

बराक ओबामा की जीत अमेरिका (और उसके साथ पूरी दुनिया) में पिछली सदी में इराक युद्ध के साथ शुरू हुए अनिश्चय और अस्थिरता के युग के खात्मे का संकेत है। 2008 का साल पूरी दुनिया के लिए अमेरिका को लेकर एक अजीब अवसाद भरी विरक्ति का वर्ष था। और खुद अमेरिका के लिए वह घरेलू और अंतरराष्ट्रीय दोनों स्तरों पर अपनी बढ़ती शक्ति शून्यता भोगने का साल था। सितम्बर में वॉलस्ट्रीट के हठात् हुए पतन ने उसके खोएपन के अहसास को और भी गहरा दिया। इस विचलन की भारी कीमत अमेरिका

के साथ पूरी दुनिया चुकाती रही। ऐसे आत्यायंतिक आघातों को झेल कर आज अमेरिका ने 1960 में कैनेडी के चयन के बाद एक युवा नेता को राष्ट्रपति पद सौंप दिया है। ऐसा नेता, जो अनुभव में तपा-तपाया उम्रदराज कूटनीतिक नहीं, जो किसी बड़ी कार्पोरेट लॉबी या वजनी राजनैतिक वंश का प्रतिनिधि भी नहीं। बल्कि अमेरिका के एक सामान्य से अश्वेत अमेरिकी परिवार मे जन्मा एक असाधारण-सा आत्मविश्वासी और प्रतिभावान व्यक्ति है। पहली बार, बिलकुल पहली बार उसने साबित किया है, कि आपातकाल की घड़ी में अमेरिका एकजुट हो अपने तमाम रंगवादी, नस्लवादी पूर्वाग्रहों को दूर फेंक कर राष्ट्र-हित में मतदान कर सकता है।

ओबामा को जिताने को अनायास उमड़ी हर वर्ग-वर्ण और उम्र के मतदाताओं की रिकार्डतोड़ भीड़ ने साबित किया है कि अपनी अंतरात्मा में अमेरिका सचमुच एक संयुक्त राष्ट्र है, जो जरूरत पड़ने पर अपने को पूरी तरह बदल सकता है। अब्राहम लिंकन और मार्टिन लूथर ने जिस मिश्रित न्यायपूर्ण और संघीय लोकतंत्र का सपना देखा था, विश्वपटल पर उसकी ठोस शुरुआत 2008 में एक सैंतालीस वर्षीय बराक हुसैन ओबामा जैसे नाम वाले अश्वेत राष्ट्रपति की धमाकेदार जीत के साथ हो गई है।

कुछ विघ्नसंतोषी खेमे डेमोक्रेट पार्टी की इस विशाल विजय के पीछे भारत-अमेरिका के बीच सुधरते रिश्तों के लिए एक खतरे की घंटी बजती सुन सकते हैं, क्योंकि डेमोक्रेट पार्टी और ओबामा स्वयं भी, परमाणु निःशस्त्रीकरण के पुरजोर समर्थक तथा न्यूक-डील के आलोचक रहे हैं। कश्मीर को भी वे एक अंतरराष्ट्रीय मसला मानते रहे हैं जिसमें हस्तक्षेप से उन्हें परहेज नहीं। लेकिन पत्ते खोलने से पहले ओबामा की आगामी नीतियों को लेकर ऐसी दुश्चिन्ता अभी अप्रासंगिक है। अधिक प्रासंगिक यह है, कि अमेरिका ने बरसों के बाद एक ऐसा नेता खोजा है, जो अपने चुनाव प्रचार के दौरान सारे देश के श्वेत-अश्वेत स्त्री-पुरुष, परंपरावादी और गैरपरंपरावादी मतदाताओं के मर्म को एक साथ स्पर्श कर सका है। अपनी विजय की घड़ी में अपने संयत और विनम्र भाषण से एक बार फिर प्रभावित किया। अपने प्रतिद्वंद्वी मैक्केन के राष्ट्रहितों के प्रति दी कुर्बानियों की सराहना करते हुए ओबामा ने अपनी जीत की घड़ी में अमेरिकी जनता को अपने देश को मजबूती देने, सबको साथ लेकर चलने की सबकी (विशेषकर असहमति रखने वालों की) बात को गौर से सुनकर ही

फैसला देने का आश्वासन दिया। उनका यह तेवर वयस्क और आश्वस्तिकारी है और हमारे देश के कई बुजुर्ग, लेकिन आचरण में कतई अवयस्क और तोड़-फोड़ भरी राजनीति की वकालत करने वाले नेताओं के लिए भी ऐसी उदारता और संयम नोट करने योग्य है। यह समय बीती को पीछे रख कर नई शुरुआत को आगे बढ़ाने का है।

ओबामा ने कहा है कि अमेरिका के सामने खड़ी चुनौतियां विकट हैं और राह दुर्गम। संभव है यह सब गुत्थियां एक कार्यकाल में सुलझाई न जा सकें। लेकिन यह एक नई शुरुआत की ऐसी शुरुआत है जिसमें वे सबको साथ लेकर बढ़ने और पारदर्शी निर्णय लेने के इच्छुक हैं। विश्व के सबसे महत्वपूर्ण लोकतंत्र में इस स्वस्थ युवा तेवरों वाली नई शुरुआत का अभिनंदन क्यों न किया जाए? और क्यों न लगे हाथों इन अमेरिकी चुनावों से खुद अपने देश के आगामी चुनावों के लिए भी स्वस्थ बदलाव के पक्ष में राष्ट्रीय एकजुटता रचने के लिए कुछ सबक भी ले लिए जाएं?

मेरा सपना है कि मेरे चार छोटे बच्चे एक ऐसे देश में रहेंगे, जहां उन्हें उनकी त्वचा के रंग से नहीं, बल्कि उनके चरित्र के आधार पर आंका जाएगा। (मार्टिन लूथर किंग जूनियर)

ओबामा के कार्यकाल में भारत और अमेरिका दुनिया में शांति, स्थायित्व और प्रगति के लिए मिलकर आगे बढ़ेंगे।

(डा. मनमोहन सिंह)

अमेरिका की जनता ने रंगभेद और नस्लवाद के विरुद्ध मत दे सदियों से उपेक्षित समाज के व्यक्ति का चयन किया है,

(मायावती, मुख्यमंत्री उत्तर प्रदेश)

आप अमेरिका को बुलंदी की राह पर ले जाने के लिए निकल चुके हैं। मेरी समस्त शुभकामनाएं आपके साथ हैं।

(राष्ट्रपति जार्ज डब्ल्यू बुश)

शांति और सुरक्षा के लिए आपकी प्रतिबद्धता का स्वागत है, उम्मीद है आप दुनिया से गरीबी और बीमारी हटाएंगे।

(अफ्रीका के पूर्व राष्ट्रपति नेल्सन मंडेला)

मुझे निराशा महसूस होना स्वाभाविक है, लेकिन देश को आगे ले जाने के लिए मिलकर काम करेंगे।

(एरिजोना में संबोधन के दौरान जॉन मैक्केन)

ओबामा जॉन मैक्केन से समझदार, सभ्य और शांति प्रकृति के हैं जबकि मैक्केन असभ्य और कम बुद्धि वाले हैं।

(फिदेन कास्त्रो, क्यूबा के पूर्व प्रमुख)

हम केन्या से आपके संबंधों से गौरवान्वित हैं, यह दुनिया भर के लिए तो प्रेरणा का स्रोत है ही हमारे लिए विशेष रूप से है।

(एम केबाकी, राष्ट्रपति, केन्या)

नस्ल और रंगभेदी मानसिकता वालों का दिल बदला

अमेरिका में एक अश्वेत बराक ओबामा का व्हाइट हाउस पहुंचना एक अभूतपूर्व घटना है। आप्रवासियों के इस देश में पहली बार हुआ है कि बदलाव के लिए सभी ने मिलकर रंगभेद की लकीर को लांघा और इतिहास रच दिया। लाखों श्वेत-अश्वेत, एशियाई, लातिनी अमेरिकी, नस्लपंथी और विरोधी इस बात पर सहमत हो गए कि 47 साल के एक सामान्य कद-काठी वाले 'ब्लैक' को सत्ता सौंप दी जाए। अमेरिकियों ने एक ऐसे व्यक्ति के पक्ष में मतदान किया, जिसकी पृष्ठभूमि में कोई एक भी उल्लेखनीय बात नहीं है, जिसका तेल के कुंए वाले घरानों से कोई वास्ता नहीं, जिसके परिवार के किसी सदस्य ने कभी भी किसी तरह की राजनीतिक पारी नहीं खेली। यह अमेरिका ही नहीं, बल्कि पूरे विश्व के लिए एक बड़े बदलाव की बानगी है।

अमेरिकन-अफ्रीकन जमात के लिए भी यह एक बड़ी उपलब्धि है। जैसे-जैसे नतीजे बराक के पक्ष में खड़े होते दिखे, अश्वेत घरों से बाहर निकल आए और जश्न में डूब गए। कुछ तो जार-ओ-कतर रो रहे थे। कइयों को यकीन ही नहीं हो रहा था कि अमेरिका में अभी-अभी एक नया इतिहास रचा गया। वजह साफ थी, इनमें से ज्यादातर ने नस्लभेद का दंश झेला था। इनमें से कइयों के पुरखे अमेरिका में रंगभेदी हिंसा के शिकार बने थे। कई के बाप-दादाओं को गोरों के लिए आरक्षित बस में चढ़ने नहीं दिया जाता था। बराक ओबामा की जीत से वे खुश थे और बदलाव पर भौंचक्के भी थे। उन्होंने

पढ़ा था कि वे कभी गुलाम बनाकर इस देश में लाए गए थे। उनके लिए जेलें तक अलग थीं। सड़कों पर उमड़े जनसैलाब में बहुत सारों को याद आ रहा है कि किस तरह अमेरिका में उनको कभी 'नीगर' कहकर अपमानित किया जाता था। उनको याद है कि किस तरह यूरोप में बच्चों को पढ़ाया जाता था-'इनी मीनी माइनी मो, कैच अ नीगर बाई द टो'। बाद में इस नर्सरी राइम को अमेरिका के स्कूलों में भी पढ़ाया गया। कहने का मतलब यह कि देश में दास प्रथा को खत्म हुए कोई 200 साल हो चुके हैं और नस्लभेद का अजगर अब भी कुंडली मारे बैठा है।

अश्वेतों की भीड़ में श्वेतों की भी कमी नहीं थी। वे भी जश्न में बराबर के शरीक थे। यह इस बात की सनद है कि अमेरिका की मौजूदा युवा पीढ़ी ज्यादा ईमानदार और पारदर्शी है। उसके लिए अब रंग और नस्ल बेमानी है। शायद इसकी वजह यह है कि ओबामा के एजेंडे में अश्वेतों के लिए एक शब्द नहीं था। अमेरिकी रातों-रात कलर ब्लाइंड नहीं बन गए। इस समय उनके लिए श्वेत-अश्वेत से ज्यादा अन्य मुद्दे प्रमुख थे। बहुत सारों ने बदलाव के लिए ओबामा का साथ दिया तो बहुत सारे ऐसे भी थे, जिन्होंने कड़वे घूंट के साथ डेमोक्रेटिक उम्मीदवार के पक्ष में मतदान किया। अमेरिका पर मर-मिटने का जज्बा रखने वाले ये श्वेत वोटर इस बात से आहत थे कि किस तरह युद्ध संस्कृति ने देश को भीतर से खोखला कर दिया। किस तरह चीन और भारत तेजी से महाशक्ति बनने की होड़ का हिस्सा बन रहे हैं और किस तरह आर्थिक मंदी ने उनकी जिंदगी तबाह कर रखी है। ओबामा व्हाइट हाउस तक का सफर पूरा करेंगे, यह तो पिछले साल उसी समय तय हो गया था, जब उन्होंने (बराक) राष्ट्रपति का चुनाव लड़ने की घोषणा की थी और डेमोक्रेटिक उम्मीदवार का दमखम नापने के लिए न्यूयॉर्क टाइम्स और सीबीएस न्यूज ने एक पोल कराया था। नतीजा उस समय भी चौंकाने वाला था, क्योंकि 70 फीसद लोगों ने साफ कर दिया था कि वे अमेरिका के भावी राष्ट्रपति के रूप में एक अश्वेत को चुनने के लिए तैयार थे।

सतह से उठ कर शीर्ष तक पहुंचे हैं बराक ओबामा

बराक ओबामा, ऐसी शख्सियत जिसने अमेरिका के इतिहास में एक नया अध्याय लिखा। जातीय संघर्ष के इतिहास के गवाह रहे अमेरिका के वह पहले

अश्वेत राष्ट्रपति हैं, जो कभी बहुत कम आमदनी में एक सामुदायिक कार्यकर्त्ता के रूप में काम किया करते थे।

उनकी जीत इस मायने में महत्वपूर्ण है कि 45 साल पहले मानवाधिकार आंदोलन के प्रणेता मार्टिन लूथर किंग ने 'समानता' का जो सपना देखा था, वह सच हो गया। आमतौर पर भारत समर्थक माने जाने वाले 47 वर्षीय ओबामा अपने नाम और जाति के कारण जानते थे कि व्हाइट हाउस तक पहुंचने का उनका सफर कितना मुश्किल होगा। उन्होंने एक बार कहा भी था कि यह एक 'युगांतकारी परिवर्तन' होगा। केन्याई पिता और श्वेत अमेरिकी माता की संतान ओबामा ने यह कर दिखाया। अमेरिकी जनता को उनमें वह सब नजर आया, जिसकी उसे इस कठिन वक्त में दरकार है। हॉरवर्ड में पढ़े ओबामा ने 21 माह के कठिन प्रचार अभियान के बाद दुनिया का सबसे ताकतवर ओहदा हासिल किया। पार्टी का उम्मीदवार बनने के लिए उन्होंने पहले अपनी ही पार्टी की हिलेरी क्लिंटन और फिर वियतनाम युद्ध के सेना नायक जॉन मैक्केन को पीछे छोड़ते हुए अमेरिका में एक बड़े बदलाव संकेत के साथ व्हाइट हाउस की गद्दी संभाल ली।

ओबामा की जीत ने अमेरिकी इतिहास में एक नया अध्याय जोड़ दिया है। देश सदियों जातीय वैमनस्यता का कोपभाजन बना रहा। आज से 200 साल पहले जिस सामाजिक बुराई का अंत हुआ, उसकी सुखद अनुभूति का भी यह जीत प्रतीक है। शिकागो के एक सामुदायिक कार्यकर्त्ता ओबामा के लिए व्हाइट हाउस की पहली पायदान इलिओनिस की सीनेट रही। सन् 1996 में इस जीत से लोकप्रिय हुए ओबामा सन् 2004 में संघीय सीनेट तक जा पहुंचे। अपने सहज व्यक्तित्व और अपनाइयत से ओबामा जल्द मीडिया की सुर्खियां बनने लगे। उन्होंने इसे बहुआयामी स्वरूप दिया और लेखन में जल्द बुलंदी हासिल की। उनकी दो पुस्तकें बेहद सराही गईं, 'द ऑडेसिटी ऑफ होप तथा ड्रीम फ्रॉम माई फादर'। आठ साल से सत्ता के शीर्ष पद से दूर डेमोक्रेटिक पार्टी के लिए जादुई साबित हुआ। हवाई में चार अगस्त 1961 को जन्मे ओबामा के अरबी मायने ही 'सौभाग्यशाली' है। लेकिन उन्हें इस बात का अफसोस' रहेगा कि उनके कैरियर में अहम भूमिका निभाने वाली उनकी नानी अपने सपने को साकार होने से कुछ दिन पहले ही चल बसीं। जाति एवं धर्म के विवाद के साथ

चुनावी अभियान में अपने को लगातार मजबूत करते रहे ओबामा ने कई जगह अपनी टिप्पणियों एवं संकेतों में भारत के साथ ठोस सहभागिता की भावना का इजहार किया, यहां तक कि भारत के साथ असैनिक परमाणु समझौते के प्रति समर्थन का, हालांकि पहले वह इसका विरोध करते रहे। कई ऐसे मुद्दे हैं, जिन्हें लेकर भारत में चिंता देखी गई, मसलन उनके आउटसोर्सिंग की मुखालफत वाले रवैये पर। अगर ऐसा हुआ तो यह निःसंदेह भारत के हक के खिलाफ जाएगा। उन्होंने प्रचार अभियान में कहा, 'जॉन मैक्केन के विपरीत, मैं उन कंपनियों को कर में ढील नहीं दूंगा जो बाहर के लोगों को नौकरियां देती हैं, और वह लाभ उन कंपनियों को देना शुरू करूंगा जो यहां अमेरिका में रोजगार सृजित करेंगी।'

चुनाव के लिए धन एकत्रित करने में रिकॉर्ड तोड़ चुके ओबामा 200 साल पहले खत्म हुए दासता के दर्द को नहीं भूले हैं। उन्होंने बेहिचक कहा कि अभी भी देश जातीय भेदभाव से पाक साफ नहीं हुआ है। अपने प्रतिद्वंद्वी के मुकाबले अनुभवहीन कहे जाने वाले ओबामा ने सन् 2003 में इराक पर हमले के समय से ही बुश प्रशासन की कड़ी आलोचना करनी शुरू कर दी थी। वह एक मोर्चे पर पूर्ववर्ती प्रशासन से बिलकुल अलग हैं, जब वह कहते हैं कि वह बिना शर्त ईरान से बातचीत करेंगे। प्रेरणादायक लफ्जों तथा बदलाव के नारे से जनता को आकर्षित करने में कामयाब रहे ओबामा बहस में भी मैक्केन पर भारी पड़े। बहस के पहले दौर से ही लगने लगा था कि व्हाइट हाउस उनका इंतजार कर रहा है। सवालों का कुशलता से जवाब देने से लेकर भावी प्रस्तावों में उनकी सूझबूझ साफ दिखाई दी। चाहे इराक का मुद्दा हो या फिर वित्तीय संकट अथवा स्वास्थ्य का।

आतंकवाद से लड़ाई के मामले पर उनकी सोच है कि वह इसके लिए नई सहभागिता कायम करेंगे और एक साफ मिशन के साथ ही सैनिकों को लड़ाई के मैदान पर भेजेंगे। उन्होंने प्रचार अभियान में कहा, 'मैं इक्कीसवीं सदी के खतरों, आतंकवाद, परमाणु प्रसार, गरीबी, नरसंहार, जलवायु परिवर्तन तथा बीमारियों के खतरों से निपटने के लिए नई सहभागिता कायम करूंगा।' शेयर बाजार में गिरावट से देश को उबारने के उनके दृष्टिकोण को पूर्व ज्वाइंट चीफ ऑफ स्टाफ्स के अध्यक्ष कोलिन पावेल ने भी खूब सराहा।

हकीकत में बदली हॉलीवुड की अवधारणा

अमेरिका में अफ्रीकी-अमेरिकी राष्ट्रपति की अवधारणा दशकों तक केवल हॉलीवुड की रीयल लाइफ तक ही सीमित रही, लेकिन अमेरिका के पहले अश्वेत राष्ट्रपति के तौर पर बराक ओबामा की ताजपोशी के बाद यह हकीकत में बदल गई है। अश्वेत अमेरिकी राष्ट्रपति की अवधारणा काफी पहले 20वीं सदी में हॉलीवुड की फिल्मों में शुरू हुई थी, जिनमें अफ्रीकी-अमेरिकी को राष्ट्रपति दिखाया गया। 1972 में प्रदर्शित हुई फिल्म 'द मैन' में दिखाया गया था कि जब एक इमारत के गिरने से राष्ट्रपति और सदन के स्पीकर की मृत्यु हो जाती है और उपराष्ट्रपति अस्वस्थता के कारण काम करने से मना कर देता है तो सीनेट अध्यक्ष डगलस डिलमैन (जैम्स अर्ल जोन्स) व्हाइट हाउस में जाने वाले पहले अश्वेत नागरिक होते हैं। 1998 में प्रदर्शित वैज्ञानिक कल्पनाओं पर आधारित फिल्म 'डीप इंपैक्ट' में अश्वेत अमेरिकी राष्ट्रपति के रूप में टाम बैक के पात्र को दिखाया गया है जो किरदार मोर्गन फ्रीमैन ने निभाया था।

वर्ष 2003 में प्रदर्शित हुई फिल्म 'हैड ऑफ स्टेट' में क्रिसराक द्वारा अभिजात भूमिका में मेज गिलियम आश्चर्यजनक तरीके से राष्ट्रपति पद के उम्मीदवार बन ज़ाते हैं, क्योंकि उनकी पार्टी से राष्ट्रपति और उपराष्ट्रपति पद के मूल उम्मीदवार एक विमान दुर्घटना में मारे जाते हैं। इसमें दिखाया गया कि शुरूआत में मेज को लगता है कि वह राष्ट्रपति नहीं बन पाएंगे, क्योंकि वह पूरे अफ्रीकी-अमेरिकी समुदाय का प्रतिनिधित्व करेंगे।

ओबामा ने कहा

अमेरिका के राष्ट्रपति निर्वाचित होने के बाद शिकागो में विजय रैली में बराक ओबामा द्वारा दिए गए भाषण का मूल पाठ इस प्रकार है—अगर यहां कोई ऐसा है जो अब भी इस बात में संदेह रखता है कि अमेरिका एक ऐसा संस्थापकों का सपना जीवंत है जो अब भी हमारे लोकतंत्र की शक्ति पर सवाल खड़ा करता है तो आज रात आपके सवालों के जवाब मौजूद हैं। यह उन पंक्तियों द्वारा दिया गया जवाब है जो स्कूलों और गिरिजाघरों के चारों ओर संख्याओं में दर्ज है जिसे इस देश ने और लोगों ने तीन घंटे और चार घंटे तक कतारों में खड़े होकर देखा। कई ने तो अपने जीवन में इसे पहले कभी नहीं देखा क्योंकि उनका मानना था कि इस बार यह बिल्कुल अलग होना चाहिए

कि उनकी आवाज इस कदर अलग हो सकती है। यह वह जवाब है जो युवा और वृद्धों, समृद्ध और निर्धनों, डेमोक्रेट और रिपब्लिकनों, अश्वेतों, श्वेतों, लातिनियों, एशियाइयों, मूल अमेरिकियों, समलैंगिकों, विकलांगों और आम अमेरिकियों की जुबां पर है जिससे उन्होंने इस दुनिया को संदेश दिया है कि हम कभी भी अलग अलग नहीं रहे। हम हमेशा से और भविष्य में हमेशा अमेरिका रहेंगे।

अमेरिका के नवनिर्वाचित राष्ट्रपति बराक ओबामा ने ऐतिहासिक चुनावी जीत हासिल करने के बाद चरम उल्लास में डूबे अमेरिकियों को संबोधित करते हुए कहा कि बदलाव हो गया है और सभी देशवासियों को आसन्न चुनौतियों से निपटने के लिए कमर कस लेनी चाहिए।

रिपब्लिकन पार्टी के उम्मीदवार जॉन मैक्केन को करारी शिकस्त देने के बाद अपने गृह नगर शिकागो में उत्साह और खुशी में सराबोर लाखों समर्थकों को संबोधित करते हुए ओबामा ने कहा कि अमेरिकी मतदाताओं ने देश में बदलाव की इबारत लिख दी है। अब हम सबको मिलकर सामने खड़ी चुनौतियों से निपटने के लिए तैयार हो जाना चाहिए। उन्होंने कहा कि आगे का रास्ता बहुत आसान नहीं है और हमारी मंजिल खड़ी और कठिन चढ़ाई वाले पहाड़ की तरह है। ओबामा ने कहा कि हो सकता है हमें अपनी मंजिल को पाने में एक साल या चार साल का कार्यकाल भी कम पड़े, लेकिन मुझे पूरा विश्वास है कि अमेरिका सभी चुनौतियों का मुंहतोड़ जवाब देने में सफल होगा। उन्होंने कहा कि मुझे इतना भरोसा पहले कभी नहीं था, लेकिन आज मैं जो आत्मविश्वास महसूस कर रहा हूं उसके आधार पर कह सकता हूं कि हम हर बाधा पार कर लेंगे। देश के पहले अश्वेत राष्ट्रपति बनने पर ओबामा ने कहा कि यह उन लोगों के लिए करारा जवाब है जिन्हें अमेरिकीयों की सोच पर शक था। यह सही है कि इस बदलाव में लंबा समय लगा लेकिन आज रात परिवर्तन की जो दास्तान हमने लिखी है वह अमेरिका के लिए अहम पड़ाव साबित होगी।

गांधी से प्रभावित ओबामा

अमेरिका में पहले अश्वेत राष्ट्रपति बनकर इतिहास रचने वाले डेमोक्रेटिक बराक ओबामा हमेशा से महात्मा गांधी के 'जीवन के वास्तविक संदेश' से

प्रभावित रहे हैं। अपने सीनेट कार्यालय में भी महात्मा गांधी की तस्वीर लगाकर ओबामा शांति का संदेश देते दिखायी देते हैं। भारत के साथ अमेरिका के करीबी संबंधों के पैरोकार ओबामा ने एक भारतीय पत्रिका को बताया था कि वह बहुत भाग्यशाली हैं क्योंकि उनके कई भारतीय-अमेरिकी दोस्त हैं। उन्होंने कहा था कि महात्मा गांधी ने लोगों को दमन का विरोध करने के लिए प्रेरित किया था, जिससे शुरू हुई क्रांति ने देश को आजाद कराया। महात्मा गांधी के जन्मदिवस दो अक्टूबर पर अपने संदेश में ओबामा ने कहा था कि दुनिया में अनगिनत लोग महात्मा गांधी की विचारधारा और उदाहरण से प्रभावित हुए हैं। उनकी उपलब्धियों ने युवा अमेरिकियों को दमन की प्रणाली को शांतिपूर्ण तरीके से समाप्त करने के लिए प्रेरित किया।

ओबामा के मुताबिक उन्होंने हमेशा महात्मा गांधी को प्रेरणा के तौर पर देखा है क्योंकि गांधी ने जिस तरह का परिवर्तन किया वह तब होता है जब साधारण असाधारण काम के लिए एक साथ आते हैं। उन्होंने कहा कि इसलिए मेरे सीनेट दफ्तर में उनकी तस्वीर है जिससे मैं याद रख सकूं कि वास्तविक परिणाम केवल वाशिंगटन से नहीं बल्कि जनता के बीच से आएंगे।

उन्होंने कहा कि भारत को ब्रिटिश शासन से आजाद कराने के लिए रणनीति बनाते समय गांधीजी को एक विकल्प चुनना था और गांधी ने डर की जगह साहस को चुना।

मुकाबला नहीं कर सका योद्धा

वियतनाम युद्ध के बुजुर्ग सेना नायक जॉन मैक्केन के मन में अपने करिश्माई और युवा प्रतिद्वंद्वी बराक ओबामा को कड़ी टक्कर देते समय कभी हार न मानने की भावना तो थी लेकिन वह अलोकप्रिय बुश प्रशासन की नीतियों का बोझ नहीं सह पाए। एरिजोना के 72 वर्षीय सीनेटर मैक्केन के लिए यह एक हारी हुई लड़ाई ही थी क्योंकि बहुत पहले से ही रायशुमारी में अनुमान लगने शुरू हो गए थे कि अमेरिका ऐतिहासिक बदलाव के रूप में ओबामा को देश के पहले अश्वेत राष्ट्रपति के तौर पर स्वीकार करने के लिए तैयार है।

मैक्केन का व्हाइट हाउस में जाने का यह दूसरा प्रयास था। इस बार करीब पहुंच कर उन्हें नाकामी मिली। 2000 में उन्होंने राष्ट्रपति पद के लिए रिपब्लिकन पार्टी का नामांकन हासिल करने की कोशिश की थी। लेकिन तब

जॉर्ज बुश ने उन्हें मात दे दी थी। चुनाव के दिन तक किसी करिश्माई वापसी की उम्मीद बांधे मैक्केन ने अपनी पराजय को शब्दों में इस प्रकार व्यक्त किया है कि अमेरिकी जनता जब बोलती है तो बहुत साफ बोलती है। समर्थकों से कहा कि सीनेटर ओबामा ने अपने लिए और अपने देश के लिए बड़ी उपलब्धि हासिल की है। मैक्केन ने कहा कि हम जितनी कड़ी टक्कर दे सकते थे, हमने एक-दूसरे को दी। हालांकि हम पीछे रह गए लेकिन असफलता मेरी है, आपकी नहीं। ओबामा ने मैक्केन की तारीफ करते हुए उन्हें एक बहादुर और निस्वार्थ नेता करार दिया।

रणनीतिक संबंधों के पक्षधर

अमेरिका के नवनिर्वाचित राष्ट्रपति बराक ओबामा रणनीतिक भागीदारी के धुर पक्षधर हैं और उन्होंने ऐतिहासिक द्विपक्षीय परमाणु करार का भी समर्थन किया है। लेकिन अमेरिकी रोजगारों की समुद्रपारीय नजरिए ने भारतीय उद्योगपतियों को चिंता में डाल रखा है। 47 वर्षीय ओबामा अमेरिका के पहले अश्वेत राष्ट्रपति निर्वाचित किए गए हैं। उन्होंने संदेश में कहा था कि दुनिया के कई हिस्सों में स्वतंत्रता कई चुनौतियों का सामना कर रही है, ऐसे में उनका (गांधी का) उदाहरण और प्रासंगिक हो गया है। उनकी अमूल्य विरासत भारत की क्रांति के अनमोल उपहारों में से एक है। वह मानते हैं कि दुनिया के सर्वाधिक पुराने और सबसे बड़े संवैधानिक लोकतंत्रों के रिश्तों में मजबूती अमेरिका और भारत के कई साझा लक्ष्य और हित हैं तथा अमेरिका नई दिल्ली का सबसे बड़ा कारोबार और निवेश सहयोगी है। ओबामा ने कहा था कि इस अनिश्चित दुनिया में भारत के साथ अमेरिका के सर्वाधिक महत्वपूर्ण संबंधों में से एक यह है कि दोनों देश भारत और अमेरिका अपने अपने लोगों तथा 21वीं सदी के मूल्यों की रक्षा के लिए काम कर रहे हैं। दोनों ही देश कानून और सांस्कृतिक बहुपक्षवाद को सम्मान देते हैं। शुरू में ओबामा को भारत-अमेरिका परमाणु करार को लेकर आपतियां थीं।

ओबामा की जीत और अमेरिका

अमेरिका के नव-निर्वाचित राष्ट्रपति ओबामा ने लोगों में उम्मीद जगाते हुए बदलाव का वादा किया है। लेकिन दुनिया को समझना होगा कि प्राथमिक तौर पर राजनीति स्थानीय होती है।

विगत आठ सालों में पूरी दुनिया में अमेरिका की छवि धूमिल हुई है और साठ के आखिरी दशक में राष्ट्रपति रहे लिंकन जॉनसन के बाद जॉर्ज डब्ल्यू बुश सबसे अलोकप्रिय राष्ट्रपति साबित हुए हैं। शुरू से देखें तो वर्ष 2000 में बुश का चुनाव हास्य और अचरज का एक मिला-जुला रूप था, जिसकी तस्दीक इस बात से भी होती है कि उन्होंने किस तरह अनभिज्ञता, संदेह और फ्लोरिडा में दोबारा मतगणना पर अविश्वास व्यक्त किया। इस विस्मय को उनके पूर्ववर्ती राष्ट्रपति बिल क्लिंटन की जबरदस्त चंचल प्रवृत्ति का सहारा मिला, जिसकी वजह से बुश की सहज कमियों को मूल स्वीकृति भी मिल गई। यह सच है कि बिल क्लिंटन का आचरण ऐसा था जिसका अनुसरण कोई नहीं करना चाहेगा, लेकिन इसने विपक्ष को इसके बिलकुल विपरीत उदारता से बुश को स्वीकार्य बना दिया।

जो लोग अमेरिका में रह चुके हैं, वे इन हालात को देखकर बहुत उदास हुए होंगे। 9/11 हादसे के तुरंत बाद अमेरिका में जो देखा गया, उस पर सहज यकीन करना मुश्किल था। देखने को मिला कि वहां ऐसे लोगों में भी संदेह उभरने लगा, जो आपसी भरोसे को बहुत मानते हैं और देखा गया कि बहु-सहजीविता संबंधी सहज मूल्यों की धज्जियां उड़ गई हैं तथा 'दूसरों' के प्रति नफरत का भाव पूरे देश में छोटे-छोटे हिस्सों में उबल रहा है। यहां मासूमियत को कुचल दिया गया है। अमेरिकावासियों और यहां आने वाले ज्यादातर लोगों के मन में भय व्याप्त था।

अमेरिका के बहुसंख्य नागरिकों के साथ-साथ बाकी दुनिया ने अब एक तरह से राहत की सांस ली है। जॉन मैक्केन, जिन्होंने कमजोर मुहिम चलाई, अपने विरोधी की आलोचना में इस कदर उबाऊ रहे, जिसकी कल्पना भी नहीं की जा सकती और उन्होंने उपराष्ट्रपति पद के लिए ऐसा उम्मीदवार चुना जिसका अति-उत्साह साफतौर पर सारभूत तत्वों से अछूता था। इससे उन्हें इतनी 'जबरदस्त' हार मिली लेकिन इसमें थोड़ी उलझन है। मैक्केन ने अब भी तकरीबन आधे लोकप्रिय मत हासिल किए। तो क्या अमेरिकी राष्ट्रपति चुनाव (जो बुश और दुनिया को लेकर उनकी नीतियों के प्रति मत-संग्रह था) का आशय यह है कि बुश की नीतियों को अब भी अमेरिका में काफी समर्थन हासिल है? और दुनिया के लिए इस जनादेश का क्या आशय है?

पहले सवाल का जवाब है कि हो सकता है। हमें आगे चलकर देखना होगा। काफी लंबे समय से अमेरिका के राष्ट्रपति चुनाव उसके द्वारा निर्धारित होते रहे हैं, जिसे लोकप्रिय तौर पर 'अस्थिर या स्वतंत्र मतों' के तौर पर देखा जाता है, जो इलेक्टोरेट के बहुत कम फीसदी का प्रतिनिधित्व करते हैं। यह आंकड़ा 4 से 6 फीसदी तक कुछ भी हो सकता है। वे वैचारिक तौर पर अलग-अलग नहीं होते और यह व्यावहारिक वोट बैंक होता है। इस चुनाव में ये जबरदस्त ढंग से बुश की आक्रामक घरेलू व विदेश नीतियों को खारिज करने के पक्ष में चले गए। यह उनका जबरदस्त विरोध ही था जो इलेक्टोरल कॉलेज वोट में प्रतिबिंबित हुआ, जो डेमोक्रेट्स के लिए जबरदस्त जीत बन गई। निवर्तमान प्रशासन की घरेलू नीतियां हर उस चीज से विमुख हो गईं जो अमेरिकी लोगों के लिए बेहतर है। उसका दुनिया के प्रति खासकर उदारता और विश्वास का भाव बेहद निराशाजनक है। बुश के अपारदर्शी और अहंकारी कैबिनेट ने इन खूबियों को लालच, संदेह और सुपीरियरिटी कांप्लेक्स में तब्दील कर दिया, जिसे ज्यादातर अमेरिकियों ने स्वीकार नहीं किया, लेकिन तब तक काफी देर हो चुकी थी। बेचारे मैक्केन बलि का बकरा बन गए, जिन्हें इस भद्दे प्रतिवर्तन की कीमत चुकानी पड़ी।

अब सवाल यह है कि यह चुनावी जनादेश व्यापक तौर पर दुनिया के लिए क्या मायने रखता है? अमेरिकी सरकार की विदेश नीति के हिसाब से ज्यादा समय से अमेरिकी सरकार धीरे-धीरे दुनिया पर सैन्य आधिपत्य कायम करने की ओर बढ़ रही है जो प्राथमिक तौर पर आर्थिक आधिपत्य की कोशिशों से बिलकुल अलग है जिसकी पहल विल्सन प्रशासन ने 1900 के शुरुआती दौर में की थी।

तो फिर बराक ओबामा की जीत पर अमेरिका और दुनिया के ज्यादातर हिस्सों में जश्न क्यों मनाया गया और इन सबके लिए उनका चयन क्या मायने रखता है?

अमेरिका के नव-निर्वाचित राष्ट्रपति ओबामा ने लोगों में उम्मीद जगाते हुए बदलाव का वादा किया है। लेकिन दुनिया को इन वादों पर टिकी उम्मीदों के मिजाज को समझना होगा क्योंकि प्राथमिक तौर पर राजनीति स्थानीय होती है। पहले वह अपनी गहरे तक समाई विभाजकता, बदहाल अर्थव्यवस्था, स्वास्थ्य

और मौसमीय बदलाव जैसी घरेलू समस्याओं पर गौर करेंगे। दूसरा, सभी साम्राज्यों की तरह, अमेरिकी सरकार दुनिया में अपना आधिपत्य कायम रखने पर जोर देगी। यह कोई अचरक वाली बात नहीं है, लेकिन क्या ओबामा दुनिया के 'इकलौते' साम्राज्य बनने की बुश शासन की सुस्थापित नीतियों को अमलीजामा पहनाने जा रहे हैं? क्या ओबामा सख्त एकध्रुवीयता और आत्म-भलमनसाहत की अच्छाई व परम बुराई के बीच जंग की शीत युद्ध की मानसिकता को छोड़कर सहज बहुध्रुवीयता को अपनाने जा रहे हैं? तीसरा, जैसा इकबाल अहमद ने कहा कि साम्राज्यों को 'दुश्मनों और भूत-प्रेतों' की जरूरत होती है। बुश प्रशासन ने जल्द ही अपरिपक्व तरीके से साम्यवाद का एक प्रतिस्थापन तलाश लिया और इसे 'आतंकवाद के खिलाफ जंग' में लगा दिया। उन्होंने जिस सहजता से इसे 'इस्लाम' से जोड़ा वह बुश प्रशासन की विशुद्ध अवसरवादिता का प्रतीक है। किसी भी अन्य नीतिगत सोच ने विश्वव्यापी स्तर पर अमेरिका की साख को इतना बट्टा नहीं लगाया। क्या ओबामा के अधीन यह सब बदलने जा रहा है?

ओबामा के साथ बदल गया अमेरिका

चुनाव में फतह हासिल करने वाले पहले अफ्रीकी-अमेरिकी नागरिक

डेमोक्रेट प्रत्याशी बराक ओबामा अपने रिपब्लिकन प्रतिद्वंद्वी जॉन मैक्केन को हराकर अमेरिका के 44वें राष्ट्रपति के रूप में निर्वाचित हो गए। इस ऐतिहासिक जीत के साथ ही, वे इस शीर्ष पद पर पहुंचने वाले पहले अफ्रीकी-अमेरिकी नागरिक बन गए। उन्होंने यह कामयाबी समूचे अमेरिका तथा उसके भी पार बदलाव का सुधारवादी संदेश आगे बढ़ाते हुए हासिल की। केन्याई पिता और श्वेत मां की संतान ओबामा (47) ने ओहियो, वर्जीनिया, पेनसिल्वेनिया, फ्लोरिडा और कैलीफोर्निया जैसे रिपब्लिकन के गढ़ में अपना परचम फहरा दिया। यहां उन्होंने बुश की नीतियों से नाखुश मतदाताओं को अपनी ओर बखूबी मोड़ अपनी जीत पक्की कर ली। पिछले चुनाव में बुश की लहर में बहने वाले ओहियो ने इस बार मैक्केन का साथ नहीं दिया और 1964 के बाद पहली बार वर्जीनिया के लोगों ने किसी डेमोक्रेटिक प्रत्याशी को वोट दिया। टेक्टास और कुछ रिपब्लिकन राज्यों की मदद के बावजूद मैक्केन ओबामा से जीत नहीं सके।

ओबामा की अगुवाई में डेमोक्रेटिक प्रत्याशियों ने कांग्रेस के दोनों सदनों में अपना आधार और मजबूत कर लिया। भारत के प्रति नरम रुख रखने वाले जो बिडेन उप राष्ट्रपति होंगे। वे भी डेमोक्रेटिक पार्टी के हैं। राष्ट्रीय परिदृश्य पर ओबामा पहली बार प्रमुखता से तब उभरे, जब उन्होंने करिश्माई व्यक्तित्व वाली हिलेरी क्लिंटन को पार्टी के प्राइमरी चुनाव में पराजित कर डेमोक्रेट उम्मीदवार की अपनी दावेदारी पुख्ता कर दी। हार्वर्ड में पढ़े ओबामा वकालत कर चुके हैं और इस समय इलिनॉय के नामचीन सीनेटर हैं। वे बेहतरीन वक्ता माने जाते हैं। वियतनाम युद्ध के योद्धा रहे मैक्केन ने हार को स्वीकारते हुए ओबामा से कहा, एक लंबी यात्रा के बाद हम अंदाज पर पहुंच चुके हैं। अमेरिकी जनता ने साफ-साफ अपनी बात कह दी है।

फीनिक्स में अपने समर्थकों को संबोधित करते हुए मैक्केन ने कहा कि यह चुनाव ऐतिहासिक था और अफ्रीकी-अमेरिकियों के लिए इसके विशेष महत्व को मैं समझ सकता हूं। अमेरिका उस पुराने क्रूर और खौफनाक धर्मांधता के दौर के साये से पूरी तरह मुक्त हो चुका है, एक अफ्रीकी-अमेरिकी का राष्ट्रपति चुना जाना इसका पुख्ता सबूत है। मौजूदा राष्ट्रपति जॉर्ज बुश और उनकी रिपब्लिकन पार्टी के पराजित प्रत्याशी मैक्केन ने ओबामा को जीत पर बधाई दी। ओबामा को भेजे बधाई संदेश मैं हिलेरी ने कहा कि अमेरिकियों ने बदलाव के पक्ष में वोट दिया है।

अमेरिका में सब संभवः ओबामा

बराक ओबामा ने चुनाव नतीजे को अमेरिकी लोकतंत्र की ताकत पर सवाल खड़े करने वालों को करारा जवाब बताया है। उन्होंने कहा कि अमेरिका में सब कुछ संभव है। सारी दुनिया को यह संदेश गया है कि हम बिखरे हुए नीले और लाल राज्यों का समूह भर नहीं हैं, हम एक हैं और हमेशा एक रहेंगे। यहां भारी संख्या में मौजूद अपने समर्थकों को संबोधित करते हुए उन्होंने कहा कि इस चुनाव में हमने जो हासिल किया, वह अमेरिका के इतिहास में महान परिवर्तन की दस्तक है। आगे की चुनौतियां हमारे लिए सबसे जबर्दस्त हैं-दो युद्ध, पूरे ब्रम्हांड पर मंडरा रहा खतरा और भयानक आर्थिक मंदी से हमें जूझना है। यह विजय ही केवल बदलाव नहीं है। यह तो महज ऐसा अवसर है, जिससे हमें बदलाव लाना है। यह पुरानी परिपाटी पर चलने भर से संभव नहीं होगा।

बधाई, कभी भारत आइए: मनमोहन

प्रधानमंत्री मनमोहन सिंह ने जीत पर ओबामा को बधाई दी और उन्हें भारत दौरे पर निमंत्रित किया। भेजे गए बधाई संदेश में उन्होंने कहा कि व्हाइट हाउस तक आपकी यह असाधारण यात्रा न सिर्फ अमेरिकियों बल्कि पूरी दुनिया के लोगों को प्रेरित करेगी। हमें उम्मीद है कि आप कभी भारत आने का मौका निकालेंगे और हम आपका जोरदार स्वागत करेंगे। स्वतंत्रता, न्याय और नागरिक अधिकारों के प्रति भारत और अमेरिका की एक जैसी प्रतिबद्धता से हमारे रिश्ते आगे और मजबूत होंगे। हमारे द्विपक्षीय सहयोग में अभी भी अकूत संभावनाएं हैं।

दक्षिण एशिया पर असर

पाकिस्तान और अफगानिस्तान युद्ध का केंद्र: ओबामा अमेरिका के आतंकवाद के विरुद्ध युद्ध का समर्थन तो करते हैं, लेकिन वे इराक के खिलाफ युद्ध से नाखुश हैं। प्रचार के दौरान अपने भाषणों में ओबामा ने कई बार कहा कि यदि वे राष्ट्रपति बनते हैं तो 'वार ऑन टेरेरिज्म' (आतंक के खिलाफ युद्ध) का केंद्र अफगानिस्तान व पाकिस्तान को बना देंगे। ओबामा साफ-साफ कह चुके हैं कि इस समय आतंकी पाकिस्तान व अफगानिस्तान के कबायली क्षेत्रों में पनप रहे हैं।

कश्मीर समस्या का हल: ओबामा कश्मीर मसले का हल चाहते हैं। उन्होंने यह भी राय दी है कि यदि भारत-पाक चाहें तो किसी राजनेता की मध्यस्थता में बातचीत की जा सकती है। हालांकि ये अलग मुद्दा है कि भारत-पाक कश्मीर मामले पर तीसरे देश का दखल नहीं चाहते। ओबामा अमेरिका से रोजगार बाहर ले जाने के पूरी तरह से खिलाफ हैं। जो कंपनियां अमेरिका से बाहर बीपीओज में काम करवाती हैं, उनके खिलाफ कुछ कड़े कदम उठा सकते हैं। भारत में अरबों रुपये के बिजनेस प्रोसेस आउटसोर्सिंग (बीपीओ) उद्योग को इससे करारा झटका लग सकता है।

परिवर्तन के महानायक बराक ओबामा

मेरी जो कहानी है वह यहीं संयुक्त राज्य अमेरिका में ही घटित हो सकती थी, क्योंकि परिवर्तन हमारा सबसे बड़ा मूल्य है और आशा हमारी सबसे बड़ी धरोहर। *(बराक ओबामा)*

वाकई अमेरिका ने इतिहास रच दिया। 223 सालों में पहली बार बराक ओबामा के रूप में अमेरिका को अपना पहला अश्वेत राष्ट्रपति प्राप्त हुआ। यह परिवर्तन का नया सूर्योदय है। यह बदलाव के उस बवंडर का अंतिम नतीजा है जिस बवंडर की नींव 44वें राष्ट्रपति के चुनाव के काफी पहले से ही पड़ गई थी।

47 वर्षीय बराक ओबामा के पिता केन्या के थे। उनकी मां अमेरिका के कंसास की थीं। बराक ओबामा के जन्म के 18 महीने के भीतर ही उनके मां-बाप के बीच दूरियां बढ़ीं और फिर तलाक हुआ। चंद महीनों के भीतर ही बराक की मां ने एक इंडोनेशियाई मूल के व्यक्ति से शादी कर ली और जकार्ता चली आई, इसलिए बराक ओबामा के बचपन के तमाम साल जकार्ता में गुजरे। यहां गरीबी और उपेक्षा के बीच गुजारे अपने कई सालों का जीवन ओबामा ने अनाथ और हताश किशोरों-सा जिया। वह नशे और बुरी संगति दोनों का शिकार हुए।

जिन्दगी की इस डगर पर निकल पड़े किशोरों का भविष्य उज्जवल नहीं होता, लेकिन शायद बराक की किस्मत में तो परिवर्तन का एक युगांतकारी इतिहास लिखना था। वह जकार्ता से अमेरिका पहुंचते हैं और फिर अपने आपको नशे के चंगुल और बुरी संगत दोनों से बाहर निकालते हैं। मेहनती, शालीन, धुन के पक्के, भावुक और इतिहास पर अपनी प्रभावशाली छाप छोड़ने में काबिल बराक इतिहास बदलने की शायद पहले ही ठान चुके थे। वह अपनी मेहनत और मेधा की बदौलत कानून के शानदार विद्यार्थी साबित होते हैं। बहुत कम उम्र में एक ख्यातिलब्ध वकील बनते हैं। लेखक तो शायद वह जन्मजात ही थे और होते भी क्यों न। जिस शख्स का जीवन तूफानों से घिरा हो, जो शख्स बदलते इतिहास का गवाह नहीं बल्कि उसका हिस्सा रहा हो वह रचनाकार तो बन ही जाता है। बराक लेखक, नामी वकील जैसी सीढ़ियां चढ़ते हुए अमेरिकी राजनीति के भविष्य का सितारा दिखने लगते हैं। इलिनोइस से वह पहली बार सीनेटर बने और कुछ ही सालों में उस इतिहास का सबसे चमकदार अध्याय बन गए, जिस इतिहास की पिछली सवा दो शताब्दियों से प्रतीक्षा थी। इस साल के शुरू में जब डेमोक्रेटिक पार्टी को अभी अपना अंतिम उम्मीदवार तय करना था, वह पूर्व राष्ट्रपति बिल क्लिंटन की पत्नी हिलेरी क्लिंटन के

साथ कांटे का मुकाबला कर रहे थे। शुरू के महीनों में ज्यादातर राजनीतिक विश्लेषकों को लगा कि बराक ओबामा अपनी शुरुआती चमक बिखेरकर धुंधले पड़ जाएंगे। लेकिन बराक तो जैसे 100 फीसदी असली होता चला गया। हिलेरी क्लिंटन शुरू में बेहद आत्मविश्वास से भरी थीं और ओबामा को अपने उपराष्ट्रपति पद की पेशकश कर रही थीं। लेकिन नियति को यह मंजूर नहीं था। ओबामा ने साफ शब्दों में मना कर दिया। अंत में वह सही साबित हुए। लोकप्रिय वोटों को हासिल करने में उन्होंने नया इतिहास रचा। शीघ्र ही हिलेरी क्लिंटन को आभास हो गया कि इतिहास उनके पीछे नहीं है। बराक ओबामा डेमोक्रेटिक पार्टी के अधिकृत उम्मीदवार बने और रिपब्लिकन पार्टी के तेज-तर्रार जॉन मैक्केन के प्रतिद्वंद्वी के रूप में तेजी से आगे बढ़ने लगे।

वैसे शुरू में टक्कर कांटे की थी। दोनों के लिए 50-50 प्रतिशत जीत की उम्मीदें थीं। लेकिन जैसे-जैसे चुनाव नजदीक आते गए दुनिया के सबसे ताकतवर लोकतंत्र का सबसे थकाऊ चुनाव अभियान जैसे-जैसे आगे बढ़ा, बराक अमेरिका को झकरोने लगे। पूरे अमेरिका में परिवर्तन की जबरदस्त आंधी बहने लगी। बराक ओबामा कब एक उम्मीदवार से हटकर एक घटना, एक युगांतकारी इतिहास के नायक बन गए, यह लोगों को पता ही नहीं चला। बराक जल्द ही व्यक्ति से विचार में बदल गए। वह एक ऐसे आंदोलन का साकार रूप बन गए, जो अमेरिका के इतिहास से नस्ली भेदभाव के कलंक को उखाड़ फेंकना चाहता था। वह एक विचार बन गए जो उन अमेरिकियों को जुबान दे गया जो पिछले 8 सालों से घुटन महसूस कर रहे थे। जो एक महाशक्ति के नागरिक नहीं कहलाना चाहते थे, जो अपने लिए तर्कों और सिद्धांतों की बाध्यता नहीं रखती।

अमेरिका 1960 के बाद पहली बार बेचैन युवा पीढ़ी का देश बन गया, जो जॉर्ज बुश की इराक और इस्लामिक आतंकवाद की उग्र नीति से अपने को असहमत पा रहा था। अमेरिका के लोग परिवर्तन चाहते थे। परिवर्तन, परिवर्तन और सिर्फ परिवर्तन। ओबामा इस परिवर्तन के महानायक बन गए। ओबामा उम्मीदों की ताजी हवा का झोंका बनकर आए और जल्द ही वह आंधी और फिर तूफान में बदल गए। पूरा अमेरिका बुश की घिसी-पिटी वर्चस्ववादी दरोगा नीति के मानों विरुद्ध खड़ा नजर आने लगा। ओबामा ने हवा का रुख पहचान

लिया और उनकी जनसभाओं का एक ही नारा हो गया–परिवर्तन, परिवर्तन और परिवर्तन। वह जहां भी जाते लहराते जनसमुद्र में चारों तरफ सिर्फ 'चेंज वी नीड' की तख्तियां ही नजर आतीं। ओबामा परिवर्तन के सबसे भावुक और सबसे ताकतवर ब्रांड बन गए। अमेरिका के तथाकथित आभिजात्य श्वेत वर्चस्व धराशायी हो गया।

ओबामा महज उम्मीदवचार नहीं रहे, वह उम्मीदों का नया सूरज बन गए। ज्यों-ज्यों चुनाव की घड़ी नजदीक आयी ओबामा अपने प्रतिद्वंद्वी जॉन मैक्केन को बहुत पीछे छोड़ते गए। वास्तव में ओबामा का जब इतिहास में मूल्यांकन होगा तो उन्हें अब्राहम लिंकन, जैफरसन और मार्टिन लूथर किंग की श्रेणी में रखा जाएगा। मार्टिन लूथर किंग ने 20वीं सदी में एक सपना देखा था कि एक दिन यह देश अपने अश्वेत नागरिकों को बराबरी का दर्जा देगा। कोई अश्वेत इस महादेश का भाग्य विधाता बनेगा। मार्टिन लूथर किंग के सपने को बराक ओबामा ने पूरा किया। बराक ओबामा ने अमेरिका के राजनीतिक इतिहास में नयी हलचल पैदा की है। पिछले चालीस सालों में वह पहले ऐसे उम्मीदवार थे, जिनकी वजह से अमेरिकी चुनाव रोमांचक बन गए। इतिहास में इतनी ज्यादा चुनावी उत्सुकता पहले कभी नहीं देखी गई थी। 4 नवंबर, 2008 को अमेरिका ने वह देखा जिसे देखने के लिए कोई भी लोकतांत्रिक देश सपने देखता है। मतदान केंद्रों में दो-दो मील लंबी लाइनें लगीं और हजारों मतदान केंद्रों में 100 प्रतिशत वोट पड़े। यह सबकुछ नतीजा आने के पहले ही बता रहा था कि इतिहास रचा जा रहा है। अंत में ऐसा ही हुआ ओबामा ने पहले ही दौर में मैक्केन को पीछे छोड़ दिया। 5 घंटे की वोटिंग के बाद मैक्केन 135 मत पाते दिखे वहीं बराक ओबामा 207 का आंकड़ा पार करते नजर आने लगे। यही पहली बार ऐसा हुआ कि ज्यों-ज्यों अमेरिकी राष्ट्रपति के चुनाव नजदीक आये दोनों प्रतिद्वंद्वियों के बीच फासला कम होने की बजाय काफी बढ़ गया। अंतिम दौर में लगा कि जैसे वियतनाम युद्ध के युद्धबंदी जॉन मैक्केन एक हारी हुई लड़ाई लड़ रहे हैं।

यह वाकई अमेरिका के इतिहास का सबसे भावुक और परिवर्तनकारी चुनाव था। महज जॉन मैक्केन और बराक ओबामा नाम के दो प्रतिद्वंद्वी ही मैदान में नहीं थे बल्कि इन दोनों के रूप में दो विचारधाराएँ, दो जीवनगाथाएं

अमेरिकी इतिहास को नया मोड़ देने के लिए आमने-सामने खड़ी थीं। लेकिन ओबामा के साथ जहां उम्मीदों, सपनों और परिवर्तन की अनंत चाहतें जुड़ी थीं, वहीं जॉन मैक्केन अपने चुनावी अभियान के दौरान ही बुश-3 के पर्याय लगने लगे। इसका असर जनसभाओं में देखने को मिला और राष्ट्रपति पद के दोनों ही उम्मीदवारों की धारणाओं में भी। जॉन मैक्केन ने इतिहास के सबसे कठिन दौर से गुजर रही अमेरिकी अर्थव्यवस्था के लिए एक आसान और सपनीला फार्मूला पेश किया। लेकिन यह अमूर्त रहा। कोई और मौका होता तो जब मैक्केन कहते कि वह पूंजी को बांटने की बजाय पूंजी के पैदा करने को तरजीह देंगे, तो अमेरिका के लोग जबरदस्त तालियां बजाते। लेकिन एडम स्मिथ के पूंजीवादी नजरिए का अगुवा देश अमेरिका आज इस सपने की हकीकत को बहुत नजदीक से जानता है। इसलिए लोगो ने आर्थिक संकट से निकलने के लिए मैक्केन के इस अमूर्त फार्मूले को ज्यादा भाव नहीं दिया, उल्टे उन्हें ओबामा की कट्टरपंथी धारणा ने आकर्षित किया।

गौरतलब है कि ओबामा ने चुनाव प्रचार के दौरान कहा कि वह देश के धनी लोगों पर और ज्यादा टैक्स बढ़ाकर अर्थव्यवस्था नियंत्रित करने की कोशिश करेंगे। उनका साफ मानना है कि आज अमेरिका अगर वित्तीय दिवालियेपन की कगार पर खड़ा है तो इसके लिए बुश की अनर्थकारी कुछ लोगों को फायदा पहुंचाने की नीतियां जिम्मेदार हैं। उन्होंने मैक्केन पर हमला बोलते हुए कहा कि इस भयानक वित्तीय संकट से भी उनके साथी सीख लेने की बजाय उन्हीं अनर्थकारी नीतियों को स्थायी बनाना चाहते हैं जिन्होंने अमेरिका का भट्ठा बैठा दिया है।

अब तक के अमेरिकी चुनाव में देखा जाता रहा है कि जो जितना ज्यादा कट्टर राष्ट्रवादी खुद को साबित करता रहा है वह उतना ही बड़ा और उतना ही सफल उम्मीदवार बनकर उभरता रहा है। लेकिन इस बार तो परिवर्तन का सूर्योदय होना था। इस बार हवा कुछ उल्टी बह रही थी। अगर ऐसा न होता तो ओबामा की विदेश नीति को इस कदर भारी समर्थन न मिलता। अमेरिकी जानते हैं कि बराक ओबामा की जिंदगी खनाबदोशों-सी रही है। उनमें गर्वित अमेरिकन तत्व कम पाये जाते हैं। उन्हें एक गैर-अमेरिकी को पनाह देने का दोषी माना जाता रहा है। वह इंडोनेशिया और केन्या से जुड़े रहे हैं। वह अश्वेत

हैं और अमेरिकी अहम के बरखिलाफ हैं। इस पर भी अमेरिकी उन पर फिदा हो गए, क्योंकि वह उस पाखंड से ऊब चुके हैं जो पाखंड दुनिया पर दादागिरी करने के एवज में उनके सिर और कंधों पर भारी बोझ के रूप में लाद दिया जाता है।

अगर कहा जाये कि अमेरिकी अपने इतिहास, अपने मूल्य और अपने भविष्य के प्रति उन पारंपरिक मूल्यों और श्वेत वर्चस्व की परंपरा से ऊब गये हैं तो अतिशयोक्ति नहीं होगी। बराक ओबामा उस डर, उस दहशत की वजह से भी परिवर्तन के सबसे प्रभावशाली कारक बने हैं जो डर-अमेरिकियों को अपने आप सिमट जाने की दुःकल्पना से रह-रहकर चौंकाता है। ओबामा अमेरिकियों की उम्मीदों, आशाओं और अमेरिकी ठहरावग्रस्त नजरिए के लिए एक नये प्रेरणास्त्रोत हैं। वह परिवर्तन के तूफान में सवार होकर आये हैं और अगर अपने से लगाई गयी उम्मीदों में वह 50 फीसदी भी सफल रहते हैं तो सिर्फ अमेरिकी ही नहीं दुनिया का रंग-ढंग भी बदल सकता है। बराक ओबामा सिर्फ अमेरिकियों के लिए ही नहीं बल्कि पूरी दुनिया के लिए नया सूर्योदय हो सकते हैं।

भारत के लिए खास हैं ओबामा

भारत के लिए ओबामा महज इसलिए भी खास नहीं हैं कि उनकी हिन्दुओं के भगवान हनुमान पर आस्था है और न ही इसलिए कि उनके दफ्तर में महात्मा गांधी की तस्वीर टंगी है। भारत के लिए ओबामा इन प्रतीकों से भी ज्यादा खास हैं। ओबामा भारत से मोहब्बत करते हैं। वह भारत को दुनिया के सबसे बड़े और स्वतः स्फूर्त लोकतंत्र के रूप में देखते हैं। उन्हें भारतीयों की उद्यमशीलता और भारत की लोकतांत्रिक आस्था ने बेहद प्रभावित किया है।

यह महज संयोग नहीं है कि ओबामा ने लगभग अपने हर दूसरे जनसभा-संबोधन में दुनिया के जिक्र आने पर भारत का जिक्र जरूर किया है। ओबामा मानते हैं कि भारत और अमेरिका को मिलकर आगे बढ़ना चाहिए। दुनिया के सबसे ताकतवर और सबसे विशाल लोकतंत्र एक दूसरे के स्वाभाविक दोस्त हैं। इस मान्यता पर बराक ओबामा दृढ़ हैं। बराक ओबामा अमेरिका में बसे भारतीयों की उद्यमशीलता से तो खासे प्रभावित हैं ही, आर्थिक परिदृश्य

में बहुत तेजी से उभरते भारत के लिए भी उनके मन में वैसा ही सम्मान है। इसलिए वह आउटसोर्सिंग जैसे मुद्दे को इस लायक नहीं पाते कि उसे चुनावी भाषण में शामिल किया जाए।

भारत की तेज रफ्तार आर्थिक विकास दर ओबामा को प्रभावित करती है। वह कहते हैं कि आर्थिक मंदी से उबरने में भारत की महत्वपूर्ण भूमिका रहेगी। ओबामा अमेरिका के कई पूर्व राष्ट्रपतियों से कई मायनों में भिन्न हैं। वे विदेश नीति को लेकर बिल्कुल मौलिक सोच रखते हैं। वे इराक में अमेरिकी उपस्थिति को गैर जरूरी मानते हैं और घोषणा कर चुके हैं कि शपथ लेने के एक पखवाड़े के भीतर इराक से अमेरिकी फौजें वापस होने लगेंगी। भारत के बारे में ओबामा बेहद सकारात्मक नजरिया रखते हैं और पाकिस्तान को लेकर अब तक किसी भी अमेरिकी राष्ट्रपति के मुकाबले कहीं ज्यादा आक्रामक हैं। वह साफ-साफ शब्दों में कह चुके हैं कि पाकिस्तान को खतरा भारत से नहीं है, उन आतंकियों से है जिनको वह पनाह दे रहा है। वह यह भी कह चुके हैं कि पाकिस्तान को कोई सैनिक सहायता तभी दी जाएगी जब इसका औचित्य साबित हो।

भारत को बराक ओबामा विश्व मंच पर बड़ी भूमिका के लिए तैयार रहने को भी लगातार कहते रहे हैं। इससे अगर यह उम्मीद लगायी जाए कि वे भारत को संयुक्त राष्ट्र में सुरक्षा परिषद का स्थायी सदस्य बनवाने में अपना समर्थन देंगे तो कोई ख्याली पुलाव पकाना नहीं होगा।

3

व्हाइट हाउस–अश्वेत राष्ट्रपति

सालों पहले अमरीकी अश्वेत समुदाय के हकों की लड़ाई के अगुआ मार्टिन लूथर किंग ने एक सपना देखा था कि उनके बच्चे (अश्वेत समुदाय के बच्चे) देश की सर्वोच्च सत्ता पर पहुंचें। ओबामा की जीत के साथ मार्टिन लूथर किंग का सपना सच हो गया। अमेरिकी सत्ता के सर्वोच्च शिखर–व्हाइट हाउस से अब एक अश्वेत राष्ट्रपति देश पर राज करेगा। अमेरिका को मौजूदा दौर में विश्व का अगुआ माना जाता है। ऐसे में अगर कहें कि अश्वेत समुदाय का यह महानायक ओबामा अब पूरी दुनिया पर राज करेगा, तो गलत नहीं होगा। वर्षों तक अपने हकों के लिए संघर्ष करते रहने वाले अश्वेत समुदाय का यह प्रतिनिधि (ओबामा) अब सत्ता के शिखर पर पहुंचकर अपने देश और दुनिया के दूसरे समुदायों के हकों के लिए कितना संघर्ष कर पाता है, देखना रोचक होगा।

रिश्ते नरम या गरम

भारतीय मूल के अमरीकियों ने उतने ही उत्साह के साथ डेमोक्रेटिक पार्टी के प्रत्याशी बराक ओबामा का समर्थन किया जितना कि अन्य अमरीकियों ने किया। चुनाव की पूर्व संध्या पर प्रकाशित भारतीय–अमरीकियों ने ओबामा को वोट देने का फैसला किया था। इससे पहले के एक अन्य सर्वे में ऐसी सोच रखने वाले भारतीय मूल के लोगों की संख्या लगभग 60 प्रतिशत थी। यहां के सरकारी आंकड़ों के अनुसार, भारतीय-अमरीकियों की संख्या लगभग 25 लाख है और यह ज्यादातर न्यूयॉर्क जैसे बड़े शहरों में रहते हैं। ये लोग अपने अपनाए देश से क्या उम्मीदें रखते हैं? इसका सीधा सा उत्तर यह है कि हर भारतीय

अमरीकी चाहता है कि उनके अपनाए हुए देश के भारत के साथ अच्छे संबंध हों। यह सिलसिला राष्ट्रपति बिल क्लिंटन के कार्यकाल में ही शुरू हो गया था और उन्होंने 2000 में भारत यात्रा भी की थी। यह किसी अमरीकी राष्ट्रपति का तीन दशकों के अंतराल के बाद भारत का पहला दौरा था। उनसे पहले 1970 के दशक में उस समय के डेमोक्रेटिक राष्ट्रपति जिमी कार्टर भारत की यात्रा करने वाले पहले अंतिम अमरीकी राष्ट्रपति थे। जो सिलसिला, क्लिंटन ने शुरू किया था उसे रिपब्लिकन पार्टी के राष्ट्रपति जॉर्ज डब्ल्यू बुश ने अपने आठ वर्षों के कार्यकाल में काफी आगे बढ़ाया और उनकी ही पहल पर दोनों देशों में एक परमाणु समझौता हुआ। इस समझौते का भारत ही नहीं बल्कि यहां अमेरिका में भी खासा विरोध था। लेकिन इस समझौते को अंतिम रूप दे दिया गया और जब अमरीकी सीनेट में इस विवादास्पद मुद्दे पर मतदान हुआ तो ओबामा ने इसके पक्ष में वोट दिया, हालांकि ज्यादातर डेमोक्रेट इसके खिलाफ थे। लेकिन शुरू में ओबामा को इस करार पर कुछ आपत्तियां थीं। उनके रिपब्लिकन प्रतिद्वंद्वी जॉन मैक्केन ने भी परमाणु करार के पक्ष में अपना वोट डाला था।

कश्मीर समस्या

ओबामा के कश्मीर संबंधी एक बयान पर यहां के भारतीयों में कुछ परेशानी देखी गई है। एक अमरीकी समाचार माध्यम ने ओबामा को यह कहते हुए उद्धृत किया कि वे कश्मीर समस्या सुलझाने में सहायता करेंगे। उनका यह वक्तव्य भारत की घोषित नीति के विरुद्ध जाता है। नई दिल्ली इस मसले को बिना किसी तीसरे पक्ष को शामिल किए पाकिस्तान के साथ सीधी बातचीत द्वारा हल करना चाहती है। मतलब यह कि भारत समस्या का द्विपक्षीय समाधान चाहता है और इसमें सफलता भी मिल रही है। आम राय यह है कि ओबामा ने कश्मीर संबंधी विचार किसी प्रकार का दखल करने के इरादे से व्यक्त नहीं किए थे बल्कि उन्होंने भारत-पाकिस्तान में सामान्य संबंधों को बढ़ावा देने की नीयत से इस आशय का बयान दिया था।

पाकिस्तान-अफगानिस्तान

ओबामा की अफगानिस्तान को लेकर विशेष दिलचस्पी है और वे उसे अमरीकी सुरक्षा के लिए इराक से बड़ा खतरा समझते हैं। इसलिए उनके कुछ

बयानों में पाकिस्तान के रवैये की आलोचना भी सुनाई पड़ी है। हर अमरीकी की तरह उन्हें भी शिकायत है कि पाकिस्तान अंतराष्ट्रीय आतंकवाद-विरोधी संघर्ष में अपनी भूमिका बखूबी नहीं निभा रहा है। इस संदर्भ में ओबामा का रवैया भारत के लिए स्वागत योग्य है। यदि ओबामा पाकिस्तान पर दबाव के खिलाफ खड़ा होने के लिए प्रोत्साहित करते हैं यह भारत और अफगानिस्तान दोनों के हित में है।

आउटसोर्सिंग

आर्थिक मामलों में डेमोक्रटिक पार्टी आउटसोर्सिंग की उतनी समर्थक नहीं है जितनी कि रिपब्लिकन पार्टी। लेकिन ओबामा ने एक स्थान पर यह कहा है कि वे इस प्रक्रिया के विरुद्ध तो नहीं हैं, पर इसे बढ़ावा नहीं देंगे क्योंकि इससे अमरीकी रोजगार बाजार पर विपरीत प्रभाव पड़ता है। मतलब यह कि वे आउटसोर्सिंग के खिलाफ फिलहाल कुछ नहीं करने जा रहे हैं। भारत को आउटसोर्सिंग से काफी लाभ हुआ है।

नीतियों पर टिप्पणी जल्दबाजी

चुनावी भाषण और राजकाज में काफी फर्क होता है। प्रशासन की अपनी अलग समस्याएं होती हैं। बहुत कुछ निर्भर करेगा उन लोगों पर जो ओबामा के मंत्रिमंडल में शामिल होंगे। आगे पता लगेगा कि उनके मंत्रिमंडल में कौन और किस तरह के लोग आएंगे। अभी से उनकी सरकार की नीतियों पर टिप्पणी करना महज जल्दबाजी होगी।

गुलामी से सत्ता तक

अमरीकी अश्वेत समुदाय की यात्रा सदियों पहले गुलामी से शुरू हुई थी। आज इसी समुदाय के बराक ओबामा देश की सर्वोच्च सत्ता पर काबिज हैं। वे अमेरिका के पहले अश्वेत राष्ट्रपति हैं। गुलामी से सत्ता तक के अमरीकी समुदाय के सफर पर एक नजर.....

1619-पहला अफ्रीकी वर्जीनिया पहुंचा।

1793-रूई ओटने की मशीन के आविष्कार से दासों की मांग बढ़ी। भगोड़े दास कानून में स्वतंत्र प्रांतों को दासों को वापस भेजने का प्रावधान किया गया। उत्तर में इसे प्रभावी तरीके से लागू नहीं किया गया।

1808–अश्वेतों को लाने पर रोक लगाई गई।

1861–अमेरिका से दक्षिण के अलग होने के बाद से कॉन्फेडरेसी की स्थापना। गृह युद्ध शुरू।

1883–राष्ट्रपति अब्राहम लिंकन ने स्वतंत्रता की घोषणा की जिसके तहत कॉन्फेडरेट प्रांतों के सभी दासों को आजाद घोषित किया गया।

1885–गृह युद्ध की समाप्ति। लिंकन की हत्या।

1886–संविधान में 14वां संशोधन कर सभी अफ्रीकी-अमरीकी नागरिकों को पूर्ण नागरिकता देने का प्रावधान किया गया।

1870–अश्वेत पुरुषों को मताधिकार दिया गया।

1896–सुप्रीम कोर्ट ने नस्ली आधार पर पृथक्कीकरण को संविधान सम्मत बताया जिससे दक्षिण में अलगाव शुरू हुआ।

1947–जैकी राबिन्सन मेजर लीग बेसबाल में खेलने वाले पहले अश्वेत खिलाड़ी बने।

1948–राष्ट्रपति हैरी एस टूमन ने अमरीकी सशस्त्र सेनाओं में अलगाव खत्म करने के लिए आदेश जारी किया।

1954–सुप्रीम कोर्ट ने ब्राउन बनाम बोर्ड आफ एजुकेशन मामले में स्कूलों में अलगाव को अंसवैधानिक करार दिया।

1955–अलाबामा के मोंटगोमरी में रोसा पार्क नाम की महिला ने अलग बस में सीट छोड़ने से इंकार कर दिया। उनकी गिरफ्तारी से शहरों में अश्वेतों के लिए अलग बस की व्यवस्था समाप्त करने के लिए मार्टिन लूथर किंग की अगुवाई में एक वर्ष तक बहिष्कार अभियान चला।

1963–मार्टिन लूथर किंग को अलाबामा के बर्मिंघम में नागरिक अधिकार विरोध के दौरान जेल भेजा गया। उन्होंने वाशिंगटन में प्रसिद्ध 'आई ए ड्रीम' भाषण दिया।

1965–नागरिक अधिकारों के नेता माल्कम एक्स की हत्या। कांग्रेस ने मताधिकार कानून पारित किया।

1966-मेसाच्यूसेट्स के एडवर्ड ब्रूक गृह युद्ध से पहले अमरीकी सीनेटर निर्वाचित हुए।

1967-थर्गूद मार्शल सुप्रीम कोर्ट के पहले अश्वेत न्यायाधीश बने।

1968-मार्टिन लूथर किंग की टेनेसी के मेम्फिस में हत्या।

1990-डगलस वाइल्डर सीनेटर की अगुवाई करने वाले पहले अश्वेत बने। वह वर्जीनिया के गवर्नर बनाए गए।

2008-इलिनॉयस से सीनेटर बराक ओबामा ने डेमोक्रेटिक प्रत्याशी के रूप में राष्ट्रपति पद की उम्मीदवारी जीती और व्हाइट हाउस की दौड़ में शामिल हुए।

4 नवबंर, **2008**-बराक ओबामा ने राष्ट्रपति पद की दौड़ में जॉन मैक्केन को भारी मतों से हराया।

बराक हुसैन ओबामा जूनियर

जन्म: 4 अगस्त 1961, होनोलूलू, हवाई।

धर्म: ईसाई, यूनाइटेड चर्च ऑफ क्राइस्ट।

शिक्षा: कोलम्बिया विश्वविद्यालय से स्नातक।

हॉवर्ड लॉ स्कूल से आगे की पढ़ाई।

पारिवारिक पृष्ठभूमि

पिता: केन्याई मूल के बराक हुसैन ओबामा सीनियर।

मां: अमरीकी मूल की ऐन दुनहाम।

पत्नी: मिशेल रॉबिनसन (18 अक्टूबर 1992 को शादी)

बेटियां: मालिया और साशा

राजनीतिक कैरियर

1990: में लॉ रिव्यू में पहले अश्वेत अध्यक्ष निर्वाचित।

1991: में नागरिक अधिकारों के वकील के रूप में सामाजिक कार्य, शिकागो में।

1992: में राष्ट्रपति चुनाव में बिल क्लिंटन के लिए मतदाता पंजीकरण अभियान का कार्य।

1996: इलोनॉयस से सीनेट में।

1998: इलोनॉयस से सीनेट में।

2002: इलोनॉयस से सीनेट में।

2004: में डेमोक्रेटिक नेशनल कन्वेंशन में भाषण।

2004: अमेरिका के पांचवे अफ्रीकन–अमरीकी सीनेटर।

2005: विश्व के 100 प्रभावशाली लोगों में शामिल 'टाइम' पत्रिका द्वारा।

2007: अमरीकी राष्ट्रपति पद की उम्मीदवारी का ऐलान।

2008: डेमोक्रेटिक पार्टी से नामंकन।

2008: को पार्टी की उम्मीदवारी स्वीकार की।

4 नवंबर, 2008: को राष्ट्रपति चुनाव में जीते।

ब्लैक हीरो का व्हाइट हाउस

अमेरिका के ब्लैक हीरो (बराक ओबामा) अब उस व्हाइट हाउस में रहेंगे, जिसे श्वेत शासकों ने बनवाया और श्वेत रंग में ही पुतवाया। यहां से ये गोरे शासक अश्वेत दासों पर नजर रखते थे। अब यहीं से एक अश्वेत देश–दुनिया को चलाएगा।

व्हाइट हाउस तीन हिस्सों–पूर्वी विंग, पश्चिमी विंग व रेसीडेंस में बंटा है। पूर्वी विंग और पश्चिमी विंग की इमारत दो मंजिला है, जबकि रेसीडेंस (आवास) चार मंजिला है।

व्हाइट हाउस की लंबाई 168 फीट, चौड़ाई 152 फीट है। यहां 412 दरवाजे, 147 खिड़कियां और कमरा गरम रखने की 28 भट्टियां हैं।

अमरीकी राष्ट्रपति का निवास और कार्यालय, व्हाइट हाउस, यूं तो यहां पहुचने वाले हर पर्यटक के आकर्षण का केन्द्र है लेकिन इसके बारे में जानकारी चन्द लोगों को ही है। वाशिंगटन डीसी में 1600 पेंसिल्वानिया एवेन्यू एनडब्ल्यू पर स्थित यह महल एक्वा सैण्डस्टोन से बना है। इसे गॉथिक एवं

जॉर्जियन स्टाइल में बनाया गया। शुरुआती 20 सालों तक इसे प्रेसिडेंट पैलेस, प्रेसिडेंट मेंशन या प्रेसिडेंस हाउस कहा जाता था लेकिन 1811 में इसे व्हाइट हाउस कहा जाने लगा।

अश्वेत गुलामों ने बनाया श्वेत महल

एक अश्वेत राष्ट्रपति के स्वागत के लिए आज जो श्वेत महल (व्हाइट हाउस) सज संवर कर तैयार होने को है, उस इमारत की पहली ईंट से आखिरी कंगूरे तक में अश्वेत गुलामों के पसीने की महक समाई है। व्हाइट हाउस को बनाने के लिए करीब एक लाख 22 अश्वेत मजदूरों ने बेगारी की थी। बाद में यही श्वेत महल अश्वेतों पर जुल्म ढाने का केंद्र बना और लिंकन के जरिए उनके उद्धार का भी।

सोच समझकर चुनी गई जगह

अमेरिका के दक्षिणी हिस्से में प्रेरिज के घास के मैदान में अश्वेत दासों की प्रमुखता थी क्योंकि ये खेती के लिए उपयुक्त थे। वहीं उत्तरी क्षेत्र मौसम की अनुकूलता के कारण श्वेत शासकों का प्रिय स्थान था। इसलिए इन दोनों हिस्सों को बांटने वाली चैनल 38 रेखा पर वाशिंगटन डीसी बसाया गया। यहीं पर फोटोमैक नदी के किनारे व्हाइट हाउस का निर्माण कराया गया।

इससे पहले करोड़पति का घर

व्हाइट हाउस के निर्माण से पहले अमेरिका के पहले राष्ट्रपति जॉर्ज वाशिंगटन के निवास और कार्यालय के लिए फिलाडेल्फिया के करोड़पति विलियम मास्टर का विशाल मकान अधिगृहित किया गया। फिलाडेल्फिया करीब 10 साल तक अमरीकी राजधानी रही और विलियम मास्टर का मकान राष्ट्रपति भवन। नई राजधानी व राष्ट्रपति भवन बनने के बाद विलियम मास्टर का मकान संग्रहालय बना दिया गया।

डिप्लोमेटिक रूम

व्हाइट हाउस के निचले गलियारे से लगा हुआ डिप्लोमेटिक रिसेप्शन रूम वर्तमान में राजनयिकों के स्वागत और उनसे की जाने वाली राजनयिक चर्चाओं के लिए इस्तेमाल होता है। 1902 तक यह फर्नेस (भट्‌ठी) रूम की तरह

इस्तेमाल किया जाता था। नवीनीकरण के बाद 1903 में राष्ट्रपति थियोडोर रूजवेल्ट ने पहली बार इसमें राजनायिक स्वागत संबंधी आयोजन किया। 1960 में इसे आइजनहॉवर की पत्नी ने यहां सुनहरे रेशमी रंग का सोफा और कुर्सियां डलवाईं। 1961 में कैनेडी की पत्नी ने इस कमरे में खूबसूरत वॉलपेपर पैनल लगवाए।

वरमेल रूम

वरमेल रूम व्हाइट हाउस के ग्राउण्ड फ्लोर (जमीनी तल) पर स्थित है। इस कमरे का नाम वरमेल चांदी के तारों वाले बिछावन के कारण वरमेल रूम पड़ गया। बता दें कि यहां चांदी के बिछावन को वरमेल कहा जाता है। वर्तमान में यह कक्ष अमेरिका की प्रथम महिला (राष्ट्रपति की पत्नी) के निजी उपयोग के काम में आ रहा है।

रेड रूम

1810-30 के बीच बने राजसी रेड रूम का उपयोग सालों तक बैठक की तरह होता रहा। बीते सालों में इसे छोटी डिनर पार्टियों, म्यूजिक रूम और पार्लर के रूप में उपयोग किया जाने लगा है। कमरे की दीवारें लाल रंग के साटन से ढकी हैं और किनारों पर सुनहने रंग से डिजाइन किया गया है। यहां की सुन्दरता बखूबी तराशे फर्नीचर हैं जिन्हें कारीगरों ने डॉलफिन की पत्तियों, शेर के सिर जैसे रूप में ढाला है।

लिंकन बेडरूम

लिंकन बेडरूम व्हाइट हाउस के दूसरे तल पर स्थित है, जो अब यहां के अतिथि भवन का एक शयन कक्ष है। यह कक्ष विक्टोरिया युग की सजावट के लिए मशहूर है। इस कक्ष में लगा फर्नीचर मुख्यतया रोजवुड की लकड़ी का बना है। 1902 तक यह कक्ष राष्ट्रपति के निजी सलाहकार मण्डल की बैठक के काम में आता था।

ब्लू रूम

इस कमरे को खासतौर पर अतिथियों के स्वागत के लिए काम में लिया जाता है। व्हाइट हाउस आने वाले अतिथियों को यह कमरा सबसे पहले दिखाया

जाता है, जहां फूलों की खुशबू उनका स्वागत करती है। यही फूल इस रूम की खासियत भी हैं। इसे फ्रांस के राजसी अन्दाज में बनाया गया है और यहां के फर्नीचर आदि पर फ्रांस की स्पष्ट छाप नजर आती है। यह व्हाइट हाउस के स्टेंट फ्लोर के मध्य में स्थित है। कमरे से दक्षिण लॉन के खूबसूरत नजारे के चलते लोगों में इसकी खास अहमियत है। राजनयिकों से मुलाकातों और अतिथियों के मनोरंजन के लिए आयोजनों के काम में भी यह कमरा आता है।

कैबिनेट रूम

व्हाइट हाउस के पश्चिमी खण्ड में स्थित यह कमरा इन दिनों राष्ट्रपति के साथ उनकी केबिनेट की बैठकों आदि के लिए इस्तेमाल होता है। 1945 से पहले तक यह गार्ड चेन्जिंग रूम होता था। राष्ट्रपति रूजवेल्ट की मृत्यु के बाद उप-राष्ट्रपति हैरी टूमैन ने इसी कमरे से 33वें राष्ट्रपति के रूप में शपथ ग्रहण की। तब से यह कमरा महत्वपूर्ण बैठकों और कार्यालयी कामकाज़ के लिए इस्तेमाल होने लगा। 9/11, 2001 को वर्ल्ड ट्रेड सेंटर पर हमले के एक दिन बाद जॉर्ज बुश ने यहीं से आगे की रणनीति बनाई थी।

ईस्ट रूम

व्हाइट हाउस के दक्षिण-पूर्वी हिस्से के ऊपरी तल पर बना है। इसमें फ्रैंकलिन डी. रूजवेल्ज के शासन में 1938 में बना एक विशाल पियानो रखा गया। इस पियानों का डिजाइन एरिक गुग्लर ने किया था। वर्तमान में यह हॉल उत्सव के दौरान पार्टियों और सम्मेलनों के काम में लिया जांता है।

ग्रीन रूम

1800 में जब जेम्स हॉबेन ने इस कमरे की रचना की तब इसे कॉमन डाइनिंग रूम के लिए रखा था। बाद में राष्ट्रपतियों ने अपनी रुचि के हिसाब से इस कमरे का इस्तेमाल किया। 1971 में इस कमरे का नवीनीकरण किया गया। कमरे की दीवारों को नरम और हरे रंग के सिल्क कपड़े से ढका गया। दीवारों पर जाने-माने लोगों और खूबसूरत दृश्यों की पेन्टिग भी लगाई गई है।

डायनिंग रूम

स्टेट डायनिंग रूम व्हाइट हाउस का सबसे बड़ा डाइनिंग हॉल है, जहां प्रीतिभोज होते हैं। राष्ट्रपति एंड्रयु जैक्सन के समय इसे स्टेट डाइनिंग रूम का

नाम दिया गया। 1902 से पहले इसमें 40 मेहमानों के भोजन की व्यवस्था थी जो बाद में बढ़कर 75 हो गई। 2006 तक इसकी क्षमता 140 मेहमानों तक पहुच गई।

ओवल ऑफिस

ओवल ऑफिस राष्ट्रपति का आधिकारिक कार्यालय है। 1909 में राष्ट्रपति विलियम हॉवर्ड टाफ्ट यहां कदम रखने वाले पहले राष्ट्रपति बने। उनके स्वागत के लिए कमरे में सिल्क के मखमली पर्दे लगाए गए और फर्श फिलीपींस की माहजुआ लकड़ी से बनाया गया। गोल्फ के शौकीन राष्ट्रपति आइजनहॉवर के खेल प्रेम के चलते ओवल ऑफिस का फर्श पहली बार बदला गया। वे यहीं पर गोल्फ खेलते थे। 1902 में राष्ट्रपति रूजवेल्ट के कार्यकाल में राष्ट्रपति का कार्यालय पश्चिमी विंग में आयताकार होता था जिसे बाद में टाफ्ट के समय ओवल आकर दिया गया। इस कमरे की दीवारों पर सभी आदर्श राष्ट्रपतियों की तस्वीरें लगी हैं। 11 सितंबर 2001 को जॉर्ज बुश ने यहीं से देश को संबोधित किया।

व्हाइट हाउस: 200 साल से सत्ता का केंद्र

अधिकतर अमेरिकियों के लिए व्हाइट हाउस महज अमेरिकन प्रेजिडेंट नहीं बल्कि आजादी और बराबरी का गौरवशाली प्रतीक है। ऐसा प्रतीक जो पिछले 200 सालों से अमेरिकी शक्ति और सत्ता का केंद्र बना हुआ है।

गुलामों की मेहनत का नतीजा: साल 2008 में अमेरिकियों ने बराक ओबामा के रूप में एक अश्वेत को अगले चार साल के लिए व्हाइट हाउस का निवासी चुना। लेकिन बड़ी विडंबना है कि व्हाइट हाउस को जिन 600 कामगारों ने बनाया उनमें से 400 गुलाम थे। इनको एक महीने में पांच डॉलर की तनख्वाह मिलती थी, उसे भी उनके मालिक हड़प लेते थे। इस पर कुल मिलाकर 11 करोड़ रुपये के बराबर राशि खर्च हुई थी।

व्हाइट हाउस की कहानी: अमेरिका के पहले राष्ट्रपति जॉर्ज वाशिंगटन ने दिसंबर 1790 में कांग्रेस में एक एक्ट पास करके राष्ट्रपतीय आवास बनाने की राह साफ की। इसके लिए जॉर्ज वांशिगटन ने जो जगह चुनी वह थी पोटोमैक नदी के किनारे 1600 पेंसिलवेनिया एवेन्यू।

आर्किटेक्ट आवरिश: इस महान इमारत का नक्शा कौन बनाएगा, यह तय करने के लिए एक प्रतियोगिता आयोजित की गई। इसके लिए नौ प्रस्ताव जमा किए गए थे, जिनमें से आयरलैंड में जन्मे जेम्स हॉबन को उनके डिजाइन के लिए गोल्ड दिया गया।

आठ सालों में बना: व्हाइट हाउस की नींव 13 अक्टूबर 1792 को रखी गई। इसका निर्माण जॉर्ज वाशिंगटन की देखरेख में 1800 तक चला लेकिन वह इसमें रह नहीं पाए। इसमें रहने वाले पहले अमेरिकी राष्ट्रपति थे जॉन एडम्स। तब से आज तक सभी अमेरिकी राष्ट्रपति इसमें ही रहते आए हैं। शुरू में इसे प्रेसिडेंट पैलेस, प्रेजिडेंशियल मेंसन या प्रेजिडेंट हाउस कहा गया। 1811 में इसे पहली बार व्हाइट हाउस का नाम मिला।

बनता-बिगड़ता रहा है: इस आलीशान इमारत में रहने वाले इसमें अपने मन मुताबिक बदलाव करते रहे हैं। पहली बार राष्ट्रपति थॉमस जैफरसन ने 1801 में इसमें नए हिस्से बनवाए। इसके अलावा 1814 में हुई लड़ाई में ब्रिटिश सेना ने इसमें आग लगा दी थी। इस आग में इसकी दीवारें और अंदर की सजावट नष्ट हो गई थी। बाद में प्रेजिडेंट जेम्स मुनरो ने 1817 में इसकी मरम्मत करवाई। इसके वेस्ट विंग को 1929 में भी आग से भारी नुकसान हुआ था।

जनता की आंखों का तारा: राष्ट्रपति थॉमस जैफरसन ने पद ग्रहण करने के मौके पर 1805 में जनता को व्हाइट हाउस में आमंत्रित किया था। यह सिलसिला 1885 तक चला जब राष्ट्रपति ग्रोवर क्लीवलैंड ने इसे बंद कर दिया। इसकी जगह क्लीवलैंड ने नए साल और अमेरिकी स्वतंत्रता दिवस 4 जुलाई को जनता के लिए रिसेप्शन की शुरुआत की। यह परंपरा 1930 के दशक में बंद हो गई, हालांकि बिल क्लिंटन ने नए साल के मौके पर कुछ समय के लिए इसे फिर से चालू किया था।

अनचाहे मेहमान: जिज्ञासु पर्यटकों के अलावा घुसपैठिए व्हाइट हाउस में घुसते रहे हैं। 1974 में आर्मी का एक चोरी किया हुआ हेलिकॉप्टर इसके लॉन पर उतरा। 20 मई 1994 में एक हल्का विमान फिर व्हाइट हाउस में उतर गया। 1995 की आतंकवादी घटनाओं और बाद में फिर 11 सितंबर के हमले के बाद इसकी निगरानी और कड़ी हो गई।

1. अमेरिका के पहले राष्ट्रपति जॉर्ज वाशिंगटन।
2. जॉन एडम्स व्हाइट हाउस में रहने वाले पहले राष्ट्रपति बने।
4. पिछले 200 सालों में व्हाइट हाउस की रंगत काफी बदल गई है।

ओबामा की जीत और भारतवाशियों की उम्मीद

भारतीयों की जीवन शैली और कर्मठता से वाकिफ होने के कारण प्रवासी भारतीयों को विश्वास है कि ओबामा उन्हें निराश नहीं करेंगे।

अमेरिका के 44वें राष्ट्रपति के रूप में बराक ओबामा की जीत के कई सकारात्मक पहलू हैं। एक पहलू यह है कि वहां रह रहे भारतीयों को ओबामा की जीत में अपनी जीत नजर आ रही है।

विदेशों में जाकर नाम कमाने के बावजूद भारतीयों का अपने देश की मिट्टी और इसके सभ्याचार से प्यार बना रहता है। ऐसे में जब यह खबर आती है कि दुनिया के सबसे शक्तिशाली देश अमेरिका का राष्ट्रपति वह व्यक्ति होगा, जो भारत के राष्ट्रपिता महात्मा गांधी को अपना प्रेरणा स्रोत मानता है और जिसने उनकी तस्वीर अपने आफिस में लगा रखी है, तो अनिवासी भारतीय ही नहीं, आम भारतीय भी गौरवान्वित महसूस करते हैं।

चुनावी प्रक्रिया तेज होने से ऐन पहले बराक ने बयान दिया था कि पाकिस्तान अब भारत को अपने लिए खतरा मानने की बजाय अपने घर में बैठे दहशतगर्दों को खतरा मानकर चले। इस बयान का महत्व हम उतना नहीं समझ सकते जितना संसारभर में फैले हुए प्रवासी भारतीय। ऐसा इसलिए क्योंकि अंतरराष्ट्रीय हवाई अड्डों पर प्रवासी भारतीयों को पाकिस्तानियों के बराबर समझकर शक की नजर से देखा जाने लगा है और कई-कई बार तलाशी देनी पड़ती है।

ओबामा की जीत भारतीय मूल के लोगों के साथ-साथ अमेरिका जाकर बसे अन्य देशों के लोगों के लिए भी उतनी ही महत्वपूर्ण है। इसका सबसे बड़ा कारण यह है कि ओबामा की मां अमेरिकी महिला थीं और पिता केन्या से आए हुए प्रवासी। बेगानी धरती पर पेश आने वाली मुश्किलों से जूझकर ओबामा के पिता को अपनी राह स्वयं बनानी पड़ी। कहावत है 'घायल की गति घायल जाने।' खुद जिस व्यक्ति ने प्रवास की दिक्कतें झेलने वाले परिवार में

जन्म लिया हो, वह अन्य प्रवासियों के साथ कठोरता से पेश आने की बजाय हमदर्दी का रवैया ही अपना सकता है।

चुनावी प्रक्रिया के दौरान बराक की एक बुआ जो अमेरिका में अवैध रूप से आकर रह रही बताई जाती हैं, का मामला भी खासा चर्चित रहा। बराक पर आरोप लगा कि उन्होंने अपनी बुआ की अमेरिका में स्थायी रूप से रहने में मदद की। बराक ने अपनी बुआ की मदद की या नहीं, वही जानें लेकिन अमेरिका में रह रहे भारतीय मूल के कई लोग आज भी ऐसे हालात से गुजर रहे हैं या गुजर चुके हैं, जिनका सामना नवनिर्वाचित राष्ट्रपति की बुआ को कभी करना पड़ा होगा। बुआ की मदद करने संबंधी बराक पर आरोप भले ही चुनावी मुहिम के तहत लगे, लेकिन प्रवासी भारतीय इन आरोपों में राष्ट्रपति से अपनी निकटता के सूत्र तलाश रहे हैं।

सब जानते हैं कि अमेरिका छोड़ने पर बराक को इंडोनेशिया में पढ़ाई करनी पड़ी थी और इसे जारी रखने के लिए काम भी करना पड़ा था। भारत के बहुत से बच्चे आज पढ़ने के लिए अमेरिका जा रहे हैं। बेगानी धरती पर पेश आने वाली कठिनाइयों से वाकिफ होने के कारण पढ़ने के लिए अमेरिका जा चुके और भविष्य में जाने की योजनाएं बनाने वाले भारतीयों को ओबामा से काफी उम्मीदें हैं।

अमेरिका में रह रहे भारतीयों के एक बड़े वर्ग का मानना है कि ओबामा की भारत में दिलचस्पी का एक कारण यह भी है कि वह भारतीयों के मेहनती स्वभाव और हुनर के कायल हैं। कारण यह कि न केवल अमेरिका बल्कि दुनिया के अन्य देशों में भी जहां कहीं भारतीय गए, अपनी अथक मेहनत और शिक्षा की बदौलत इन्होंने भरपूर नाम कमाया है। भारतीयों की जीवन शैली और कर्मठता से वाकिफ होने के कारण प्रवासी भारतीयों को विश्वास है कि ओबामा उन्हें निराश नहीं करेंगे।

बराक के भारत पक्षीय होने संबंधी उपरोक्त कारणों के बावजूद हमें जल्दबाजी में उनकी जीत के मायने निकालने से बचना चाहिए। इस वक्त यह नहीं कहा जा सकता कि उनकी जीत भारत के लिए खुशगवार होगी या नहीं। अमेरिका के प्रथम नागरिक के रूप में उनका पहला कर्तव्य अमेरिकी हितों की पैरवी होगा। इस लिहाज से ओबामा का प्रत्येक फैसला व्यक्तिगत न होकर,

अमेरिका के राष्ट्रपति की सलाहकार समिति का संयुक्त फैसला होगा। राष्ट्रपति पद की शपथ ग्रहण करने के बाद ओबामा की टीम में कौन-कौन लोग शामिल होंगे, यह जानने के बाद ही कहा जा सकता है कि उनकी जीत भारत और खास तौर पर अमेरिका में रह रहे भारतीय मूल के लोगों के लिए कैसी होगी। बहरहाल उम्मीद की जानी चाहिए कि ओबामा ने जो विश्वास पैदा किया है, उसे वह कायम भी रखेंगे।

पूर्व जन्म में लिंकन के सहयोगी थे ओबामा

अमेरिका में राष्ट्रपति पद के लिए चुने गए बराक ओबामा पिछले जन्म में कौन थे? अगर पूर्वजन्म पर रिसर्च में स्पेशलिस्ट एक अमेरिकी डॉक्टर की मानें तो ओबामा पिछले जन्म में पूर्व अमेरिकी राष्ट्रपति लिंकन के निकट सहयोगी थे। पूर्वजन्म के इस विशेषज्ञ का नाम है डॉक्टर वॉल्टर सेमकिव। वॉल्टर एक फिजिशियन हैं और सैन फ्रैंसिस्को में प्रैक्टिस करते हैं। उनका दावा है कि लाइमन ट्रंबल ने ओबामा के रूप में फिर से जन्म लिया है। लाइमन इलिनॉय से सेनेटा हुआ करते थे। वह अमेरिकी संविधान में 13वें संशोधन के मुख्य लेखक थे। इसी संशोधन से अमेरिका में दास प्रथा का अंत हुआ था।

संयोगवश लिंकन ने भी इलिनॉय का प्रतिनिधित्व किया और अब ओबामा भी वहीं से हैं। वॉल्टर ने पुनर्जन्म पर दो किताबें लिखी हैं। इनमें 'रिटर्न ऑफ रिवोल्यूशनरीज' उन मामलों पर आधारित है जिनमें अमेरिकी क्रांति के बाद से शख्सियतों के पुनर्जन्म की बात है। 'बॉर्न अगेन' में इंडियन सिलेब्रिटीज के पुनर्जन्म के मामलों का जिक्र है। वॉल्टर का कहना है कि मैंने ओबामा के पिछले जन्म के बारे में मनोवैज्ञानिक सत्र और बैकग्राउण्ड रिसर्च के जरिए पता लगाया। उन्होंने कहा कि ट्रंबल के बारे में रिसर्च के दौरान मैंने पाया कि उनमें और ओबामा में काफी समानता है। लॉ की पढ़ाई के बाद ट्रंबल 1930 के दशक में इलिनॉय आ गए थे और वहीं प्रैक्टिस शुरू की। उन्होंने कई बार गुलामों के मालिकों के खिलाफ अफ्रीकी-अमेरिकी गुलामों की नुमाइंदगी की।

ट्रंबल महान वक्ता थे और उन्हें सुनने को भीड़ जुटती थी। ओबामा में भी यही खासियत है। वॉल्टर का कहना है-अगर हम ओबामा के रूप में ट्रंबल के पुनर्जन्म की बात स्वीकार करते हैं तो इससे एक महत्वपूर्ण संदेश भी जाता है। वह यह कि पुनर्जन्म के साथ किसी शख्स की नस्ल भी बदल सकती है। अगर

हम मान लें कि नस्ल, राष्ट्रीयता, जाति और धर्म आदि के नाम पर किसी की पहचान अस्थायी है और यह हर जन्म में बदलती रहती है, तो दुनिया कितनी खूबसूरत हो जाएगी।

कैसी होगी ओबामा की दुनिया?

काली अस्मिता के महान शिल्पी मार्टिन लूथर किंग की आत्मा बहुत खुश होगी। अमेरिका के सर्वोच्च सत्ता शिखर पर अश्वेत अस्मिता के बैठने का उनका सपना सच में बदल गया है। ओबामा ने पहली बार ऐसा इतिहास रचा है जो अमेरिका के एकीकरण के समय से आज तक अश्वेतों के लिए सपना ही था। इसे बराक ओबामा की राजनीतिक रणनीति और कूटनीतिक दक्षता का परिणाम ही माना जाना चाहिए। अहंकार और उपभोगवाद से ग्रस्त गोरी चमड़ी को आईना दिखाना आसान काम नहीं था। लेकिन बराक ने चुनाव अभियानों के दौरान रंगभेद से भरे कटाक्षों को न केवल नजरअंदाज किया बल्कि उन्होंने अमेरिकी जनता में नये अमेरिका के निर्माण की इच्छाशक्ति भी जगाई। उन्होंने चुनाव प्रचारों के दौरान साफ शब्दों में कहा था कि दुनिया को बदलने की जरूरत है और वे दुनिया को बदल कर दिखायेंगे। जाहिर तौर पर उनकी इस दृढ़ इच्छाशक्ति ने अमेरिकी मतदाताओं को लुभाया। मानसिक तौर पर अमेरिकी मानुष अपने आप को दुनिया का सर्वश्रष्ठ मानुष मानता है और उन्हें दुनिया पर एकाधिकार की नीति भाती है। दुनिया भर में बराक ओबामा की जीत के बाद यह सवाल उठना भी स्वाभाविक है कि अमेरिका की वैश्विक आतंकवाद की नीति बदलेगी या फिर यथावत् रहेगी? मौजूदा आर्थिक मंदी से निकलने की उनकी नीति क्या होगी? हमारे लिए प्रश्न यह है कि क्या सुरक्षा परिषद में स्थायी सीट के लिए भारत का समर्थन करेंगे? या फिर बुश की बनायी ग्रंथि में ही कैद रहेंगे?

बराक ओबामा को ऐसे समय राष्ट्रपति बने हैं जब अमेरिका चौतरफा संकटों से घिरा हुआ है। उसकी दुनिया पर चौधराहट खतरे में पड़ी है। सोवियत संघ के पतन के बाद इकलौती शक्ति का संकटों से घिरना अमेरिकी मानुष को अंदर से आंदोलित कर रखा है। यह अलग बात है कि देश दुनिया खुश है। इराक की नीति अमेरिका के लिए उल्टी पड़ी है। कहा तो यहां तक जा रहा है कि अमेरिका में जो आर्थिक मंदी आयी है उसके पीछे अमेरिका की इराक

नीति ज्यादा प्रभावकारी रही है। 1929 के आर्थिक विध्वंस से कई गुणा अधिक विनाशकारी है वर्तमान की आर्थिक मंदी। वैश्विक आतंकवाद की नीति बराक ओबामा की जीत में कारण तो रही है, इसके अलावा चुनाव से ठीक पहले एकाएक 20 से अधिक बैंकों का दिवाला निकलने से भी जनमत बराक ओबामा के पक्ष में गया। जहां तक गोरी चमड़ी का सवाल है तो उनके पास बराक ओबामा का समर्थन करने के अलावा कोई विकल्प भी नहीं था। क्योंकि रिपब्लिकन पार्टी अपनी विश्वसनीयता खो चुकी थी। अमेरिका में दो पार्टी राजनीतिक सिस्टम है।

सत्ता रिपब्लिकन और डेमोक्रेटिक के बीच बदलती रहती है। तीसरी राजनीतिक शक्ति की कोई गुंजाइश ही नहीं बनती है। अमेरिका का राजनीतिक सिस्टम विश्व के कई देशों से अलग है। दलीय परिधि और दुराग्रह चुनाव अभियानों तक ही सीमित होता है। संकट की घड़ी में अमेरिकी दलीय नुक्ताचीनी से अलग होते हैं। आपको याद होना चाहिए कि जब अमेरिकी वर्ल्ड ट्रेड सेंटर पर अलकायदा का हमला हुआ था तब किसी ने भी उसे बुश सरकार की विफलता नहीं बताया था बल्कि संकट के समय डेमोक्रेटिक पार्टी भी बुश के साथ खड़ी थी। बुश की अफगानिस्तान नीति की सीधी आलोचना डेमोक्रेटिक पार्टी ने भी नहीं की थी। यह उदाहरण इसलिए दे रहा हूं कि दुनिया भर में खुशफहमी पाली जा रही है कि अमेरिका की वैश्विक नीति बदल जाएगी और बराक ओबामा समतामूलक वैश्विक समाज और व्यवस्था की नींव डालेंगे। लूट खसोट वाली अमेरिकी नीति दफन हो जाएगी? या फिर अमेरिका इराक से तुरंत सेना हटा लेगा और ईरान को बेखौफ शक्ति बनने की छूट दे देगा? ऐसी धारणा रखने वाले लोग सिर्फ खुशफहमी के शिकार हैं। बराक ओबामा ऐसा कुछ भी नहीं करने जा रहे हैं जिससे ऐसी खुशफहमी को दाना-पानी मिल सके। अगर आपको विश्वास नहीं होता है तो बराक ओबामा के चुनाव प्रचार के दौरान व्यक्त किये गए बयानों पर गहनता के साथ गौर करें। उनका कहना था कि हम जहां पर भी शांति के दुश्मनों के साथ संघर्षरत हैं वहां पर हमें विजयी होना है और यह कारनामा हमें दिखलाना है। उन्होंने चुनाव प्रचार के दौरान ही अफगानिस्तान और इराक के दौरे भी किए। अफगानिस्तान में तालिबान के उभार के लिए पाकिस्तान तक को जिम्मेदार ठहराया था। दुनिया को बदलने की उनकी असली मंशा यही थी।

पाकिस्तान और इजराइल का प्रश्न थोड़ा जटिल जरूर होगा। जॉर्ज बुश ने पाकिस्तान को अपने वैश्विक आतंकवाद के खिलाफ जंग में शामिल किया था। इस निमित अमेरिका ने पाकिस्तान को हजारों करोड़ डॉलर की सहायता भी की। लेकिन पाकिस्तान ने अलकायदा और तालिबान के खूनी डैने तोड़ने में ईमानदारी नहीं दिखायी। बुश प्रशासन की पाकिस्तान को लेकर नरम रुख अपनाने की आलोचना हुई। आलोचना तथ्यात्मक थी। बुश प्रशासन ने भी यदा-कदा अपनी भूलें स्वीकारी हैं।

बराक ओबामा नयी रोशनी में पाकिस्तान को देखने की कोशिश करेंगे। उन्होंने पाकिस्तान को हड़काया भी है कि आतंकवादियों को संरक्षण देने की उनकी अप्रत्यक्ष नीति बर्दाश्त से बाहर होगी। बराक ने यह भी कहा है कि पाकिस्तान को भारत से नहीं बल्कि आतंकवादियों से खतरा है। बराक के राष्ट्रपति बनने के बाद पाकिस्तान को आर्थिक सहायता झपटना मुश्किल होगा, जबकि पाकिस्तान इस समय भयंकर आर्थिक संकट से जूझ रहा है और उसका विदेशी मुद्रा भंडार लगभग समाप्त हो गया है। बराक ओबामा का पाकिस्तान पर शिकंजा कसना स्वाभाविक है। पाकिस्तान में अमेरिकी सैनिकों का हस्तक्षेप बढ़ सकता है। अरब देशों को इजरायल के नाम पर अमेरिका भय दिखाता रहा है। इजरायल अमेरिका का सबसे ईमानदार सैनिक और कूटनीतिक साझीदार है। ईरान के परमाणु शक्ति सम्पन्न होने की प्रक्रिया से इजरायल भयभीत है। ईरान का शासक अहमदी इजरायल का अस्तित्व मिटाने की धमकी भी देता रहा है। ऐसी स्थिति में इजरायल ने कई बार ईरान पर हमले करने और उसकी परमाणु शक्ति को नष्ट करने की योजना बनायी है। बराक इजरायल को कितना संरक्षित रखेंगे या फिर ईरान के साथ उलझने की कोई रणनीति बनायेंगे, यह तो भविष्य ही तय करेगा।

बुश के कार्यकाल में हम सुखद कूटनीति के साझीदार थे। परमाणु समझौते को सबसे बड़ी उपलब्धि माना जा रहा है। हालांकि इस विषय पर देश की संप्रभुता के प्रश्न भी मौजूद हैं। बुश ने बार-बार भारत के साथ कूटनीतिक और सैनिक समझदारी और हिस्सेदारी की बात ही नहीं की बल्कि इसमें मिठास लाने की भी कोशिश की। लेकिन बुश ने संयुक्त राष्ट्र की सुरक्षा परिषद में भारत की स्थायी सदस्यता पर बंदिशें ही लगाया। बुश कार्यकाल में अमेरिकी

प्रशासन ने साफ तौर पर यह नहीं माना कि भारत को सुरक्षा परिषद की स्थायी सदस्यता की जरूरत है, जबकि हम दुनिया का सर्वश्रेष्ठ ही नहीं बल्कि विश्व व्यवस्था को लोकतांत्रिक बनाने में योगदान भी दे रहे हैं। दुनिया भर में जारी संघर्षों में भारतीय शांति सैनिकों के योगदान को कौन भूल सकता है। बराक ओबामा भारत को दुनिया की बड़ी हस्ती मान चुके हैं। लेकिन सुरक्षा परिषद की स्थायी सदस्यता पर वे बुश प्रशासन की ही ग्रंथि में कैद रहेंगे या फिर वे उस ग्रंथि से मुक्त होंगे? यह सवाल हमारे लिए महत्वपूर्ण है। अगर बराक ओबामा मानते हैं कि दुनिया को और बदलना है या फिर उसे और समतामूलक बनाना है तो भारत को संयुक्त राष्ट्र संघ की स्थायी सदस्यता देने की पहल करनी ही होगी। तभी भारत और अमेरिकी संबंध मजबूत हो सकते हैं।

काली अस्मिता को आस जगी है। उन्हें अपना खेवनहार मिला है। रेड इंडियन आज भी विकास से कोसों दूर हैं। गोरी चमड़ी के समकक्ष विकास और उन्नति की रेखा खींचने की एक बड़ी चुनौती है। मार्टिन लूथर किंग का असली सपना तभी पूरा होगा जब काली आबादी भी गोरी आबादी के समकक्ष स्वयं को पायेगी। वैश्विक चौधराहट के संरक्षण की नीति को छोड़कर काली अस्मिता के सम्मान और विकास में बराक को भूमिका निभानी होगी। तभी वे अमेरिका के इतिहास में अपनी गौरवपूर्ण भूमिका पायेंगे।

व्हाइट हाउस में पहुंचा एक ब्लैक

- ओबामा ने इतिहास रचने के बाद कहा–आगे रास्त लंबे होंगे।
- 43 वर्ष पूर्व मिला था सभी अश्वेतों को मताधिकार

डेमोक्रेटिक बराक ओबामा ने अमेरिका में राष्ट्रपति चुनाव के इतिहास में नया अध्याय जोड़ते हुए रिपब्लिकन उम्मीदवार जॉन मैक्केन को भारी बहुमत से मात देकर व्हाइट हाउस पर कब्जा किया। अमेरिका में नस्लीय समानता के लिए हुए नागरिक अधिकार आंदोलन ने ओबामा की जीत के जरिए उन आंदोलनकारियों के सपनों को साकार किया।

ओबामा ने रौंदी समय और संस्कृतियों की बाधाएं

बराक ओबामा ने अमेरिकी राष्ट्रपति चुनाव जीत लिया और यह लंबी छलांग उस देश की एतिहासिक घटना बन गई है।

इस प्रक्रिया में यौवन से भरपूर इस अफ्रीकी-अमेरिकी ने देश के बहुत से अतीत और पक्के पूर्वाग्रह को कूड़दान में धकेल दिया।

उनकी शानदार विजय उस पीड़ा के दौर में आयी है जिसे लोगों ने 200 साल तक बिना किसी कसूर के और सिर्फ जन्म व चमड़ी के रंग के कारण झेला है। इस दर्द को इन लोगों की पीढ़ियां ही समझ सकती हैं। ओबामा की जीत श्वेतों के भारी बहुमत द्वारा अफ्रीकी-अमेरिकी देशवासियों के साथ कंधे से कंधा मिलाकर चलने की बदौलत मुमकिन हुई है। इस विजय में अमेरिकी मानसिकता में आया वह बदलाव झलकता है जिसके बारे में तैयार होने पर बहुतों का संदेह था।

राजनीतिक दृष्टिकोण से देखें तो साफ है कि जॉर्ज बुश ने सत्ता में रहते हुए आठ साल के दौरान जो 'तबाही' मचायी उसने बराक ओबामा को चुनाव में शानदार जीत हासिल करने में मदद की।

इराक की लड़ाई राष्ट्रपति बुश और उसके चुनींदा सहयोगियों ने उस दंभ के साथ लड़ी जो सत्ता प्राप्ति के साथ अकसर आ जाता है। इसने अमेरिका को साफ-साफ दो हिस्सों में बांट दिया था-एक लड़ाई के पक्ष तो दूसरा विरोध में खड़ा हुआ। विश्व की सबसे सशक्त अर्थव्यवस्था के विघटन और गिरवी मकानों में रहते क्रेडिट कार्ड की मदद से जीवनयापन करते व नौकरियां खोने के डर से रहते अमेरिकियों की खाली होती जेबें-इन सबने शक्तिशाली अमेरिका को निराशाजन्य चिंता में धकेल दिया और इससे रिपब्लिकनों को सिरे से नकार देने का रास्ता साफ हुआ।

अमेरिका महाशक्ति होने और नाभिकीय हथियारों के बड़े जखीरे से सुसज्जित होने के बावजूद आज बड़ी प्रतिकूल परिस्थितियों से गुजर रहा है। यद्यपि ओबामा यह समझ गये हैं कि उनका देश किस समस्या से दो चार है। वे अपने विजय भाषण में अपने देशवासियों से अब्राहम लिंकन, जॉन एफ कैनेडी और मार्टिन लूथर किंग की जुबान में और किसी अफ्रीकी-अमेरिकी की मानिंद नहीं बल्कि श्वेतों, अफ्रीकी-अमेरिकियों, हिस्पैनिक्स, भारतीयों और चीनी मूल के लोगों और अन्य उन सभी के नेता के तौर पर बोले जिन्होंने दो सदियों पहले से अमेरिका को अपना घर बना रखा है और अपने देश को महाशक्ति बनाने में अपना योगदान दिया है। उन्होंने लोगों से अपील की कि

वे देश को संकट से उबारने के लिए अपने योग्य विचार दें। अमेरिका में हर तरफ खुशी और जश्न का माहौल है, अधिकतर अमेरिकी उनकी योग्यता और उन्हें नेतृत्व देने की क्षमता पर भरोसा करते हैं और उनके नये विचारों और आत्मविश्वास में यकीन रखते हैं। बराक ओबामा के सामने वास्तव में घरेलू और अंतर्राष्ट्रीय दोनों स्तरों पर समस्याओं का अंबार है जो जॉर्ज बुश उनके लिए विरासत में छोड़ रहे हैं। उनके चुनाव प्रचार के दौरान के भाषण ऐसा कोई संकेत नहीं देते कि वे इनसे निबटेंगे कैसे। हालांकि बाद में यह बोझ ही साबित होती है।

व्हाइट हाउस में सफलता के लिए उन्हें यह सुनिश्चित करना होगा कि लोगों के पास खरीदारी के लिए अधिक धन आये। उनकी कारों में पूरा पेट्रोल हो, एक विश्वसनीय गिरवी प्रणाली के तहत मकान के भुगतान के लिए पर्याप्त पैसा हो, बच्चों के लिए अच्छी शिक्षा का प्रबंध हो और ऐसी चिकित्सा व्यवस्था हो जिसे वे आसानी से वहन कर सकें। यह निस्संदेह बड़ी बात है मगर एक नेता की परीक्षा संकट की घड़ी में ही होती है न कि अच्छे वक्त में।

शक्तिशाली महाशक्ति अमेरिका अपनी छत्रछाया में पूरी दुनिया को ढालने की इच्छा रखता रहा है। यह अब पता चल चुका है कि उसके लिए यह संभव नहीं है। इस हेकड़ी की अब हवा निकल गई है, जो कभी-कभी किसी में व्यक्तिगत तौर पर या किसी देश को आ जाती है।

जीत के जश्न में अमेरिका

अमेरिकी राष्ट्रपति पद पर पहले अश्वेत नेता बराक ओबामा की जबरदस्त जीत पर सिर्फ अमेरिका ही नहीं बल्कि उनके पैतृक देश केन्या समेत कई मुल्कों में जोरदार जश्न मनाया गया।

ओबामा को निर्वाचन मंडल में बहुमत के लिए जरूरी 270 वोटों से कहीं ज्यादा 338 वोट मिलने की खबर आते ही उनके गृह राज्य शिकागो और न्यूयॉर्क समेत तकरीबन सभी शहरों में देर रात तक लोग सड़कों पर झूमते नाचते देखे गए। खासतौर पर अश्वेत लोगों में तो लग रहा था मानो नयी चेतना और ऊर्जा की बिजली सी कौंध गयी हो। न्यूयॉर्क शहर के 'टाइम स्क्वायर' में हजारों की संख्या में ओबामा समर्थकों ने ब्राडवे से 'ओबामा ओबामा' के नारे लगाते हुए उनके चुनाव प्रचार कार्यालय तक मार्च किया।

ओबामा की जीत असाधारण यात्राः मनमोहन सिंह

अमेरिका के राष्ट्रपति चुनाव में बराक ओबामा की जीत को असाधारण यात्रा बताते हुए प्रधानमंत्री मनमोहन सिंह ने कहा कि वह उनके साथ द्विपक्षीय सहयोग के क्षेत्र में व्यापक संभावनाओं को साकार करने के लिए काम करने की इच्छा रखते हैं।

अमेरिकी राष्ट्रपति बनने वाले पहले अफ्रीकी-अमेरिकी और डेमोक्रेटिक नेता के नाम बधाई संदेश में प्रधानमंत्री ने कहा 'व्हाइट हाउस तक आपकी असाधारण यात्रा सिर्फ आपके देश में ही नहीं वरन दुनियाभर में लोगों को प्रेरित करेगी।'

यह उल्लेख करते हुए कि दोनों देशों के लोग स्वतंत्रता बहुवाद, वैयक्तिक अधिकारों और लोकतंत्र की साझा प्रतिबद्धताओं से बंधे हैं, मनमोहन ने कहा कि ये विचार दोनों देशों के बीच मित्रता एवं सामरिक भागीदारी के लिए एक ठोस आधार प्रदान करते हैं।

प्रधानमंत्री ने कहा–हमारे लोगों के बीच मजबूत संबंध हैं और मैं आपके साथ भारत अमेरिका के बीच द्विपक्षीय सहयोग के क्षेत्र में व्यापक संभावनाओं को साकार करने के लिए काम की इच्छा रखता हूं।

मनमोहन ने वैश्विक मुद्दों तथा चुनौतियों के समाधान के लिए भारत और अमेरिका को मिलकर काम करने का भी जिक्र किया जो विश्व शांति स्थिरता और तरक्की के लिए महत्वपूर्ण कारक होंगे।

प्रधानमंत्री ने राष्ट्रपति के रूप में तथा निजी जीवन में ओबामा को सफलता की शुभकामनाएं देते हुए कहा–मुझे उम्मीद है कि आपको भारत यात्रा का जल्द अवसर मिलेगा। एक भव्य स्वागत आपका इंतजार कर रहा है।

अमेरिका ही नहीं अब दुनिया में बदलाव का वक्तः ओबामा

जीत के बाद उत्साह से लबरेज ओबामा ने कहा कि अब बदलाव का वक्त आ गया है। उन्होंने आर्थिक मंदी और इराक-अफगानिस्तान में युद्ध से चिंतित अमेरिकी जनता को भरोसा दिलाया कि जल्द ही अमेरिका दुनिया भर में सहयोग और बातचीत के रास्ते आगे बढ़ेगा। सीनेट और हाउस ऑफ रिप्रजेंटेटिव में बहुमत से साबित होता है कि देश ने जॉर्ज बुश की नीतियों को

पूरी तरह से नकार दिया है। अमेरिकी इतिहास में उनकी जीत नस्लवाद के खात्मे में मील का पत्थर साबित होगी।

शिकागो में हजारों समर्थकों के बीच अमेरिका के पहले ब्लैक राष्ट्रपति ओबामा ने अपने सामने खड़ी चुनौतियों की खुले तौर पर चर्चा की। 47 वर्षीय ओबामा ने कहा कि खुशियों के साथ दो देशों में युद्ध और आर्थिक मंदी हमारे लिए चुनौती है। उन्होंने कहा हम यहां खड़े हैं और उधर अमेरिकी सैनिक इराक के रेगिस्तान और अफगानिस्तान की पहाड़ियों में अपनी जिंदगी खतरे में डालकर युद्ध लड़ रहे हैं। आर्थिक मंदी पर चर्चा करते हुए ओबामा ने कहा कि नए रोजगार सृजन करने हैं, नए स्कूल बनाने हैं और दूसरे देशें के सहयोग के साथ आतंकवाद से निपटना है। देश के 44वें राष्ट्रपति ओबामा ने कहा कि हम एशियाई, अफ्रीकी, लातिन अमेरिकी नहीं हैं बल्कि सिर्फ और सिर्फ अमेरिकी हैं।

इराक में तैनात जवानों को नई उम्मीद

अमेरिका के नए कमांडर इन चीफ ओबामा से इराक में डेढ़ लाख अमेरिकी सैनिकों को उम्मीद है कि उनकी घर वापसी होगी। ओबामा ने अपने चुनाव प्रचार में कहा कि अमेरिका इराक से और चीन के रिश्ते खराब हुए हैं। चीन को उम्मीद है कि अमेरिका उसके खिलाफ चक्र बनाने की बजाय आर्थिक और सैन्य संबंधों को बढ़ावा देगा। खाड़ी देशों में भी सीरिया, ईरान, फिलिस्तीन सरकार से भी ओबामा ने बातचीत के रास्ते विवाद हल करने की हामी भरी है। इस्रायल-फिलिस्तीन मुद्दा का सर्वमान्य हल ढूंढ़ कर ओबामा दुनिया में अपनी तीक्ष्ण राजनीतिक शक्ति का लोहा मनवा सकते हैं। दक्षिण एशिया में अफगानिस्तान में अलकायदा और तालिबान के खिलाफ जारी युद्ध को लेकर ओबामा ने कोई नरमी न दिखाने का संकेत दिया है, क्योंकि वह अमेरिका की प्रतिष्ठा व सुरक्षा से जुड़ा मामला है।

श्वेत भवन में श्याम

इतिहास भारतीय ओबामा की मांग कर रहा है। परिस्थितियां भारतीय ओबामा के अनुकूल हैं पर क्या दलित समाज इतिहास की मांग को पूरा करने तथा परिस्थितियों का उपयोग करने के लिए तैयार है।

अमेरिका की कहानी मात्र 516 वर्ष पूर्व से शुरू होती है, जब क्रिस्टोफर 1492 में अमेरिका की खोज करते हैं। मात्र 401 वर्ष पूर्व यूरोपियन सेटलर्स ने 1607 में जेम्स टाउन नामक पहले शहर की स्थापना वर्तमान वर्जीनिया प्रांत में करते हैं। अश्वेत दासों का पहला जत्था 1619 में अमेरिका पहुंचता है। मात्र 221 वर्ष पूर्व वर्तमान अमेरिकी नागरिक अपना संविधान लागू करते हैं तथा ब्रिटिस एम्पायर से मुक्त हो जाते हैं। स्वतंत्र राष्ट्र की स्थापना के मात्र 182 वर्षों में ही अमेरिका ने वह कर दिखाया जो दुनिया में कहीं और संभव नहीं हो पाया।

अब इस सवाल का उत्तर ढूंढ़ा ही जाना चाहिए कि 1969 में अमेरिका ने ही चांद पर क्यों विजय पाया, यूरोप ने क्यों नहीं? यह सवाल भी पूछा जाना चाहिए कि कुल 270 नोबल पुरस्कारों के साथ सबसे अधिक नोबेल जीतने वाला देश अमेरिका ही क्यों बनता है, शेष अन्य क्यों नहीं? कुल 101 नोबेल पुरस्कारों के साथ ब्रिटेन दूसरे स्थान पर है। चार नोबेल पुरस्कारों के साथ भारत इक्कीसवें स्थान पर है। कहना न होगा कि ज्ञान, विज्ञान और अर्थव्यवस्था के मामले में अमेरिका वह धुरी बन चुका है, जिसके इर्द-गिर्द पूरा विश्व मंडराता है। यदि अमेरिकी स्टॉक एक्सचेंज को ठंडक लगती है, तो जुकाम विश्व के सारे स्टॉक एक्सचेंजों को हो जाता है। अमेरिकी श्रेष्ठता के सैकड़ों कारण हो सकते हैं, पर जो सर्वविदित है, वह है कि अमेरिकी विश्व की सबसे यंग सभ्यता है। सदैव एवं सर्वत्र, कुछ नया करने का जज्बा जितना यंग लोगों में होता है, उतना किसी और में नहीं।

पर, सबसे ऊपर वह बात है-जिसे अब एक सिद्धांत का दर्जा मिलना चाहिए कि: जो लंबे समय तक दबे, उपेक्षित एवं वंचित रहते हैं, मौका मिलते ही उनमें कुछ सिद्ध करने की ललक पैदा होती है, जिसके कारण उनमें इमैजिनेशन या कल्पनाशीलता की एक अद्‌भुत शक्ति पैदा होती है। इसी के साथ एक दूसरी प्रक्रिया समानांतर रूप से कार्य करती है। वह है: जो लंबे समय से शासक या स्वामी होते हैं, वे अपनी चेतना में स्वयं श्रेष्ठ होते हैं, इसलिए उन्हें कुछ सिद्ध करने की आवश्यकता नहीं पड़ती है। इस तरह, उनकी कल्पनाशीलता ठहर जाती है।

यही है रहस्य बराक ओबामा की अद्‌भुत जीत का, और यही रहस्य है अमेरिकी श्रेष्ठता का। इसे समझने के लिए हमें इतिहास के पत्रों को पलटना

होगा। यह जानना होगा कि यूरोप से अमेरिका की ओर पलायन करने वालों का वर्ग क्या था? इस बात से हैरान हो सकते हैं कि सत्रहवीं सदी के ब्रिटेन में इतना अधिक क्राइम था कि देश में जेलों की कमी पड़ गयी थी। इसका हल ब्रिटिश शासकों ने एक नायाब ढंग से निकाला। सरकार ने लाखों अपराधियों को पानी के जहाजों में ठूंस कर उन महाद्वीपों पर फेंकना शुरू कर दिया, जिनकी खोज हाल ही में हुई थी और जहां थोड़ी-बहुत नैटिव आबादी के अलावा कोई संगठित मानव समाज नहीं था। वर्तमान ऑस्ट्रेलिया का जन्म इसी प्रक्रिया से हुआ।

यह जानकर हैरान हुआ जा सकता है कि सत्रहवीं सदी में ब्रिटेन ने पचास हजार अपराधियों को पानी के जहाजों में ठूंसकर अमेरिका में फेंक दिया था। यानी ब्रिटेन की नजर में, सत्रहवीं सदी का अमेरिका एक ओपेन जेल था, जहां गुनाहगारों को भेज दिया जाता था। इतिहास हमें यही बताता है कि अपने शुरुआती दिनों तीन तरह के लोग अमेरिका में बसने के लिए गए: यूरोप के वे कृषि श्रमिक जो अर्ध-दास के रूप में थे तथा आजादी की तलाश में अमेरिका भागे; यूरोप के वे नागरिक जो निर्धन थे तथा भूख से परेशान थे, यूरोप के वे नागरिक जो धार्मिक उत्पीड़न के शिकार थे। दो अतिरिक्त श्रेणियां भी थीं–यूरोप के कुछ व्यापारी जो स्लेव ट्रेड करते थे तथा अफ्रीका से पकड़े गए अश्वेत दास। इन्हीं लोगों से अमेरिका का निर्माण हुआ। अठारहवीं सदी के मध्य तक अमेरिका में प्रचुर मात्रा में सोना एवं समृद्धि की खबर जंगल की आग की तरह फैली तथा बड़ी संख्या में यूरोप के मध्य वर्ग से लोग अमेरिका अपनी स्वेच्छा से गए।

यानी सत्रहवीं एवं मध्य अठारहवीं सदी तक यूरोप की नजर में अमेरिका एक निम्न कोटि के लोगों का देश था तथा 1787 तक ब्रिटेन का उपनिवेश। दूसरी ओर, अमेरिका गए यूरोपवासी इस बात से आहत थे कि उन्हें निम्न कोटि का समाज एवं निम्न कोटि का देश माना जाता है, अत: कुछ है और उन्हें यूरोप से बेहतर बनना है। इसी उन्नीसवीं सदी के साथ, विज्ञान एवं टेक्नोलोजी में दुनिया में जो भी हुआ, उसकी भूमि अमेरिका बना। 1903 में राइट ब्रदर्स ने पहले हवाई जहाज को उड़ाकर अमेरिका की कल्पनाशीलता का झंडा विश्व पर गाड़ दिया। यूरोप अतीत की ग्लोरी में सोया रहा।

बराक ओबामा की कहानी यह है, जो अमेरिका की। भारत के कुछ ज्ञानी समीक्षकों को ओबामा के पूर्ण अश्वेत होने पर कंफ्यूजन है, क्योंकि ओबामा की मां श्वेत थीं। अश्वेत नस्ल का निर्धारण रंग और बालों के चरित्र से होता है। कई कारणों से किसी अश्वेत व्यक्ति का रंग गेहूंआ हो सकता है। पर, जब तक बालों प्रवृत्ति यानी गोलाई में मुड़कर उगना एवं बढ़ना, जारी हो, तब तक वह व्यक्ति 'अश्वेत' ही माना जाता है। चूंकि 95 प्रतिशत अश्वेतों ने ओबामा को वोट दिया, इसीलिए अश्वेतों को ओबामा की नस्ल के बारे में कोई उलझन नहीं है। पुनः ओबामा ने एक अश्वेत महिला को अपनी पत्नी चुना।

चूंकि ओबामा अश्वेत हैं, इसलिए आम अश्वेत समाज की तरह उन्हें भी कुछ सिद्ध करना है। अमेरिका ही नहीं, पूरी दुनिया में अश्वेतों को गैर-श्रेष्ठ माना जाता है या उतना श्रेष्ठ कभी नहीं, जितना सामान्य श्वेत हो सकते हैं। अश्वेत समाज अपनी छवि के बारे में वाकिफ भी हैं और आहत भी। चूंकि अश्वेत समाज को कुछ सिद्ध करना उनकी जरूरत है, इसलिए उनमें एक नया जज्बा पैदा हुआ और नये जज्बे ने उनकी कल्पनाशीलता को आकाश की ऊंचाइयों तक पहुंचाया। विगत दो दशकों में अमेरिकी अश्वेतों ने व्यवसाय, कला, साहित्य, फिल्म, संगीत, स्पोर्ट्स एवं फैशन की दुनिया में अपना झंडा लहराया।

बराक ओबामा अश्वेत समाज की संयुक्त अभिव्यक्ति हैं तथा 'चेंज' का नारा किसी श्वेत नेता की ओर से नहीं आ सकता था, बावजूद इसके कि 'चेंज' पूरे अमेरिका की जरूरत बन गया था। परंपरागत शासक, चेतना में श्रेष्ठ श्वेत समाज कल्पनाशीलता के मामले में ठहर गया था। इस ठहराव का तार्किक परिणाम ओबामा में प्रकट हुई। इस तरह, ओबामा अश्वेत इमेजिनेशन के प्रोडक्ट हैं।

भारत एवं भारत का दलित भी उसी इतिहास के चौराहे पर खड़ा है, जहां परंपरागत शासक, चेतना में श्रेष्ठ, वर्ण समाज कल्पनाशीलता के मामले में ठहर-सा गया है। सदियों से वंचित किए गए दलित एवं आदिवासी समाज को भी कुछ सिद्ध करना इनकी जरूरत है। दलित एवं आदिवासी समाज इस बात से वाकिफ भी हैं और आहत भी कि वर्ण समाज उनके बारे में क्या सोचता है। इतिहास भारतीय ओबामा की मांग कर रहा है। परिस्थितियां भारतीय

ओबामा के अनुकूल हैं, पर क्या दलित समाज इतिहास की मांग को पूरा करने तथा परिस्थितियों का उपयोग करने के लिए तैयार है? सदियों बाद भारत का वर्ण समाज कल्पना मुक्त है।

इस अवसर का लाभ उठाने में दलित समाज कितना तैयार है, यह तो समय ही बताएगा। पर, इतना तय है कि भारत का ओबामा पैदा करने के लिए दलितों को भी 'चेंज' होना पड़ेगा। यह चेंज है बात-बात में छाती पीटने की जगह, दलितों को छाती तानकर चलना सीखना होगा। इसी प्रक्रिया से पैदा होगा भारत का ओबामा।

अधिकार, अश्वेत और अमेरिका

आजादी के घोषणपत्र पर हस्ताक्षर हुए 100 वर्ष बीत चुके हैं। इतने वर्षों बाद भी नीग्रो अकेले में गरीबी की जिंदगी बिता रहे हैं, जबकि उनके चारों ओर ऐशो-आराम व समृद्धि का सागर लहरा रहा है। सौ साल बाद भी नीग्रो अपने को अमेरिकी समाज की मुख्यधारा से कटा हुआ पाते हैं। जब सौ साल पहले देश के कर्णधारों ने अमेरिका के संविधान व आजादी के घोषणापत्र पर हस्ताक्षर किए थे, तो एक तरह से उन्होंने भविष्य की पीढ़ियों के लिए एक हुंडी द्वारा देश के हर नागरिक को आजादी, खुशहाली व बराबरी का जीवन मुहैया कराने का वादा किया था, लेकिन जहां तक अश्वेत समुदाय का सवाल है वह हुंडी बोगस निकली! 'धीरे-धीरे सब कुछ हो जाएगा।', यह कहकर हमें अब कोई फुसला नहीं सकता।

अमेरिका के लिए यही समय है लोकतंत्र के वादों को पूरा करने का, यही समय है अन्याय के अंधेरे से निकलकर न्याय की खुली हवा में सांस लेने का, यही समय है अलगाववाद के दलदल से निकलकर भाईचारे की चट्टान पर खड़े रहने का और यही समय है ईश्वर के हर बंदे को न्याय मुहैया कराने का। **(28 मार्च 1963 को वांशिगटन की जनसभा में मार्टिन लूथर किंग के भाषण का अंश)**

नैट टर्नर-अमेरिकी गुलामों में स्पार्टाकस के तौर पर जाने जाते हैं। टर्नर अमेरिकी गृह युद्ध के पहले हुए गुलामों के विद्रोह के नेतृत्वकर्ता थे। उन्होंने पहली बार अमेरिकी गुलामों में शासन के प्रति विद्रोह की भावना भरी।

अब्राहम लिंकन-अमेरिकी गृह युद्ध के दौर में लिंकन ने देश को सफल नेतृत्व दिया। नस्लवाद के विरोधी नेताओं में इनका नाम प्रमुखता से आता है। अपने राष्ट्रपतित्व काल में गुलाभों के हक में इन्होंने कई अहम फैसले लिए।

बुकर टी वाशिंगटन-ये अश्वेत आंदोलन के प्रमुख नेताओं में थे। इन्हें पहले अमेरिकी अफ्रीकी प्रवक्ता होने का श्रेय हासिल है। 1940 में इन पर डाक टिकट जारी हुए। ऐसा सम्मान पाने वाले वे पहले अश्वेत नेता थे।

रोजा पार्क-इस महिला ने अवज्ञा के हथियार के जरिए नई क्रांति पैदा की। रोजा ने श्वेत यात्री को सीट देने के ड्राइवर के आदेश को मानने से इनकार कर दिया। उनके इस कदम से अश्वेतों के अधिकारों के लिए आंदोलन की शुरुआत हुई।

मैलकम एक्स-एक्स ने श्वेत अमेरिकी की भर्त्सना की। अश्वेत लोगों में स्वाभिमान का जज्बा पैदा किया। अफ्रीकी-अमेरिकियों के हक में आवाज बुलंद करने वाले अग्रणी नेताओं में ये एक थे।

कार्ल स्टोक्स-अमेरिका के किसी बड़े शहर के ये पहले मेयर थे। 1967 में क्लीवलैंड के मेयर चुने जाने के बाद इन्होंने अश्वेतों के पक्ष में अनेक कार्य किए। एक साधारण से लॉन्ड्रीमैन के बेटे कार्ल ने जातीय तनाव के दौर में आश्चर्यजनक तौर पर श्वेतों के मन में भी अपने लिए जगह बनाई।

किंग से बराक तक

मार्टिन लूथर किंग के जीवन और संघर्ष पर गौर करें, तो हमें एहसास होगा कि ओबामा किस आंदोलन के प्रतीक हैं।

अपनी जीत के जश्न पर दिये भाषण में बराक ओबामा ने एक खास व्यक्ति का उल्लेख किया था, जिसका सपना उनके राष्ट्रपति बनने से साकार हुआ। उसका नाम है मार्टिन लूथर किंग जूनियर, जिनके सूत्र 'हम होंगे कामयाब एक दिन' (we shell overcome one day) को विश्वभर के वंचित दुहराते हैं। किंग को 'अमेरिकी गांधी' कहा जाता है, क्योंकि उन्होंने नस्लभेद के विरुद्ध अहिंसक सत्याग्रह छेड़ा था। मानवीय समता तथा स्वतंत्रता के लिए चलाया गया अश्वेतों का संघर्ष लंबा रहा, जब 1619 में अफ्रीका से खरीदा गया पहला गुलाम जबरन अमेरिका लाया गया था। 4 नवंबर को इसी

संघर्ष ने मंजिल पर दस्तक दी थी। अश्वेत ओबामा उस दिन राष्ट्रपति चुने गए थे।

युवा मार्टिन लूथर किंग को हमेशा अचरज होता था कि रंगभेद का प्रचलन संयुक्त राज्य अमेरिका जैसे राष्ट्र में क्यों है, जिसकी स्थापना का आधारभूत उसूल दो सदियों पूर्व निर्धारित हुआ था: 'सभी मनुष्य समान जन्मे हैं।' उन्होंने देखा कि हर रविवार के ग्यारह बजे गिरजाघरों में प्रत्येक ईसाई दोहराता है, 'ईसा के घर में न पूर्व है, न पश्चिम, सभी समान हैं।' फिर गोरे और काले अलग-अलग पंक्तियों में खड़े रहते हैं। आखिर दीपक भी रहता है, कालिख लिए हुए।

रंगभेद की नृशंसता के शिकार रहे मार्टिन के जीवन और संघर्ष पर गौर करें तो भारतीयों को एहसास हो जाएगा कि ओबामा किस आन्दोलन के प्रतीक हैं। मार्टिन लूथर किंग की जिंदगी में कई ऐसे हादसे गुजरे, जब वह ग्लानि से खुदकुशी कर लेते या क्रोध में हत्या पर उतारू हो जाते, लेकिन ध्येय की श्रेष्ठता और धर्म की उत्कृष्टता ने उन्हें सहिष्णु बना दिया था। बचपन में एक बार किसी दुकान पर एक गोरी महिला ने उसे तमाचा मारा और 'निग्गर' (गोरों द्वारा कालों के लिए अपमान-वाचक संबोधन) कहा। बच्चा निर्दोष था, मगर शांत रहा। रेल में सफर करते मार्टिन को दो घंटे तक खड़ा रहना पड़ा था, क्योंकि उसे बलपूर्वक उठाकर एक गोरा उसकी सीट पर बैठ गया था। 'जोहांसबर्ग में एक भारतीय को तो रेल से धक्का दे दिया गया था, वह व्यक्ति बाद में राष्ट्रपिता कहलाया'-मार्टिन ने सोचा।

मार्टिन को यकीन था कि यदि अश्वेत लोग आजादी का अभियान चलाएंगे, तो वे काले अश्वेत लोग रिश्तों में दरार नहीं बनाएंगे, वरन समन्वयवादी समाज की नींव डालेंगे। मार्टिन ने यही चाहा था कि नैतिकता भले ही कानून द्वारा क्रियान्वित न की जा सके, पर गोरों के आचरण को अमेरिकी सरकार नियमबद्ध तो कर ही सकती है, लेकिन ऐसा हुआ नहीं। जब अमेरिकी नीग्रो के दुख-सुख के प्रति अमेरिकी समाज और सरकार क्रियाशील सरोकार नहीं पैदा कर पाई, तो 26 वर्षीय मार्टिन ने अन्याय से रार ठानी। हर क्रांति की शुरुआत छोटी-सी घटना से होती आयी है। दिसंबर 1, 1955 को मांटगोमरी शहर के क्लीवलैंड एवेन्यू में सिटी बस पर नीग्रो युवती रोजा पार्क्स सवार हुई।

बस में गोरों के लिए अगली सीटें सुरक्षित रहती थीं। इतना ही नहीं, यदि ज्यादा गोरे यात्री आ गए, तो बैठे हुए नीग्रो यात्रियों की सीटें खाली करवा ली जाती थीं। बस कंडक्टर ने रोजा पार्क्स से गोरे मुसाफिर के लिए सीट देने को कहा। इंकार करने पर रोजा को पुलिस ने हिरासत में ले लिया। इस घटना से क्षुब्ध मार्टिन ने समस्त नीग्रो वर्ग का 'बस बायकॉट' के लिए संगठित किया। बहिष्कार 368 दिन चला। इसका तात्कालिक असर पड़ा कि निजी बस कंपनी को भारी क्षति हुई। उधर, सर्वोच्च न्यायालय ने इसी बीच बसों में सुरक्षित सीटों की प्रणाली को गैरकानूनी करार दिया।

मार्टिन की धारणा थी कि 'अमेरिकी समाज में व्याप्त उथल-पुथल का कारण न्याय और अन्याय के बीच चल रहा द्वंद्व है।' मार्टिन ने चिंतक हेनरी डेविड थॉरो की 'एसेज ऑन सिविल डिसओबिडिएंस' पढ़ी। उसने पढ़ा था कि सुदूर दक्षिण-पूर्वी एशिया के चंपारन और खेड़ा ग्रामों में अहिंसक सत्याग्रह द्वारा मांग मनवायी गयी थी। गोरी ब्रितानी हुकूमत का खात्मा भी हुआ था, शांतिमय तरीके से। मार्टिन ने सत्याग्रह के अस्त्र को अमेरिकी अश्वेत की मुक्ति का साधन बनाया। राष्ट्रीय राजधानी में शांतिमय प्रदर्शन करना तय हुआ। 28 अगस्त, 1963 को दो लाख लोगों ने, जिनमें कई गोरे भी शरीक हुए थे, राष्ट्रपति से मांग की कि रंगभेद की नीति वाले सारे कानून खत्म कर दिए जाएं। युवा राष्ट्रपति जॉन कैनेडी ने नीग्रो नागरिक अधिकार बिल का मसौदा तैयार किया। कैनेडी की हत्या वस्तुत: उनका निजी उत्सर्ग था। 'वाशिंगटन मार्च' के दिन मार्टिन ने लिंकन स्मारक भवन की सीढ़ियों पर से भाषण दिया था: 'मैंने एक सपना देखा है। एक दिन आएगा, जब जॉर्जिया प्रदेश की पहाड़ियों पर बसे गोरे मालिकों और काले दासों की संतानें साथ-साथ एक ही टेबल पर प्रीतिभोज में शामिल होंगी।' केवल 35 वर्ष की आयु में ही उन्हें नोबेल शांति पुरस्कार मिला, जिसमें अंकित था: 'किंग सदैव अहिंसावादी सिद्धांत के प्रतिपादक रहे।'

बिना प्रतिहिंसा किए विरोधी में हृदय-परिवर्तन करने की प्रक्रिया की विशिष्ट जानकारी के लिए मार्टिन ने 1959 में सत्याग्रह की प्रयोग-भूमि भारत की यात्रा की। इस प्रथम यात्रा पर उन्होंने कहा था: 'बुरे के जवाब में भला करना यीशू ने सिखाया था। भारत में गांधी ने दिखाया कि यह संभव है, कारगर

भी।' उन्होंने विचारधारा का विशद अध्ययन किया। संत विनोबा से मिले। गांधी शताब्दी समारोह में भाग लेने वे अहमदाबाद, पोरबंदर और सेवाग्राम (वर्धा) आने वाले थे, पर नियति ने ऐसा नहीं होने दिया।

मेफिस में सफाई करने वाले नीग्रो कर्मचारियों ने मानवोचित व्यवहार के लिए हड़ताल की, तो मार्टिन उनका साथ देने गए। उन्होंने शांतिमय जुलूस निकाला, मगर यह हो न पाया। वे लारोइन मोटेल की छत से संबोधित कर रहे थे कि 'हम अब कामयाब होंगे। शायद मैं आपके साथ मंजिल तक न पहुंच सकूं।' दूसरे दिन ही (4 अप्रैल 1963) उन्हें जेम्स अली राय नामक गोरे ने गोली मार दी। ईसा और गांधी का अनुयायी उन्हीं की राह विदा हुआ। अहिंसा के उपासक का हिंसक अंत हुआ।

4

इतिहास में महान परिवर्तन की दस्तक

दुनिया के वे लोग जो इस समय हमारी ओर देख रहे हैं, उनसे मैं कहना चाहूंगा कि भले ही हमारी और उनकी कहानियां अलग-अलग हों, लेकिन सबकी नियति एक ही है। अगर किसी को आज भी इसमें संदेह है कि क्या अमेरिका की धरती पर सब कुछ संभव है, अगर कोई अब भी सशंकित है कि क्या इस देश की नींव रखने वालों के स्वप्न अब भी जीवित हैं, अगर कोई अब भी हमारे लोकतंत्र की ताकत पर सवाल खड़े करता है, तो यह है उनको हमारा जवाब।

यह जवाब इस राष्ट्र के असंख्य स्कूलों और चर्चों में पंक्ति-दर-पंक्ति फैला हुआ है, जो अब तक अनदेखा ही रहा। यह जवाब है उन लोगों का, जो तीन-तीन, चार-चार घंटे इंतजार करते रहे, कई तो जीवन में पहली बार, क्योंकि उन्हें उम्मीद थी कि इस बार कुछ अलग होने वाला है।

यह आवाज है जवान और बूढ़े का, अमीर और गरीब का, डेमोक्रेट और रिपब्लिकन, अश्वेत और श्वेत, लातिन अमेरिकी, एशियाई, मूल अमेरिकी, समलैंगिक और विकलांगों का। यह उन असंख्य अमेरिकियों का जवाब है, जिन्होंने सारी दुनिया को यह संदेश दिया कि हम किन्हीं बिखरे हुए लाल और नीले राज्यों का समूह नहीं हैं, हम एक हैं और हमेशा एक ही रहेंगे-संयुक्त राज्य अमेरिका। इतिहास की प्रत्यंचा को अपने हाथों से झुकाकर अपने समय को बदल देने, उसे बेहतर बनाने के प्रति जिन लोगों का रवैया भय, संशय और द्वेष से भरा हुआ था और जिन्होंने अन्य लोगों के मन में भी ऐसे संशय पैदा किए, यह जीत उन लोगों को एक जवाब है।

इसे आने में लंबा वक्त लगा। लेकिन आज जब यह सच हो चुका है, इन चुनावों में, इस निर्णायक क्षण में हमने जो हासिल किया है, वह अमेरिका के इतिहास में एक महान परिवर्तन की दस्तक है।

आज रात जो मैं आप सबके सामने खड़ा हूं, वह 16 वर्षों से मेरी सबसे अभिन्न मित्र, मेरे परिवार की सुरक्षगाह, मेरा प्रेम और इस राष्ट्र की होने वाली प्रथम महिला मिशेल ओबामा के सतत, निःस्वार्थ सहयोग के बिना कभी संभव नहीं था। साशा और मालिया, मैं तुम दोनों से इतना प्रेम करता हूं, जितनी तुम कल्पना भी नहीं कर सकतीं और तुम दोनों को एक नया पम्पी मिला है, जो हमारे साथ व्हाइट हाउस आने वाला है।

मेरी नानी मां, जिन्होंने मुझे इस लायक बनाया, जो आज मैं हूं। वो आज हमारे बीच नहीं हैं, लेकिन मैं जानता हूं कि वह मुझे देख रही हैं। मैं आज उन्हें याद कर रहा हूं और जानता हूं कि उनका यह ऋण कभी चुकाया नहीं जा सकता। लेकिन इन सबसे ऊपर जिनकी सचमुच यह विजय है उन्हें मैं कभी नहीं भूल सकता। यह विजय है आप सब लोगों की। मैं इस ऑफिस के लिए बहुत सुयोग्य उम्मीदवार कभी नहीं था। हमने इफरात धन और समर्थन से अपनी शुरुआत नहीं की। वाशिंगटन के भव्य प्रांगणों में हमारा प्रचार-प्रसार नहीं हुआ। डेस मोइनेस के पिछवाड़े और कॉन्कर्ड तथा चार्ल्सटन के बरामदों में हमारी सभाएं होती थीं। इसे उन कामगार पुरुषों और स्त्रियों ने मिलकर बनाया, जो अपनी छोटी-सी आय में से 5-10-20 डॉलर बचाकर इस उद्देश्य के लिए लगाते रहे। इसे उन नौजवानों से हौसला और ताकत मिली, जिन्होंने अपनी पीढ़ी की उदासीनता के गहरे मिथ को तोड़ा। जिन्होंने नौकरियों के लिए अपना घर-परिवार छोड़ा। नौकरियां भी ऐसी, जो उन्हें बहुत मामूली वेतन और थोड़ी-सी नींद देती थीं। इसे ताकत मिली उन लोगों से, जो अभी ठीक से युवा भी नहीं हुए थे, लेकिन जो कड़कड़ाती हुई ठंड और तपती गर्मियों में अजनबियों के दरवाजे खटखटाने का साहस रखते थे। यह विजय है उन लाखों देशवासियों की। यह विजय आप सबकी है।

मैं जानता हूं कि आपने यह सब सिर्फ चुनाव जीतने या मेरे लिए नहीं किया है। आपने यह किया, क्योंकि आपको आने वाले समय और मुश्किलों की भयावहता का अंदाजा है। कल की चुनौतियां हमारे लिए जीवन की सबसे

जबर्दस्त चुनौतियां होंगी-दो युद्ध, पूरे ब्रह्माण्ड पर मंडरा रहा खतरा और सदी की सबसे भयानक आर्थिक मंदी। जैसे हम आज यहां खड़े हैं, इराक के बियाबान और अफगानिस्तानं के पहाड़ों से बहादुर अमेरिकी उठ खड़े हो रहे हैं, जिन्होंने हमारे लिए अपना जीवन दांव पर लगाया है। आगे का रास्ता लंबा है, चढ़ाई भी कठिन है। हो सकता है लेकिन अमेरिका की तरह मुझे भी यह गहरा विश्वास है कि हम उसे जरूर हासिल करेंगे।

यह विजय ही केवल वह बदलाव नहीं है जो हम चाहते हैं। यह केवल एक ऐसा अवसर है जिससे हमें बदलाव लाना है। यह पुरानी परिपाटी पर चलने भर से बदलाव लाना है। यह आप लोगों के बगैर संभव नहीं है, यह सेवा की नई भावना के बगैर संभव नहीं है, यह त्याग के बगैर संभव नहीं है।

तो आइए हम सभी देशभक्ति की नई भावना का आह्वान करें। नए सेना-भाव और जिम्मेदारियों का आह्वान करें। सभी कठिन श्रम करें और केवल खुद के बारे में ही नहीं, बल्कि दूसरों के बारे में भी सोचें।

डेमोक्रेटिक पार्टी की इस शानदार विजय के बाद हम उस खाई को मानवता और दृढ़ संकल्प के साथ पाटने का प्रयास करेंगे जो हमारी प्रगति में बाधा बनी हुई है। जैसा कि एक बार अब्राहम लिंकन ने कहा था, 'हम शत्रु नहीं, मित्र हैं.... भावनाओं के ज्वार में हमारे स्नेह के बंधन नहीं टूटने चाहिए'। मैं उन अमेरिकियों, जिन्होंने मुझे भले ही वोट नहीं दिए हों, से कहना चाहूंगा कि मैं उनका भी राष्ट्रपति हूं, उनके समर्थन की भी मुझे दरकार रहेगी।

दुनिया के वे लोग जो इस समय हमारी ओर देख रहे हैं उनसे मैं कहना चाहूंगा कि भले ही हमारी और उनकी कहानियां अलग-अलग हों, लेकिन सबकी नियति एक ही है। अमेरिका में एक नए नेतृत्व का उदय हुआ है। जो ताकतें इस दुनिया को नीचा दिखाने का प्रयास करेंगी, उन्हें हम हराएंगे। जो शांति और सुरक्षा चाहेंगे, उन्हें हम सहयोग करेंगे। यह बात एक बार फिर साबित हो गई है कि आखिर अमेरिका का प्रकाश स्तंभ आज भी क्यों चमक रहा है। हमारी वास्तविक शक्ति हथियारों या धन-दौलत में नहीं है, बल्कि लोकतंत्र, स्वतंत्रता, अवसर और उम्मीद जैसे आदर्शों में है। आज तक हमने जो हासिल किया है, उससे इस बात की उम्मीद बनती है कि हम क्या हासिल कर सकते हैं।

इस बार के चुनावों में कई बातें ऐसी हुई हैं, जो इससे पहले कभी नहीं हुई। इससे कई ऐसी कहानियां जुड़ी हैं, जो आने वाली पीढ़ियों को सुनाई जाती रहेंगी। इस समय मेरे दिमाग में एक महिला की छवि कौंध रही है जो एटलांटा में वोट देने के लिए लाइन में खड़ी थी। 106 वर्ष की एन निक्सन कूपर एक सदी का समय देख चुकी हैं। वह तब पैदा हुई थीं, जब बहुत अधिक कारें नहीं थीं, न आकाश में बहुत अधिक विमान हुआ करते थे। उस समय दो वजहों से निक्सन जैसे लोग वोट नहीं डाल पाते थे-एक, उनका महिला होना और दूसरा, उनकी त्वचा का रंग। इस रात मैं सोचता हूं कि इस महिला ने एक सदी में काफी कुछ देख लिया है। दिल में उम्मीद की किरण से लेकर पीड़ा के नासूर तक, संघर्ष से लेकर प्रगति तक। उसने वह समय भी देखा जब महिलाओं की आवाज दबाई जाती थी और यह समय भी जब महिलाएं अपनी आवाज बुलंद कर सकती हैं, वोट दे सकती हैं। इतने सालों में उसने अमेरिका का सर्वश्रेष्ठ समय भी देखा और बदतर समय भी। वह जानती हैं कि कैसे अमेरिका बदल सकता है। जी हां, हम अमेरिका को बदल सकते हैं।

अमेरिका बहुत लंबा समय तय कर चुका है, इस दौरान हम कई चीजें देख चुके हैं, लेकिन इसके बावजूद ऐसे कई कार्य हैं जिन्हें अभी करना बाकी है। जो इस रात हम सभी को खुद से यह सवाल जरूर पूछना चाहिए कि अगर हमारे बच्चे अगली सदी देखने के लिए जीवित रहते हैं, अगर मेरी बेटी उतनी ही भाग्यशाली रहती है, जितनी कि एन निक्सन कूपर रही हैं, तो वे क्या बदलाव देखेंगे? तब तक हम कितनी प्रगति कर सकेंगे।

यही मौका है जब हम इस सवाल का जवाज दे सकते हैं। यह ऐसा समय है जब हम लोगों को फिर से काम पर लगाकर, हमारे बच्चों के लिए अवसरों के दरवाजे खोलकर, शांति व समृद्धि को बनाए रखकर और इस मूलभूत सत्य को स्थापित करके कि हम सब एक हैं, अमेरिकी सपनों का सच कर सकते हैं।

धन्यवाद, हम सभी पर और अमेरिका पर ईश्वर की कृपा बनी रहे।

और पूरा हुआ मार्टिन लूथर किंग का सपना

अश्वेत अधिकारों के लिए लड़ने वाले, मानवाधिकारों के पैरोकार और अमेरिका के महान अश्वेत नेता मार्टिन लूथर किंग ने साठ के दशक में एक

सपना देखा था। श्वेत और अश्वेतों को एक जैसे अधिकार मिलें। साठ के दशक से पहले तक अमेरिका में अश्वेतों को श्वेतों के बराबर नहीं माना जाता था। वे कई अधिकारों से वंचित थे। किंग द्वारा चलाए गए कई अभियानों के बाद बराबरी का दर्जा तो मिला, लेकिन व्हाइट हाउस फिर भी सपना ही रहा। लूथर के लगभग आधी शताब्दी बाद अश्वेत बराक ओबामा ने अमेरिका की सबसे बड़ी कुर्सी तक पहुंचकर उनका यह सपना पूरा किया।

रिकॉर्ड मतदान

अमेरिका में 2008 के राष्ट्रपति चुनावों में रिकॉर्ड मतदान हुआ। चुनाव अधिकारियों के अनुसार 13 से 14 करोड़ लोगों ने मतदान किया। जबकि 2004 में यह संख्या 12.1 करोड़ थी। अमेरिकी इतिहास में यह अब तक की बड़ी संख्या होगी। इन चुनावों में लगभग 64 फीसदी मतदाताओं ने मत डाला। यह संख्या 1960 के जॉन कैनेडी व रिचर्ड निक्सन के मुकाबले लोगों ने मतदान किया था। उन चुनावों में भी लगभग 63.8 फीसदी लोगों ने मतदान किया था। हालांकि इससे पहले 1908 में 65.7 फीसदी लोगों ने मतदान किया था, लेकिन उस समय महिलाओं को मतदान का अधिकार नहीं था। कुछ राज्यों में 70 से 80 फीसदी तक मतदान हुआ। साउथ डकोटा में 70 से 75 फीसदी लोगों ने मतदान किया। नेवाडा में तो 80 फीसदी मतदाता मत देने पहुंचे।

1963 में क्या कहा था मार्टिन लूथर किंग ने

मेरे दोस्तों मैं आपसे कह रहा हूं कि अभी हमारी समस्याएं काफी ज्यादा हैं, कल भी होंगी, फिर भी मेरे पास सपना है। यह ऐसा है, जिसकी जड़ें अमेरिकी सपने में बड़ी गहरी हैं। मेरा सपना है कि एक दिन यह देश उठेगा और अपने इस सिद्धांत का सही अर्थ समझेगा कि हमारे सत्य स्वतः स्पष्ट है: हर व्यक्ति समान है। मेरा सपना है जार्जिया की लाल पहाड़ियों पर पुराने दासों की संतानें और उनके मालिकों की संतानें बंधुत्व के दृष्टिकोण को साथ लेकर बैठेंगी। मेरा सपना है कि मिसीसिपी नाम का राज्य, जो अन्याय की आग से तप रहा है, दमन की गर्मी से दहक रहा है, वह एक दिन स्वतंत्रता व न्याय की मरुस्थल के बीच रससब्ज जगह की तरह विकसित हो जाएगी। मेरा सपना है कि मेरे चारों बच्चे ऐसे देश में जियेंगे, जहां उन्हें त्वचा के रंग के आधार पर नहीं बल्कि चरित्र के आधार पर परखा जाएगा।

व्हाइट हाउस का रंग बदलने आए ओबामा

पिछले कई सालों से किताबों में दर्ज इतिहास बुधवार सुबह (भारतीय समयानुसार) बदल गया। दुनिया के सबसे ताकतवर मुल्क के 219 साल के अतीत में पहली बार किसी अश्वेत शख्स ने राष्ट्रपति चुनाव में जीत को गले लगाने का सौभाग्य हासिल किया। दुनिया के तमाम अश्वेत लोग जिस पल का इंतजार कर रहे थे, वह आ ही गया।

व्हाइट हाउस पर कब्जा जमाने वाले पहले अफ्रीकी-अमेरिकी राष्ट्रपति बनकर इतिहास की नई इबारत लिखने वाले बराक ओबामा ने सबसे पहले पप्पी लाकर अपनी बेटियों से किया वादा पूरा किया। वैसे भी यह वादा पूरा करना उनके समक्ष खड़ी सभी प्रतिबद्धताओं में सबसे आसान था। प्रतीकात्मक ताकत को वास्तविकता के साथ मिलाने की चुनौती और दुनिया के सबसे ताकतवर मुल्क को शांति एवं विकास के पथ पर आगे बढ़ाने का काम उनकी गंभीरता को और मजबूत बनाएगा। ओबामा की यह जीत लाखों अफ्रीकी-अमेरिकियों के लिए क्या मायने रखती है। यह रेवरेंड जैसे जैक्सन का मौन चेहरा देखकर अंदाजा लगाया जा सकता था जो उत्सुकता, चिंता और मौन अंततः उल्लास की मिश्रित भावनाओं में हिचकोले खाने के बाद आंसुओं के समंदर में डूब गया। ये वे लोग थे जो नतीजों की घोषणा के बाद टेलिविजन पर नजरें गड़ाए बैठे थे क्योंकि उनके पसंदीदा नेता ओबामा राष्ट्र को संबोधित करने वाले थे। उम्मीद की यह चमक अकेले अफ्रीकी मूल के लोगों की ही आंखों में नजर नहीं आई। लाखों श्वेत, हिपेनिक और एशियाई लोगों के लिए यह देश को लंबे वक्त से तंग करने वाली जातीय ताल्लुकात में पड़ी गांठ खुलने की आस बांधने वाला पल था। हालांकि चुनाव के नतीजे अकेला ऐसा इम्तहान नहीं है जिससे ओबामा को गुजरना था। भले ही रिपब्लिकन सीनेटरी जौन मैक्केन के खिलाफ उनकी जीत (349-163) बेहतरीन, महत्वपूर्ण और अभूतपूर्व रही हो लेकिन इससे आगे की राह में खड़ी मुश्किलें कम नहीं होती। शुरुआत में ही उन्हें वित्तीय बवंडर में जार-जार हुए वित्तीय तंत्र, अमेरिकी और वैश्विक अर्थव्यवस्था को दोबारा उसके पैरों पर खड़ा करने की मुश्किल से दो-चार होना है। ओबामा के लिए दुनिया, खास तौर से खाड़ी मुल्कों और मुस्लिम जगत में कमजोर पड़ी अमेरिका की स्थिति को फिर पुराने स्थान पर ले जाना दूसरी बड़ी चुनौती होगी।

हालांकि ओबामा ने आगाज बढ़िया किया है। जीत के बाद अपने भाषण में उन्होंने अब्राहम लिंकन को उद्दृत करते हुए कहा, 'हम दुश्मन नहीं बल्कि दोस्त हैं.... जोश में भले ही खिंचाव आ गया हो, लेकिन इससे चाहत के हमारे रिश्ते नहीं टूटने चाहिए।' ओबामा ने यह कथन जितना दुनिया भर के श्रोताओं के लिए इस्तेमाल किया, उतना ही संजीदा इशारा अपने देशवासियों की ओर किया। ओबामा कहां से शुरुआत करेंगे?

हो सकता है वह गुआंतानामो बे के कुख्यात जेल के दरवाजे बंद कर अमेरिका के राष्ट्रपति की कुर्सी से नया संदेश देना चाहें। ऐसा भी हो सकता है वह इराक से अमेरिकी सैनिकों की वापसी की प्रक्रिया की गति बढ़ाकर और अफगानिस्तान में राष्ट्र-निर्माण प्रक्रिया को मजबूत बनाने के साथ इसकी शुरुआत करें। यह भी हो सकता है कि वह अमेरिका के दिवालिया होते वित्तीय तंत्र के लिए ढांचे में बड़ा बदलाव लाकर कुछ खास करें। दूसरे मुल्कों की तरह भारत की नजरें भी ओबामा पर टिकी होंगी। अमेरिका के 44वें राष्ट्रपति चुने गए ओबामा भारत को रणनीतिक साझेदार के तौर पर देखते हैं।

बराक ओबामा की जीत, पाक की बढ़ी उम्मीद

पाकिस्तान में अफगानिस्तान के रास्ते अमेरिकी मिसाइल हमले जारी हैं। हमलों में अब तक 80 लोग मारे जा चुके हैं। अमेरिका की नजर लादेन पर है और उसे यकीन हो चला है कि वह उन्हीं इलाकों में छिपा बैठा है। पाक संसद ने प्रस्ताव पारित कर एक तरह से अमेरिका को भरोसा दिलाने की कोशिश की है कि उसकी ईमानदारी पर शक न किया जाए।

अमेरिका राष्ट्रपति चुनाव में डेमोक्रेट बराक ओबामा की जीत के बाद पाकिस्तान सरकार को उम्मीद है कि उसके प्रति अमेरिकी विदेश नीति में बदलाव आएगा और अफगान-पाक सीमा इलाके में अमेरिकी ड्रोन विमानों के हमले बंद हो जाएंगे, लेकिन इसकी उम्मीद कम नजर आ रही है। राष्ट्रपति के चुनाव के बाद उत्तरी वजीरिस्तान में 6 नबंबर को ही अमेरिकी ड्रोन विमानों द्वारा दागे गए मिसाइल हमले में 13 लोगों का मारा जाना यही साबित करता है।

पाक संसद ने राष्ट्रीय सुरक्षा नीति की समीक्षा करने और देश में शांति एवं स्थापित्व कायम करने के लिए आतंकवाद से निपटने की रणनीति को नये सिरे

से तय करने के लिए एक 14 सूत्री प्रस्ताव पास किया। संसद के दोनों सदनों के संयुक्त सत्र ने, जिसमें मीडिया और जनता को जाने की इजाजत नहीं थी, 15 दिन चली एक लम्बी बहस के बाद यह प्रस्ताव सर्वसम्मति से पास किया। प्रस्ताव में संघर्ष का हल निकालने के लिए बातचीत को सबसे ज्यादा महत्व दिये जाने पर जोर दिया गया, उन लोगों की हौसला अफजाई की जाएगी, जो संविधान को स्वीकार करते हैं। प्रस्ताव में सुरक्षा की समीक्षा करने पर बल दिया गया, जिससे एक स्वतंत्र विदेश नीति के आधार पर देश की एकता व स्थायित्व सुनिश्चित किया जा सके। इसके साथ सरकार से देश की सीमाओं के अंदर विदेशी हमले और विदेशी सैनिकों को आने से रोकने का आग्रह भी किया गया।

अफगानिस्तान में तैनात अमेरिकी और नाटो सेनाओं की ओर से पाक के कबायली इलाकों को मिसाइल हमले संबंधी प्रस्ताव में कहा गया कि सम्प्रभुता की रक्षा की जाएगी। यह भी कहा गया कि पाक जमीन का इस्तेमाल किसी अन्य देश पर हमले के लिए नहीं किया जाएगा। प्रस्ताव में मुशर्रफ के कार्यकाल को तानाशाही का दौर करार देते हुए उन पर राष्ट्रीय हितों की अनदेखी कर अपनी ताकत मजबूत करने का आरोप लगाया गया। यह पहली बार हुआ है कि पाक संसद ने सर्वसम्मति से आतंकवाद की निन्दा करते हुए माना कि यह देश की सम्प्रभुता के लिए जबरदस्त खतरा है और इसका मुकाबला करने के लिए सरकार ने उचित कदम उठाने का फैसला कर लिया है। प्रस्ताव के ठीक छह घंटे के अंदर वजीरिस्तान में दो अमेरिकी मिसाइल हमले हुए, जिनमें कम से कम आठ लोग मारे गए और कई घायल हुए। ये हमला मौलाना जलालुद्दीन हक्कानी के मदरसे और घर के करीब हुआ। एक माह के दौरान 13 मिसाइल हमले हो चुके हैं, जिनमें करीब 80 लोग मारे जा चुके हैं।

आम राय है कि पाक की मौजूदा सरकार मुशर्रफ सरकार से भी ज्यादा अमेरिका का साथ दे रही है। हर बार ऐसे हमलों के बाद सरकार की तरफ से घिसा-पिटा बयान आता है कि ऐसे हमले बर्दाश्त नहीं किए जाएंगे। जनरल कियानी भी कह चुके हैं कि ऐसे हमलों को किसी भी सूरत में सहन नहीं किया जाएगा। पाक में ऐसे लोगों की भी कमी नहीं, जो मानते हैं कि ये हमले

मुशर्रफ के राष्ट्रपति रहते हुए किसी गुप्त समझौते के तहत किए जा रहे हैं। जनता का मानना है कि मुशर्रफ को संसद के संयुक्त सत्र में बुलवा कर इस बारे में पूछा जाना चाहिए था। अगर ऐसा समझौता हुआ है, तो उसको संसद के सामने पेश किया जाना जरूरी था, ताकि जनता को सच्चाई का पता चल सके। यह भी कहा जा रहा है कि अलग-अलग राय रखने वाले सांसदों के बीच 14 बिंदुओं पर हुई सहमति स्पष्ट नहीं है। इसलिए इस पर अमल मुश्किल है। उधर अमेरिका तालिबान और अलकायदा से बातचीत का विरोध करता है। विदेश नीति में बदलाव को लेकर भी आशंका है कि इस प्रस्ताव के आधार पर पाक को आतंकवाद के खिलाफ जारी अन्तरराष्ट्रीय मुहिम से बाहर होना पड़ेगा। पाक में ऐसे लोग हैं, जो खुलेआम कहते हैं कि पाक फौंज को अमेरिका व नाटो हमलों को रोकने के लिए जवाबी कार्रवाई करनी चाहिए। तभी उन्हें यकीन होगा कि सरकार संसद के प्रस्ताव पर अमल करने में यकीन रखती है।

तस्वीर का एक पहलू यह है कि पाक फौज ने अफगान सीमा से लगे बाजौर क्षेत्र में तालिबान के महत्वपूर्ण लोईसास स्थित गढ़ पर कब्जा कर लिया है। ये कब्जा दो महीने की घमासान सैन्य कार्रवाई के बाद हुआ है। इसलिए मांग हो रही है कि प्रस्ताव के तहत फौज को कैम्पों में वापस जाना चाहिए। मुल्ला उमर कह चुके हैं कि अगर फौज को वापस बुला लिया जाए, तो हम हथियार छोड़कर बातचीत के लिए तैयार हैं। इन दिनों देखा जा रहा है कि इस क्षेत्र के लोग तालिबान के जुल्मों से आजिज आ चुके हैं, उनके अनुसार, तालिबान ने अलकायदा का साथ देकर हमारी जिंदगी जहन्नुम बना दी है। इसका मुकाबला करने के लिए कबायली इलाकों में तालिबान के खिलाफ लश्कर खड़े हो रहे हैं। इसका मुकाबला करने के लिए कबायली इलाकों को हथियार से लैस करना है, ताकि वे चरमपंथियों से खुद ही मजबूती से लड़ सकें। लेकिन पाक को इस मामले में सर्तकता बरतनी होगी क्योंकि कहीं ये कबायली आगे चलकर पाक के खिलाफ ही न हो जाएं। समय आ गया है कि पाक पारित प्रस्ताव पर तुरन्त अमल शुरू करे। विपक्ष के नेता नवाज शरीफ ने लाहौर के पार्टी सचिवालय में कार्यकर्ताओं से कहा कि देश में फैले आतंकवाद के कारण लोग सरकार की नीतियों से ऊब चुके हैं और मध्यावधि चुनाव चाहते हैं।

पाक गम्भीर आर्थिक संकट से भी जूझ रहा है। वह कई देशों से कर्ज लेने के लिए सम्पर्क कर रहा है, लेकिन उसे कोई सफलता नहीं मिल रही है। शायद उसके पास अब कोई चारा नहीं रह गया है कि उसे आईएमएफ की कड़ी शर्तों पर कर्ज लेना पड़े। विदेशी पूंजी निवेश बिल्कुल बंद है। पाक के पास तीन अरब डॉलर ही बचा है, जिससे 30 दिन आयात हो सकता है। उसे तत्काल चार अरब डॉलर की दरकार है। पाक को उम्मीद है कि उसे आईएमएफ से सालाना 16.7 प्रतिशत की दर से सूद मिल सकता है। चीन भी देर-सवेर पाक को कुछ कर्ज दे सकता है। 'द डेली न्यूज' के अनुसार आईएमएफ की मदद लेने के लिए पाक को अगले चार माह में अपने रक्षा बजट में 30 प्रतिशत की कटौती करने के साथ ही पेंशन की शर्तों वाली सरकारी व अर्द्धसरकारी विभागों की नौकरियों की संख्या साढ़े तीन लाख से घटाकर 1.2 लाख तक करनी होगी। बिजली और गैस के संकट ने भी सरकार को हिला दिया है। सीमांत प्रान्त में आटा 50 रुपये किलो बिक रहा है। लोगों का आरोप है कि पंजाब सरकार उन्हें गेहूं की सप्लाई कम कर रही है। मुद्रास्फीति की दर 25 प्रतिशत है। बलूचिस्तान और सिंध के लोगों ने धमकी दी है कि अगर पंजाब गेहूं की पर्याप्त सप्लाई नहीं करता तो वे पंजाब को गैस और बिजली देना बंद कर देंगे। पाक में पहले ही बिजली का गंभीर संकट है। वहां इस समय 45000 और 50000 मेगावाट बिजली की कमी है। सरकार बदतर हालात पर काबू पाने में असफल साबित हो रही है। अगर हालात न सुधरे, तो पाक की शायरा परवीन शाकर का ये कहना देर-सवेर सही साबित होगा

खलकत नहीं है साथ तो फिर बख्त भी नहीं,

कुछ दिन यही रहेगा तो ये तख्त भी नहीं।

ओबामा की जीत का मतलब

इस बार अमेरिकी राष्ट्रपति के चुनाव में जो रोमांच और उत्साह था, वह शायद ही पहले कभी वहां देखा गया हो। सिर्फ अमेरिका ही नहीं समूची दुनिया भी मानो इस महाचुनाव में गर्मजोशी से भाग ले रही थी। इसलिए विश्व के सबसे ताकतवर देश में 44वें राष्ट्रपति का चुनाव कई मायनों में अभूतपूर्व कहा जा सकता है।

एक ऐसे देश में जहां नस्लवाद का बोलबाला हो, जहां महिलाओं को अभी भी लगभग दोयम दर्जे का स्थान प्राप्त हो, गैर ईसाइयों के साथ भेदभाव होता हो, यहां तक कि कैथोलिक ईसाई का राष्ट्रपति बनना भी वहां की बहुसंख्यक जनता को स्वीकार न हो, वहां एक अश्वेत अफ्रीकन-अमेरिकन का सत्ता के सर्वोच्च पद पर आसीन होना वाकई ऐतिहासिक ही कहा जाएगा।

आज अमेरिका जिस आर्थिक सामाजिक और राजनीतिक संकट के मोड़ पर खड़ा है, वहां से उसे सफलतापूर्वक निकाल कर आगे ले जाने के लिए जिस जादुई, युवा, ऊर्जा से भरपूर और क्षमतावान हीरो की जरूरत थी, वह सबकुछ ओबामा में मौजूद है। अमेरिकी जनता ने इसे चुनाव प्रक्रिया के आरंभ में ही भांप लिया था।

इसके अलावा बुश और उनके पूर्ववर्ती राष्ट्राध्यक्षों की धौंस-पट्टी वाली नीतियों के चलते दुनिया के अधिकांश देश खास करके तीसरी दुनिया के मुल्क, अमेरिका से सशक्ति, त्रस्त और सतर्क होकर रहने लगे थे। इस कारण उसको विश्व समुदाय से अलग-थलग पड़ जाने का खतरा झेलना पड़ रहा था। इससे उसे उबार कर पुनः महाशक्ति बनाने के लिए वहां जिस लोकप्रिय व्यक्तित्व की दरकार थी, वह ओबामा में है। उन्होंने शुरू में ही साबित कर दिया था कि वे उस पर खरा उतरेंगे।

यही नहीं, भीषण आर्थिक मंदी की त्रासदी को झेल रहे अमेरिका को एक ऐसे कठोर, परिवर्तनकारी विचार वाले स्वप्रदर्शी राष्ट्रपति की जरूरत थी, जो सिर्फ अमेरिका ही नहीं बाकी दुनिया में भी पसंद किया जा सके। बराक ओबामा में वह सारी खूबियां हैं, जो उन्हें महानायक बना सकता है। यहां तक कि उनका मुस्लिम परिवार से होना तो सोने पर सुहागा जैसा है। यह चोट खाये मुस्लिम जनसमुदाय को भी विश्वास में लेकर अपनी ओर खींच सकता है। और आज यह अमेरिका की बहुत बड़ी जरूरत है।

शीतयुद्ध के समय से साम्राज्यवादी कर्णधारों की प्रभुतावादी नीतियों के चलते अधिकांश मुस्लिम देश अमेरिका को अपना हितैषी नहीं मानते हैं। परन्तु इधर उसने, खास करके बुश के शासन ने, जिस प्रकार से न सिर्फ अपने यहां बल्कि यूरोप, आस्ट्रेलिया, एशिया सहित दुनिया के अधिकांश हिस्सों में मुस्लिम जनता को आतंकवाद का पर्याय बनाकर उनके खिलाफ सुनियोजित

मुहिम चलाई है, उससे सिर्फ मुस्लिम ही नहीं अधिकांश विश्व समुदाय आज अमेरिका की लानतमलामत कर रहा है। अमेरिका को इस हिकारत से भी जितना जल्दी हो सके निजात पाना है।

इसके अलावा अपनी चरमराती हुई अर्थव्यवस्था को भीतर से ही दुरुस्त करके स्वस्थ करना आज अमेरिका के सामने बहुत बड़ी चुनौती है। और किसी भी नये राष्ट्रपति को इससे निपटने के लिए कई कठिन और अलोकप्रिय फैसले करने होंगे। 'उन्मुक्त बाजार' और 'एकल-विश्व' की सीमाओं में रहते हुए नई व कठिन आर्थिक नीतियों-सुधारों को सफलतापूर्वक लागू करा पाने के लिए एक लोकप्रिय व सर्व-स्वीकार्य राष्ट्रपति की जरूरत थी, जिस पर भरोसा किया जा सके। इसके लिए भी ओबामा से बेहतर और कौन हो सकता था?

बाकी दुनिया के देश भी ओबामा की जीत से काफी खुश हैं। उन्हें लगता है कि अब अमेरिका में बड़ा बदलाव आने वाला है। और अब उसके खेमे में जाने या रहने वालों को भी इससे बहुत फायदा होगा। कुछ लोग तो ओबामा की जीत से इतने उत्साहित व आशान्वित हो गये हैं कि वे अब वहां समाजवाद की स्थापना का सपना देखने लगे हैं।

उन्हें लगता है कि अब अमेरिका में क्रांतिकारी बदलाव हो जायेंगे। वहां नस्लवाद खत्म हो जायेगा और समता-समानता का राज्य स्थापित होगा। पर क्या ऐसा वाकई होगा? क्या आतंकवाद के नाम पर तीसरी दुनिया को अपने आधिपत्य में लेने के लिए उन पर जबरन युद्ध नहीं थोपा जायेगा?

क्या अब अमेरिका नाभिकीय अप्रसार, ग्लोबल वार्मिंग, मुक्त बाजार की व्यापारिक नीतियों और आतंकवाद पर पारदर्शी और अति मानवीय हो जायेगा? आंख मूंद कर इनकी आस लगाना ओबामा की जीत को 'ओवर-एस्टीमेट' करना होगा। हमें यह नहीं भूलना चाहिए कि ओबामा किसी जन-संघर्ष या सांस्कृतिक आंदोलन की गर्भ से तप कर नहीं निकले हैं। वे अमेरिकी व्यवस्था के कर्णधार हैं और उन्हें संकटग्रस्त अमेरिका को मुश्किलों के भंवर से निकाल कर फिर से 'महान' और 'सबसे ताकतवर' बनाना है। यही उनके सम्मुख सबसे बड़ी चुनौती है। उन्हें यह भी देखना है कि इन चुनौतियों का सामना वे अपनी लोकप्रियता खाये बगैर कितनी कुशलता से कर पाते हैं।

अमेरिका की जीत अमेरिकी इतिहास में महत्त्वपूर्ण मोड़

सच पूछा जाए तो ओबामा की जीत को अमेरिका में 21वीं सदी की शुरुआत मान सकते हैं। इसके पहले अभी तक अमेरिका की नीति घरेलू और अंतरराष्ट्रीय दोनों ही स्तरों पर पिछली नीतियों की निरंतरता के रूप में थी। अमेरिका कई मोर्चों पर जिस संकट से जूझ रहा है उससे वह नए सिरे से बनाई गई रणनीति से निपट सकता है, यह लोग समझ रहे हैं।

चुनाव अभियान के दौरान रिपब्लिकन जॉन मैक्केन अर्थव्यवस्था और अन्य मुद्दों पर जहां चुप रहे, वहीं ओबामा अपने भाषणों में इस पर विस्तार से गए। यह एक बड़ी वजह थी जिसकी वजह से लंबा राजनीतिक अनुभव होने के बावजूद मैक्केन अपना असर नहीं पैदा कर सकें। जबकि पांच-छह साल पहले तक अमेरिकी राजनीति में गुमनाम रहे व पिछली बार सीनेटर बने ओबामा ने कम पैसों और थोड़े से कार्यकर्ताओं के साथ जो अभियान शुरू किया उसमें उन्होंने अमेरिकी राजनीति के दो दिग्गज परिवार क्लिंटन और मैक्केन को धराशाई कर दिया।

राजनीति और कूटनीति से अलग राजनीतिक नेतृत्व के साथ आम जनता की संवेदनाएं और भावनाएं कई अन्य स्तरों पर भी जुड़ी रहती हैं। इस चुनाव में ओबामा राष्ट्रपति पद के उम्मीदवार के रूप में ही नहीं थे। वे रंगभेद और जीतीय भेदभाव से कई दशकों से गुजरे अमेरिकी समाज के शोषित वर्ग का प्रतिनिधित्व कर रहे थे। अल्पसंख्यक वर्ग के थे। इस साल श्वेत मतदाताओं की संख्या 75 फीसद थी। बाकी में अश्वेत, एशियन, लातीनी अमेरिकी मतदाता हैं। 2008 में जो नए मतदाता बने उनमें 55 फीसद श्वेत और 20 फीसद अश्वेत थे। ओबामा दुनिया भर के उन लोगों के रोल माडल बन गए, जो अपनी मेहनत, लगन, आत्मबल से उन संगठित ताकतों का सामना कर ऊपर उठना चाहते हैं जिनके पास पूंजी है, पीढ़ियों से विरासत में मिली राजनीतिक ताकत है।

नए नेतृत्व की पहली बाधा

44वें राष्ट्रपति बराक ओबामा एक ऐसी अर्थव्यवस्था को संभालने जा रहे हैं जो निश्चित रूप से मंदी की गिरफ्त में निकल जाएगा। उनके कार्यकाल का

पहला भाग इससे निपटने में निकल जाएगा, लेकिन इससे भी बड़ा पेंच यह है कि अमेरिका अपनी अर्थव्यवस्था की गाड़ी चलाने के लिए लंबे समय से विदेशी निवेशकों पर निर्भर रहा है। इसका नतीजा यह है कि अमेरिका को खरीदा जा रहा है। देश को ऐसी निर्भरता से मुक्त करना उसके आर्थिक पतन को रोकने से भी कठिन है। चक्रीय समस्याएं अंततः स्वतः हल हो जाती हैं, ढांचागत समस्याएं नहीं। अब इस चक्र की भयावहता नजर आनी शुरू हो गई है। हालात तेजी से बिगड़ने लगे हैं। सितंबर तक यूरोप की तुलना में अमेरिका वैश्विक गिरावट से बेहतर ढंग से उबरता नजर आ रहा था, किंतु अब अमेरिकी अर्थव्यवस्था दीवार से टकरा गई है। यह विरासत आघातकारी है। उपभोक्ता खर्च में कटौती कर रहे हैं, मकान की कीमतें अब भी गिर रही हैं, कंपनियों को पैसा जुटाने में मुश्किल पेश आ रही है, जिस कारण उन्होंने निवेश पर अंकुश लगा लिया है। बेरोजगारी बढ़ रही है, और नए राष्ट्रपति के सामने एक व्यावहारिक दिक्कत यह खड़ी हो गई है कि सरकार का घाटा गुब्बारे की तरह फूलता जा रहा है। फेडरल रिजर्व बैंक ने रातोंरात ब्याज दरें घटाकर इन्हें एक प्रतिशत तक गिरा दिया, लेकिन इससे बड़ा अंतर नहीं पड़ रहा है। इन हालात से निपटने के लिए अब अधिक साधन-संसाधन भी नहीं बचे हैं। अगर एक प्रतिशत की ब्याज दर भी अर्थव्यवस्था को नहीं संभाल पा रही है तो फिर आधा या जीरो फीसदी कर देने से क्या हासिल हो जाएगा? अर्थव्यवस्था की इस खौफनाक अवस्था के कारण अमेरिकियों में गुस्से और भय, दोनों की लहर है। गुस्सा वाल स्ट्रीट की ज्यादतियों और मूर्खताओं को लेकर है और भय इसलिए कि आपदा का दैत्य वित्तीय समुदाय से बाहर निकलकर वास्तविक अर्थव्यवस्था में घुस गया है और सीधे-सीधे जनता को त्रस्त कर रहा है। इस डर से उपभोक्ताओं के विश्वास पर कुठाराघात हुआ है।

अमेरिका में अक्टूबर 2008 में कारों की बिक्री पिछले 2007 साल इसी माह की तुलना में 31 प्रतिशत गिर गई। यह महीना 1991 के बाद से सबसे खराब गुजरा। जनसंख्या वृद्धि को समायोजित करने के बाद तो यह माह 1950 के बाद से सबसे गया-गुजरा रहा। इसलिए नए राष्ट्रपति के सामने पहली चुनौती तो यह होगी कि वह अमेरिकी जनता के विश्वास को कायम करें। 1933 में सत्ता संभालने के बाद फ्रेंकलिन रूजवेल्ट को विश्व की सबसे अधिक भयानक मंदी का सामना करना पड़ा था। अपने पहले संबोधन में

उन्होंने जो कुछ कहा था वह यहां उद्धरित करने लायक है, "सर्वप्रथम तो मैं अपना पक्का विश्वास जताना चाहता हूं कि जिस एकमात्र चीज से हमें डरना है वह है डर। हमें ऐसे अनाम, अतार्किक, अन्यायपूर्ण भय से डरना है जो आगे बढ़ने के प्रयासों को लकवाग्रस्त कर देता है"। 1930 की नीतियों के स्मरण को साधुवाद कि अमेरिकी सत्ता और साथ ही विश्व की अधिसत्ताएं तुरंत सक्रिय होकर बैंकों को बचाने का उपक्रम करने लगीं ताकि लोगों की गाढ़ी कमाई डूब न जाए। इसके साथ ही बैंकों में नगदी का प्रवाह बढ़ाने के उपाय भी किए गए, जिससे वे परिचालन जारी रख सकें।

वित्तीय संस्थान संकट से सर्वाधिक प्रभावित हुए हैं, फिर भी उन्हें उबारना मुश्किल से ही शुरू हो पाया है। असली अर्थव्यवस्था अभी भी परिवर्तशील है और यह रफ्तार तेजी पकड़ती जा रही है। नए राष्ट्रपति के पास इस संकट से बचने के लिए कोई जादू की छड़ी नहीं है। हम जहां हैं, वहीं हैं। बराक ओबामा जिन समस्याओं का सामना करने जा रहे हैं उनमें से एक इस उम्मीद को जिंदा करना है कि अमेरिका का नया प्रशासन देश के आर्थिक हालात से निपटने में तत्परता दिखाएगा और ठोस उपाय करेगा। लेहमन ब्रदर्स जैसी घटनाओं की पुनरावृत्ति न हो, इसका उपाय करना होगा। सौभाग्य से, अर्थव्यवस्थाएं संकट से खुद-ब-खुद उबर जाती हैं।

अमेरिकी अर्थव्यवस्था के लिए 2009 बहुत कठिन सिद्ध होगा। इसमें निश्चित रूप से अर्थव्यवस्था सिकुड़ेगी, किंतु 2010 में इसके उबरने की अच्छी-खासी उम्मीद की जा सकती है। कुछ ही समय में अमेरिका में मकानों की कीमतें अपने निम्नतम स्तर को छूकर फिर से ऊपर उठने लगेंगी और बैंक भी पूंजीगत पुनर्गठन के बाद ऋण देने की स्थिति में आ जाएंगे। अर्थव्यवस्था उबरेगी और यह क्रम नए प्रशासन के कार्यकाल में जारी रहेगा। कुछ और भी बिंदु हैं। पिछले 15 वर्षों से अमेरिकी अर्थव्यवस्था अपनी चादर से बारह पांव पसार रही है। यह चालू खातों के बड़े घाटे से स्पष्ट हो जाता है। यह ब्रिटेन के वृहत्तर आनुपातिक मापदंडों से भी अधिक विशाल राजकोषीय घाटे में भी नजर आता है। अमेरिका के मामले में यह घरेलू बचत के निम्न स्तर से भी परिलक्षित होता है, जो करीब-करीब शून्य तक पहुंच गई है। अमेरिका 'ऋण और बड़े ऋण' की नीति पर इसलिए चल सका, क्योंकि अन्य देश उसे उधार

देने को तैयार थे। यह बड़ी अजीबोगरीब बात है कि विश्व की सबसे बड़ी अर्थव्यवस्था और उच्चतम जीवन स्तर वाले नागरिकों के बावजूद उसे कामकाज चलाने के लिए ऋण लेना पड़ रहा है। आर्थिक प्रतिद्वंद्वी चीन और मध्य एशिया के अस्थिर चित्त वाले कुछ देशों से ऋण लेना कूटनीतिक दृष्टि से उचित नहीं है। इसमें कोई तुक नहीं है कि चीन के ऋण का उपयोग शापिंग माल में सस्ता माल भरने में किया जाए। अमेरिकी जनता फालतू उपभोक्ता उत्पादों पर खर्च करके बर्बाद हो गई है और अमेरिका चीन को अपनी कंपनियां और अन्य संपत्तियां बेचने की बाध्यता के कारण बर्बाद हो सकता है। अमेरिका में निवेश के मुकाबले उपभोग 70 फीसदी है, किंतु यह मात्र आर्थिक मुद्दा नहीं है। यह सामाजिक मुद्दा है। सवाल यह है कि आप दूसरों पर निर्भर हैं या खुद पर? अमेरिका की अर्थव्यवस्था विशाल, लचीली और शक्तिशाली रही है, किंतु आनंदातिरेक में इसने अपनी ताकत को घटा दिया है। नए राष्ट्रपति को देश को टिकाऊ भविष्य की ओर ले जाना होगा।

क्यों बेचैन हों हम?

कश्मीर के संदर्भ में बराक ओबामा की नीति क्या होगी, इसे लेकर हमें ज्यादा चिंतित होने की जरूरत नहीं है। इस मामले में अमेरिका की दखलंदाजी भारत की सहमति पर ही निर्भर है।

अमेरिका के नवनिर्वाचित बराक ओबामा के पास मौजूदा चुनौतियों के हिसाब से अपनी क्रांतिकारी विजय का जश्न मनाने के लिए ज्यादा समय नहीं है। उन्हें विरासत में राष्ट्रीय और वैश्विक स्तर पर ऐसी विकट चुनौतियां मिली हैं, जैसी किसी अमेरिकी राष्ट्रपति के समक्ष शुरुआत में पेश नहीं आई। बड़ी-बड़ी डींगें हांकने वाले जॉर्ज डब्ल्यू बुश के शासनकाल में जो अभूतपूर्व गड़बड़झाले हुए, उन्हें सुधारने की जरूरत को देखते हुए ओबामा के समक्ष व्यापक स्तर पर कोई नई पहल करने के हिसाब से ज्यादा समय नहीं होगा। यद्यपि भारत में भी इस बात को लेकर चिंता है कि ओबामा पूर्व राष्ट्रपति बिल क्लिंटन को कश्मीर पर अपना विशेष दूत नियुक्त कर सकते हैं।

पहला सवाल तो यही पूछा जा सकता है कि आखिर भारत कश्मीर को लेकर इतना रक्षात्मक क्यों है? भले ही अमेरिका का विशेष दूत नियुक्त हो जाए, लेकिन वह ऐसा क्या तलाश सकता है जो भारत के प्रधानमंत्री मनमोहन

के अधीन पहले ही पेश नहीं किया? हमारे प्रधानमंत्री वार्ताओं के दौरान पहले ही सीमाओं को 'निरर्थक व अप्रासंगिक' बनाने की बात कह चुके हैं, ताकि एक 'सीमारहित' कश्मीर बनाया जा सके। मनमोहन सिंह ने बुश की समझाइश पर किस तरह भारतीय नीति को बदल दिया, यह सितंबर 2006 में साफ नजर आया, जब उन्होंने घोषणा की कि 'भारत का मानना है कि सीमाओं को पुनर्निधारित नहीं किया जा सकता, जबकि पाकिस्तान जम्मू-कश्मीर में नियंत्रण रेखा (एलओसी) को स्थायी हल के तौर पर स्वीकार करने के लिए तैयार नहीं है। दोनों पक्ष इस मुद्दे पर राजी हुए कि मीडिया के माध्यम से अपनी-अपनी स्थितियों को सामने लाया जाए।' एलओसी से आगे भी समझौते की बात को आगे बढ़ाकर डॉ. मनमोहन सिंह ने पाकिस्तान के लिए अपरिहार्य रियायतों का रास्ता खोल दिया। हेनरी थ्रुमेन से लेकर बुश तक तमाम अमेरिकी राष्ट्रपति अपने देश के हितों की खातिर खुद को कश्मीर के पेशमेकर के तौर पर उछालने की कोशिश करते रहे हैं। आखिरकार, कश्मीर मामले में मध्यस्थता या इसके सरलीकरण को लेकर अमेरिका के लगातार प्रयासों ने उसे अपने संबंधों को मजबूत करने में काफी मदद की। मिसाल के तौर पर कश्मीर को लेकर थ्रुमेन के सुझाव ने जवाहरलाल नेहरू को यह कहने पर विवश कर दिया कि वह 'अमेरिका से नैतिक सलाह पाते-पाते थक चुके हैं'। वर्ष 1962 में चीन द्वारा अचानक हमला कर दिए जाने के बाद प्रधानमंत्री नेहरू ने मदद के लिए जॉन एफ कैनेडी को दो पत्र भेजे। लेकिन अमेरिका ने तभी सैन्य सहायता भेजी जब चीनी आक्रमण बंद हो गया और कमजोर हो चुके भारत को पाकिस्तान के साथ कश्मीर मसले पर वार्ता करने के विवश किया गया। कश्मीर मसले पर अमेरिका के पूर्व राष्ट्रपति क्लिंटन की सक्रियता रोबिन राफेल और दूसरे कार्यकाल में मैडलिन अल्ब्राइट के जरिए जारी रही।

वैसे राष्ट्रपति बुश कश्मीर मसले पर और ज्यादा हस्तक्षेपकारी भूमिका निभाने की कोशिश करते, यदि अमेरिकी सेनाएं इराक व अफगानिस्तान में न उलझी होतीं और उनके दुलारे तानाशाह परवेज मुशर्रफ अपने घर में राजनीतिक अस्तित्व के लिए संघर्षरत न होते। यद्यपि, यह बुश का व्हाइट हाउस ही था जिसने वर्ष 2001 की आगरा शिखर वार्ता को तय करने में मदद की और इसकी तारीखें तय करके दोनों पक्षों को साथ लेकर चलने की कोशिश की। इसके अलावा डॉ. मनमोहन सिंह ने तब अपने देशवासियों को आश्चर्यचकित

कर दिया जब उन्होंने 9/11 हादसे की पांचवीं बरसी पर पाकिस्तान को भी आतंकवाद से पीड़ित बताते हुए आतंकवाद के खिलाफ मिलकर लड़ने की बात कही। उन्होंने अमेरिकी डिजाइन पर 'आतंकवाद विरोधी साझा तंत्र' बनाने का राग छेड़ दिया।

वास्तव में बुश प्रशासन के दौरान अमेरिका द्वारा भारत और पाकिस्तान को लेकर बिलकुल अलग-अलग नीति तय करना कोई सोचा-समझा बदलाव नहीं था, वरन यह तो 1998 के बाद भारत के रानीतिक और आर्थिक उत्थान तथा पाकिस्तान की लगातार खराब होती हालत का नतीजा था। लेकिन अमेरिका के नीति-निर्माताओं ने खुद इसका श्रेय लेने की कोशिश की, जबकि उनके लिए ऐसा करना लाजिमी हो गया था। बुश के अधीन अमेरिका की नीति अलग-अलग चलने की बजाय साथ-साथ चलने की ओर गई। इसमें कूटनीतिक साझेदारी निर्मित करना और दोनों को हथियार बेचने के अलावा 'कश्मीर समेत सभी मामलों में आगे बढ़ने' (जैसा कि बुश ने नई दिल्ली में सार्वजनिक रूप से कहा) की राह तलाशना शामिल था। बुश की विरासत ऐसी है कि अमेरिका पहली बार भारत और पाकिस्तान के साथ समांतर रूप से खुफिया जानकारी बांटने और रक्षा सहभागिता की व्यवस्था बना रहा है।

हालांकि यह बुश की काउबॉय डिप्लोमैसी ही है, जिसकी वजह से भारत के पश्चिम में पाकिस्तान से लेकर लेबनान तक लगातार अस्थिरता का खतरा मंडरा रहा है। यहां तक कि इराक और अफगानिस्तान में लड़ते हुए भी बुश इस क्षेत्र में एकमात्र शांत देश ईरान में सेना भेजने के लिए कुलबुलाते रहे। उन्होंने आतंकवाद के खिलाफ जो अभियान छेड़ा था, लगता है कि आज वह पटरी से उतर चुका है। कश्मीर में बड़े पैमाने पर हिंसा में दोबारा तेजी आने के पीछे काफी हद तक बुश की खतरनाक नीतियां और पाकिस्तान के संदर्भ में दिग्भगमित सोच जिम्मेदार है।

ओबामा की विदेश नीति का आकार चाहे जो भी हो, लेकिन उन्होंने पहले ही यह मान लिया है कि कश्मीर 'अमेरिकी कूटनीति के लिए एक संभावित टार पिट' का प्रतिनिधित्व करता है। किसी भी लिहाज से वाशिंगटन की कश्मीर में दखलंदाजी करने की क्षमता भारत की सहमति से ही जुड़ी है, भले ही यह आधे-अधूरे मन से हो या जबरन।

ओबामा से निखरा अमेरिका का भीतरी मुखौटा

सारी दुनिया के लिए अमेरिका के हमेशा से दो अलग-अलग मुखौटे रहे हैं, एक बाहरी दुनिया के लिए और एक अपने खुद के लिए। आंतरिक तौर पर लोकतांत्रिक व्यवस्था के तहत यहां हमेशा शक्तिशाली और कमजोर दोनों को बराबरी के अधिकार दिए गए हैं। वहीं, बाहरी तौर पर इसने दुनिया पर अपनी धाक जमाने के लिए सैन्य शक्ति और आर्थिक क्षमता का उपयोग किया। इसके लिए इसने कभी समझौता का सहारा लिया, तो कभी युद्ध का। आंतरिक स्वरूप को जहां दुनिया भर में प्रशंसा मिली, वहीं बाहरी मुखौटे को निंदा झेलनी पड़ी।

हालिया अमेरिकी राष्ट्रपति चुनाव में बराक ओबामा की जीत में अमेरिका का आंतरिक चेहरा खुलकर सामने आया और दुनिया भर में इसने जश्न का माहौल पैदा कर दिया। यह किसी ऐसे देश के लिए एक अलग तरह का अनुभव था, जिसने सदियों तक अश्वेतों को अपना दास बनाया, उन्हें 1964 तक मतदान नहीं करने दिया। आज उसी मुल्क के लोगों ने एक अश्वेत राष्ट्रपति को चुना है। ओबामा की जीत के बाद अमेरिका ने अपने ही इतिहास पर फतह हासिल कर ली है। शायद चार साल पहले तक किसी भी व्यक्ति ने इसकी कल्पना नहीं की होगी। यह केवल ओबामा की जीत नहीं है, बल्कि यह सारे अमेरिकियों की जीत है। यह उन लोगों के लिए एक नए समय का आगाज है, जो परिवर्तन की बयार चाहते हैं।

अमेरिका की आंतरिक जीत का जश्न मनाने के साथ ही, हमारे लिए यह जानना जरूरी है कि ओबामा की जीत का अमेरिका के बाहरी मुखौटे पर क्या असर पड़ने वाला है। इसका उत्तर बहुत साफ है कि कोई भी व्यक्ति बहुत लंबे समय तक ऐसी कार्यप्रणाली के जरिए शासन नहीं कर सकता है। भारतीय राजनीतिज्ञ और कारोबारी भी ओबामा के जीत के जश्न में शुरू से अंत तक शुमार रहे और अब उनकी निगाहें बराक पर टिकी हुई हैं। चुनावों के दौरान बदलाव के लिए बराक ओबामा का नारा 'हां, हम कर सकते हैं', उसके चाहने वालों द्वारा हर मोर्चे पर दोहराया गया।

इस समय अमेरिका 1979 के बाद आर्थिक मंदी के सबसे बुरे दौर से गुजर रहा है। क्या ऐसे दौर में ओबामा सॉफ्टवेयर और बिजनेस सर्विसेज की भारत

से आउटसोर्सिंग में कटौती कर सकते हैं। साथ ही क्या वह भारतीय सॉफ्टवेयर इंजीनियरों के वीजा में कटौती कर सकते हैं? इसका जवाब है हां, ओबामा ऐसा कर सकते हैं। सवाल यह भी उठता है कि क्या बराक ओबामा भारत में होने वाले प्रत्यक्ष निवेश और पोर्टफोलियो निवेश में भी कमी कर सकते हैं? तो इसका भी जवाब है हां, वह ऐसा क़दम उठा सकते हैं।

ओबामा पूंजीगत लाभ कर को 15 फीसदी से बढ़ाकर 20 फीसदी करना चाहते हैं। ऐसी स्थिति में अमेरिकी निवेशक दुनिया के उभरते बाजारों में निवेश करना पसंद नहीं करेंगे, क्योंकि यह बाजार अमेरिका की तुलना में ज्यादा जोखिम भरे माने जाते हैं। क्या ओबामा उन अमेरिकी कंपनियों को टैक्स या दूसरे उपायों के जरिए दंडित भी कर सकते हैं जो अमेरिका को छोड़कर भारत जैसे देशों में निवेश करेंगी? इसका सीधा जवाब है कि ओबामा ऐसा करने से भी परहेज नहीं कर सकते हैं। क्या वह सब्सिडी में इजाफा कर मक्के से बनने वाले इथनॉल के प्रयोग को जरूरी बना सकते हैं। जबकि इसके चलते पहले भी वैश्विक स्तर पर खाद्यान्न और खाद्य संकट पैदा हो सकते हैं? हां, बराक ऐसा भी कदम उठा सकते हैं। क्या ओबामा भारत के विदेशी मुद्रा भंडार पर भी सवाल खड़ा कर सकते हैं? हां, ओबामा यह कदम भी उठा सकते हैं।

मौजूदा वैश्विक आर्थिक परिदृश्य में तीसरी दुनिया के देशों के लिए यह बेहतर विकल्प है कि वह अपने पास पर्याप्त विदेशी मुद्रा का भंडार बनाए रखें। हालांकि, इससे अमेरिकी सरकार को कड़ी आपत्ति हो सकती है। हालांकि, हमें किसी प्रकार के खतरे को नजरअंदाज नहीं करना चाहिए। ओबामा का नजरिया चीन और नाफ्टा की बजाय भारत के प्रति ज्यादा बेहतर है, लेकिन हम इस बात को इनकार नहीं कर सकते हैं कि मंदी का दौर शुरू हो चुका है। अमेरिका में बेरोजगारी की दर बढ़कर 8-9 फीसदी तक हो गई है, इसे निजात पाने के लिए ओबामा एहतियाती कदम उठा सकते हैं। जहां तक विदेशी नीतियों की बात है, तो इसमें काफी कुछ सकारात्मक बातें हैं।

ओबामा ने इराक पर हमले के खिलाफ मतदान किया। वह इराक से अमेरिकी सैनिकों की जल्द वापसी के पक्ष में हैं, साथ ही वह ईरान से बातचीत को समर्थन करने वालों में रहे हैं। ओबामा मंत्रिमंडल में कुछ रिपब्लिकन को भी शामिल कर सकते हैं।

अब होगी ओबामा की असली परीक्षा

बराक ओबामा के अमेरिका के अगले राष्ट्रपति बनने की घोषणा के साथ ही दुनिया भर में जिस तरह खुशियां मनाई गईं, वह अभूतपूर्व थीं। इसमें कोई दो राय नहीं कि अमेरिका आज विश्व की सबसे बड़ी ताकत है, लेकिन इसके बावजूद आखिर दुनिया के अन्य हिस्सों के लोगों को वहां की राजनीतिक व सामाजिक प्रक्रियाओं में इतनी रुचि क्यों दिखानी चाहिए?

जॉर्ज डब्ल्यू बुश और उनकी पार्टी के प्रति उदासीनता इस हद तक पहुंच गई थी कि सभी उनकी विदाई चाहने लगे थे। ऐसा लगता है कि ओबामा दुनिया की नजरों में इस कदर चढ़ गए कि उनकी साख की ज्वारीय लहरों ने ही उन्हें व्हाइट हाउस तक पहुंचा दिया। यदि ओबामा नहीं जीतते तो अमेरिका को लेकर जो भय जताया जा रहा था, शायद वह सच में तब्दील हो जाता। अब ओबामा की विजय से अमेरिकियों को दुनिया की नजरों में मुक्ति मिल गई है। जहां तक ओबामा का सवाल है, वे ऐसे व्यक्ति हैं जिनके बारे में लगता है कि वे कुछ भी कर सकते हैं। अब अमेरिका और दुनिया के क्षितिज पर एक नई सुबह का आगाज होगा। उम्मीद है कि नस्लवाद धीरे-धीरे समाप्त हो जाएगा, अर्थव्यवस्था फिर से पटरी पर आ जाएगी, मध्य-पूर्व में शांति का माहौल बनेगा, आतंकवाद खत्म हो जाएगा और कश्मीर की गुत्थी व वैश्विक भुखमरी जैसी विकट समस्याओं का समाधान हो सकेगा।

हर व्यक्ति के पास ओबामा के लिए अपना ही एक एजेंडा है। उदारवादियों के हानिकारक पहलुओं को दूर कर सकेंगे। उनके पास ऐसे कार्यों की पूरी सूची है जिनमें ग्वांटानामो खाड़ी की जेल में बंद कैदियों पर अत्याचार रोकने से लेकर समलैंगिक विवाह को अनुमति देने जैसे विषय शामिल हैं। निस्संदेह अमेरिका में अमीरों पर अधिक करारोपण और ध्वस्त हो चुकी स्वास्थ्य सेवा प्रणाली को बहाल करने जैसी मांगें अलग से हैं।

अश्वेत और अन्य अल्पसंख्यक उनसे चाहेंगे कि उनकी जरूरतों पर ध्यान दें। हालांकि खुद को अश्वेतों के प्रतिनिधि के तौर पर पेश नहीं किया, लेकिन यह भी तय है कि वे अपनी नस्ल के लोगों की आकांक्षाओं को नजरअंदाज नहीं कर सकते। हालांकि यदि वे किसी समुदाय के प्रति अतिरिक्त चिंता जताते हैं, तो वे अन्य वर्ग के लोगों की नाराजगी मोल ले लेंगे।

वैश्विक तौर पर ओबामा से यह उम्मीद की जा रही है कि वे दूसरों के विचारों को सुनने की अपनी बात पर कायम रहेंगे और वे कूटनीति पर भरोसा करेंगे। वे अपने शत्रुओं से भी बातचीत करेंगे। लेकिन क्या वास्तव में ऐसा नहीं सोचा जा सकता। इस क्षेत्र के मीडिया ने उनके राष्ट्रपति बनने पर उनका सतर्क स्वागत किया है, लेकिन यह मानना गलत होगा कि मध्य-पूर्व के लोग उन्हें एक मुस्लिम समझकर (ओबामा के पिता केन्याई मुस्लिम थे) उनके विचारों के प्रति संवेदनशीलता दिखाएंगे। टिप्पणीकारों ने अभी से इस बात के कयास लगाने शुरू कर दिए हैं कि क्या वे 'यहूदी लॉबी' से निपट सकेंगे।

न्यूयॉर्क टाइम्स ने अरब के कुछ लोगों के ब्लॉग प्रकाशित किए हैं, जिनमें कुछ इस तरह की टिप्पणियां हैं: ओबामा के अधीन सीरिया का भाग्य कैसा होगा? क्या वह हमें बम से नेस्तनाबूद करने को हरी झंडी दिखा देगा? लेकिन मिस्र के लोग ओबामा की जीत से खुश हैं। हालांकि पहले उन्हें लगता रहा कि ओबामा इजरायल के प्रति पक्षपाती हैं और उनके उपराष्ट्रपति बिडेन खुद भी एक जियोनिस्ट (यहूदीवादी) हैं। वे ओबामा को लेकर आशान्वित हैं, लेकिन अब तक चुप्पी साधे सीधे सिर्फ इंतजार कर रहे हैं।

अब भारत की ओर नजर डालते हैं। क्या दुनिया को बदलने के जोश में ओबामा का नजरिया दक्षिण एशिया के प्रति निवर्तमान राष्ट्रपति से कुछ भिन्न होगा? बुश के साथ भारत के मधुर संबंध थे। हमारे प्रधानमंत्री मनमोहन सिंह के शब्दों में कहें तो पूरा देश बुश को प्रेम करता है। ऐसा इसलिए भी, क्योंकि बुश ने न सिर्फ भारत के साथ सुनियोजित तरीके से कूटनीतिक संबंधों को बढ़ावा दिया, बल्कि पाकिस्तान के साथ अमेरिका के संबंध लगातार संशयपूर्ण होते हुए आखिरकार गंभीर हो गए। भारत को यह चिंता है कि कुछ बेहतर करने का डेमोक्रेट्स उत्साह बना रहेगा या नहीं। कश्मीर मुद्दे पर पहले बिल क्लिंटन को केंद्र में रखने को लेकर बड़ा शोर-शराबा हुआ। उसे देखते हुए लगता है कि ओबामा जरूर इस दिशा में कुछ सक्रिय भूमिका चाहेंगे। यह सारी स्थिति भारत के लिए अभिशाप जैसी है। इसके साथ ही रिपोर्ट तो यहां तक कह रही है कि ओबामा भारत को न्यूक्लियर टेस्ट बैन ट्रीटी पर हस्ताक्षर करने के लिए बाध्य करेंगे। आश्चर्य नहीं कि इस समय नई दिल्ली की फिजाओं में थोड़ी मायूसी छाई हुई है।

आखिरकार यह संयुक्त राज्य अमेरिका के नागरिक हैं, जो अपनी समस्याओं का तत्काल हल खोजना चाहेंगे। ओबामा के हाथ एक ऐसी बिखरी अर्थव्यवस्था आई है, जिसमें लोग सचमुच त्रस्त हैं। लाखों लोगों के लिए अपनी किस्तें चुकाना मुश्किल हो रहा है। उनके लिए मकान बोझ बन गए हैं जो उनकी हैसियत से बाहर जा रहे हैं। नौकरियों की छंटनी तेजी से बढ़ता हुआ यथार्थ है। संस्थाएं ध्वस्त हो रही हैं। ओबामा को इस समस्या को इस प्रभावी ढंग से हल करना होगा ताकि अर्थव्यवस्था को बचाया जा सके और अमेरिका लंबे समय तक मंदी में डूबकर न रह जाए।

यह किसी के लिए भी एक बड़ी चुनौती है, लेकिन ऐसा व्यक्ति जिसे अपने दौर का मसीहा करार दे दिया गया हो, उसके लिए यह दोहरी मुश्किल है। उनकी हर गतिविधि, हर काम पर लोगों की पैनी नजर होगी और चूंकि वह भी इंसान है, तो गलतियां तो उनसे भी होंगी, जो उनके समर्थकों को निराश करेंगी। ओबामा, उनके समर्थकों और उनके लाखों प्रशंसकों के लिए शायद इससे निपटने का सबसे अच्छा तरीका यह है कि उन्हें भी देश के एक सामान्य नेता के रूप में देखा और समझा जाए। ओबामा के पास एक एजेंडा है और वह अपनी पूरी क्षमताओं के साथ उसे पूरा करने की कोशिश करेंगे। इस प्रक्रिया में वह डगमगाएंगे भी और लोगों को निराश भी करेंगे, लेकिन उन्होंने यह दिखा दिया है कि वह लीक से हटकर चलेंगे जो मुख्यत: लोगों की भलाई के लिए होगा। यह अपने आप में बड़ी राहत की बात है।

ओबामा से क्यों है इतनी उम्मीदें?

4 नवंबर 2008 न केवल अमेरिकी इतिहास में ही वरन विश्व इतिहास में भी, वैसा ही स्थान रखेगा, जैसा कि अब से 19 वर्ष पूर्व नवंबर माह का एक दिन-9 नवंबर, 1989-जब साम्यवादी पूर्व जर्मनी की सरकार ने जनता की शक्ति के सामने घुटने टेक कर 'बर्लिन दीवाल' को ढाहने के निर्णय की घोषणा की थी। या फिर द्वितीय विश्वयुद्ध का 'डी-डे', 6 जून, 1944 जब नाजी जर्मनी के तानाशाह के अंत की शुरुआत फ्रांस के सागर तट नार्मेन्डी पर मित्र राष्ट्रों (ब्रिटेन, अमेरिका, फ्रांस) की सेनाएं यूरोप को नाजी चंगुल से छुड़ाने के लिए उतारी गई थीं। फर्क मात्र इतना है कि अश्वेत सीनेटर बराक हुसैन ओबामा का भारी बहुमत से अमेरिकी राष्ट्रपति पद के संघर्ष में सफल

होना एकदम शांतिपूर्ण क्रांति की बेमिसाल घटना है, किसी बर्बर युद्ध या शीत युद्ध का भाग या नतीजा नहीं। अब से 145 वर्ष पूर्व जिस उद्दात्त मानवीय आदर्श की खातिर राष्ट्रीय अब्राहम लिंकन ने अमेरिकी राष्ट्र के अस्तित्व तक को दांव पर लगा दिया था, देश के सभी गुलामों की मुक्ति की घोषणा पर हस्ताक्षर करके, उसी यात्रा का एक ऐतिहासिक पड़ाव पूरा किया है सीनेटर ओबामा ने लगभग दो वर्षों के महान, आशा व विश्वास से भरे प्रजातांत्रिक संघर्ष में अभूतपूर्व सफलता हासिल करके। जितना कठिन उनका संघर्ष था, उतना ही शायद उससे भी कहीं अधिक जटिल है भयंकर रूप से हताहत अमेरिकी जन-जीवन की विकराल चुनौतियों से निबटना और इस महान, शक्तिशाली देश की समस्त संसार में गिरी हुई प्रतिष्ठा को दुबारा हासिल कर पाना। गत आठ वर्षों में अमेरिका के सैन्यवादी दक्षिणपंथियों की 'देशभक्ति भरी ओछी, अदूरदर्शी एवं घातक नीतियों ने जिस तरह देश को भीतर से खोखला कर दिया है और उसे समस्त विश्व की उपेक्षा व घृणा का पात्र बना दिया है। उससे अमेरिका को उभारना निस्संदेह अत्यंत दुरूह कार्य है। किंतु ओबामा भी कोई साधारण व्यक्ति नहीं हैं, इस बात का परिचय उन्होंने बहुत ही प्रभावशाली ढंग से अपने लंबे अभियान, अपने जीवन-चिंतन और अपने 47 वर्षीय जीवन के पालन किए आदर्शों से इस हद तक दिया है कि अनुभव की कमी से लेकर आतंकवादियों से मेल-मिलाप रखने वाले व्यक्ति होने तक के समस्त आरोपों को नकारकर, अमेरिकी नागरिकों ने भारी बहुमत से अपने देश की बागडोर, इतने विकराल संकट की घड़ी में, उनके हाथों में देने का ऐतिहासिक निर्णय लिया है। स्मरण रहे कि संसार भर से अनेक जातियों के करोड़ों लोगों के आगमन के बावजूद यह निर्णय लेने वालों में देश की दो-तिहाई जनता पूर्णतः श्वेत, यानी कॉकेशियन मूल की है, जबकि अश्वेत, अफ्रीकी-अमेरिकियों का अनुपात मात्र 12 प्रतिशत, या एक बटा आठ है और एशियन व अन्य का अनुपातः क्रमशः 4 व 3 प्रतिशत ही है।

काले बादलों से घिरी इस विकट घड़ी में आशा की एक किरण है, ओबामा के प्रति समस्त संसार का दृष्टिकोण आदर व सहृदयता भरा होना। आज उनकी सफलता में ही अमेरिकावासी और संसार के अन्य देश अपनी सफलता और प्रगति की संभावनाएं देख रहे हैं। चुनावों की पूर्व संध्या में एसोसिएटेड प्रेस की बर्लिन से भेजी गई एक रिपोर्ट में सारे संसार की आशाओं

को एक छोटे से वाक्य में समेटकर प्रस्तुत किया गया था, 'बर्लिन के ब्रान्डेनबर्ग गेट से लेकर जापान के छोटे से कस्बे, ओबामा तक, समस्त विश्व अमेरिका में एक नई शुरुआत का उत्सव मनाने की तैयारी अधीरता से कर रहा है।' इन तैयारियों में रातभर चुनावों के परिणामों की टोह रखने के लिए आयोजित पार्टियों में, फ्रांस में, एक पार्टी 'अलविदा बुश' नाम की भी होगी। मध्य पूर्व, यूरोप, अफ्रीका-केन्या, युगांडा-जापान, वियतनाम (जहां ओबामा के प्रतिद्वंद्वी साढ़े पांच वर्षों तक युद्धबंदी रहे थे) सभी कोनों से ओबामा की सफलता की मनोकामना की जा रही थी। ओबामा की विजय को विश्व के राजनेताओं ने एक नए युग के प्रारंभ के रूप में लिया है, जिसके फलस्वरूप विश्वव्यापी शांति व प्रगति की संभावनाओं को बल मिलेगा। पड़ोसी महाद्वीप, दक्षिणी अमेरिका में भी बुश से आजिज आए राष्ट्र नेताओं ने ओबामा के चुनाव का जोरदार स्वागत किया है और आशा व्यक्त की है कि अमेरिका का साम्राज्यवादी दृष्टिकोण अब बदल सकेगा। सुदूर इंडोनेशिया की राजधानी जकार्ता के उस स्कूल की प्रिंसिपल अमीराह, जहां ओबामा लगभग दो वर्ष पढ़ा था, उन्होंने आशा व्यक्त की है कि 'ओबामा अमेरिका को फिर से एक महान राष्ट्र बना सकेगा' और दक्षिणी अफ्रीका की इंडीपेंडेट डेमोक्रेट्स पार्टी की नेता ने केपटाउन से कहा है कि 'बहुत स्पष्ट संदेश मिला है कि हम संसार को बदल सकते हैं। हमने देखा है एक युगद्रष्टा को, एक ऐसे व्यक्ति को, जो आज विश्व को सबसे बड़े प्रजातंत्र को फिर से आशा प्रदान कर रहा है।'

हमारे तेजी से उभरते हुए देश और ओबामा के नेतृत्व में अमेरिका के बीच भी एक शुरुआत की संभावनाएं सुदृढ़ हुई हैं। वैसे तो भारत के हितों के लिए तिरस्कृत बुश प्रशासन के कार्यकाल में भी अच्छी प्रगति हासिल हुई है, किंतु बुश-चैनी काल की युद्ध व हिंसा भरी नीतियों के कारण वैसी गर्मजोशी नहीं आ सकी थी, जैसी कि इन दो विशाल प्रजातंत्रों के बीच, आज के विश्व में, स्वाभाविक रूप से होनी चाहिए। भारतवासियों को सदैव ये आशंका चिंतित करती रही थी कि कहीं ये सैन्यकारी दक्षिणपंथी भारत के पड़ोसी देश चीन के विरुद्ध रची जा रही साजिशों का हिस्सा तो नहीं बना रहे। अब संभावना है कि उनके प्रस्थान के बाद भारत व अमेरिका एक नए रचनात्मक प्रयास की भागीदारी कर सकेंगे, जिससे विश्वशांति, सर्वधर्म समभाव एवं सर्वोदय जैसे

आदर्शों की प्राप्ति की दिशा में ठोस प्रगति हो सकेगी। आखिर ओबामा ने अब से आठ माह पूर्व (29 फरवरी, 2008) को 'इंडिया एब्रोड' में लिखे अपने लेख में सारगर्भित शब्दों में कहा था, 'मैंने अपने जीवन में हमेशा महात्मा गांधी को अपने आदर्श के रूप में देखा है, क्योंकि वे ऐसे आधारभूत परिवर्तन की प्रतिमूर्ति थे, जिसे साधारण इंसानों के मिलजुलकर असाधारण कार्य करने की आकांक्षा व प्रयास से प्राप्त किया जा सकता है। यही कारण है कि उनकी फोटो मेरे सीनेट कार्यालय में टंगी है, ताकि मुझे याद दिलाती रहे कि असली नतीजे राजधानी वाशिंगटन से नहीं, आम इंसानों के एकजुट प्रयासों से हासिल होते हैं।'

ओबामा की जीत से क्या-क्या बदलेगा?

अमेरिका और ओबामा ने इतिहास बनाया है। डेमोक्रेटिक पार्टी की इस जीत का दुनिया, खासकर ब्राजील, रूस, भारत, पाकिस्तान और चीन आदि देशों पर, इतना व्यापक असर पड़ेगा, जिसकी अमेरिकियों ने भी कल्पना नहीं की होगी। ओबामा की विजय ने रीगन के उस आर्थिक दर्शन का खात्मा कर दिया है, जिसमें उत्पादक कामकाज नहीं, बल्कि डॉलरों की छपाई को ही आर्थिक मजबूती का मंत्र मान लिया गया था। मैक्केन और उनकी रिपब्लिकन पार्टी ने इस आर्थिक मंत्र को पीछे उन अर्थशास्त्रियों और राजनीतिज्ञों को तो लगा ही दिया था, जो विश्व बैंक और अंतरराष्ट्रीय मुद्रा कोष की नीतियों से चिपके हुए थे, उन्होंने सोवियत संघ के पतन का संदर्भ देते हुए इन नीतियों को तीसरी दुनिया के लिए भी मुफीद बताया था।

ओबामा की जीत से अपने यहां अंग्रेजी मीडिया के आभिजात्य लोगों की भी साख ध्वस्त हो गई है। इन तथाकथित बुद्धिजीवियों ने लगभग दो दशकों तक समूचे देश को यह कहते हुए धोखे में रखा कि अमेरिकी सफलता की गाथा मुक्त बाजार और लचीली व आपूर्ति पर आधारित आर्थिक व्यवस्था में है, लिहाजा भारत को भी नेहरूवादी आर्थिक नीतियों को तिलांजलि दे देनी चाहिए। अब समाजवाद अमेरिका और विकासशील देशों में जीतकर वापस आ रहा है, ऐसे में, अपने यहां यह वाम नीतियों और उर्दू व हिंदी मीडिया की जीत है। उदारीकरण के दौर में इन ताकतों ने समाजवादी और नेहरूयुगीन जनहितकारी एजेंडे को वापस लाने की लड़ाई लड़ी थी। इन शक्तियों ने तब भी कड़ा विरोध

किया था, जब हमारे नव उदावादियों ने अपनी विदेश नीति को बुश के पक्ष में मोड़ दिया था।

अलबत्ता ओबामा की विजय के व्यापक और कदाचित अनदेखे पहलुओं को नजरअंदाज नहीं करना चाहिए। अपनी पराजय स्वीकारते हुए मैक्केन ने ओबामा के पक्ष में अफ्रीकी-अमेरिकियों के वोटों के ध्रुवीकरण की बात कही। वहां चुनावी पंडितों का भी यही आकलन था कि डेमोक्रेटिक और रिपब्लिकन पार्टियों के पास मोटे तौर पर 37-37 फीसदी पारंपरिक वोट हैं, ऐसे में, 20 से 26 प्रतिशत निरपेक्ष मतदाता ही नया राष्ट्रपति चुने जाने में निर्णायक भूमिका अदा करेंगे।

राजनीति शास्त्र के नियम बताते हैं कि राजनीतिक शून्यता की स्थिति में निरपेक्ष मतदाताओं का कोई मतलब नहीं रह जाता। वैसी स्थिति में पारंपरिक वोट बैंक में कोई बदलाव हो, तभी निरपेक्ष मतदाताओं के निर्णायक वोट जीतने वाले प्रत्याशी के पक्ष में जाते हैं। इसलिए यह साफ है कि अमेरिका का नया राष्ट्रपति चुनने में केवल निरपेक्ष मतदाताओं की भूमिका नहीं रही है। अमेरिकी अर्थव्यवस्था के ध्वस्त होने से पैदा असर ने भी राष्ट्रपति के चुनाव में यही भूमिका अदा की। गहराती मंदी के कारण मीडिया का ध्यान साराह पैलिन से हट गया। हालांकि आर्थिक अनिश्चितता, जब तक कि वह महामंदी जैसी न हो, जिसने अमेरिका में रूजवेल्ट के पक्ष में वोटों का ध्रुवीकारण कर दिया था, अकसर मतदान में कमी का झुकाव दोनों तरफ बराबर होता है।

ओबामा की जीत के पीछे की अदृश्य ताकातों की पड़ताल के लिए हम अपने ही देश पर नजर दौड़ा सकते हैं। यहां 1952 से हो रहे चुनाव में पारंपरिक मतदाता निर्णायक भूमिका निभाते हैं, जो अमेरिका के निरपेक्ष मतदाताओं के ठीक विपरीत है। हमारे यहां पहले आम चुनाव से 1980 के अंत तक कांग्रेस अपने पारंपरिक वोट बैंक के बूते चुनाव दर चुनाव जीतती रही। उसके ये पारंपरिक मतदाता अल्पसंख्यक मुसलमान थे। कांग्रेस हमेशा सामाजिक ताकतों के साथ गठजोड़ बनाकर गरीबों का अधिकांश वोट लेती रही। कांग्रेस के चुनावी ग्राफ पर नजर दौड़ाने पर चौंकाने वाला पैटर्न दिखाई देता है: मुस्लिम वोटों में दो से तीन फीसदी की मामूली कमी होने पर भी उसे हारना पड़ा; इस कारण 1967 के आम चुनाव में उसे 1000 से भी अधिक सीटें खोनी पड़ी थीं।

वर्ष 1977 में मुस्लिम वोटों में 10 फीसदी की कमी ने तो कांग्रेस को परिदृश्य से लगभग बाहर ही कर दिया था।

बीती सदी के आखिरी दशक में मुस्लिम-विरोधी कदम उठाने के कारण इनमें से अयोध्या में विवादित बाबरी मस्जिद के संदर्भ में कांग्रेस का लचर रवैया तो खासतौर पर उल्लेखनीय है, कांग्रेस को पहली बार लंबे समय के लिए अल्पसंख्यक वोटों से वंचित होना पड़ा। नतीजतन उस पूरे दशक में कांग्रेस को भाजपा और वाम-समर्थित मोर्चे के बाद तीसरे स्थान पर रहना पड़ा।

इन्हीं परिस्थितियों में क्षेत्रीय धर्मनिरपेक्षता की धारणा का उदय हुआ। जनसंख्या की दृष्टि से देश के दो सबसे बड़े राज्यों, उत्तर प्रदेश और बिहार, में कांग्रेस और भाजपा विरोधी, दलित या निचली जातियों के लोगों ने मुस्लिम वोटों के बूते सरकारें बनाई। उसी दौरान पूरे देश ने उत्तर प्रदेश में दलित नेत्री मायावती का उदय होते देखा। उत्तर प्रदेश की आबादी का 22 फीसदी दलित हैं। पहले ये लोग कांग्रेस को वोट देते थे, हालांकि तब दलितों के वोटों का ध्रुवीकरण हमेशा कांग्रेस के पक्ष में नहीं होता था। मायावती ने वह समीकरण उलट दिया।

अमेरिकी चुनाव में अफ्रीकी-अमेरिकियों का ओबामा के पक्ष में डाला गया वोट निर्णायक साबित हुआ। यह सही है कि अश्वेत मतदाता पारंपरिक रूप से डेमोक्रेटिक पार्टी के समर्थक हैं, और यह भी कि अश्वेतों के समर्थन के बावजूद पार्टी को कई बार जीत हासिल नहीं हुई। लेकिन यह भी विश्लेषण का विषय है कि अमेरिकी चुनाव में आखिर कितनी बार अश्वेत वोट निर्णायक साबित हुए। ऐसा लगता है कि अमेरिकी इतिहास में रूजवेल्ट, कैनेडी, क्लिंटन और बुश जीतने में सफल इसलिए हुए कि अश्वेत वोटों में निर्णायक होने की ताकत नहीं थी। लेकिन इस बार दक्षिणपंथी ईसाइयों ने, कदाचित पहली बार, रिपब्लिकन पार्टी की जीत में निर्णायक भूमिका अदा की थी। हालांकि इस सिलसिले में यह देखना भी दिलचस्प है कि बहुसंख्यक आबादी, चाहे वह भारत हो या अमेरिका, चुनाव में कभी निर्णायक भूमिका नहीं निभाती। इस बार के अमेरिकी चुनाव में अनुमानतः 95 फीसदी से भी अधिक अश्वेतों ने ओबामा को वोट दिया। दरअसल आर्थिक मंदी की मार वहां अश्वेतों पर ही सबसे अधिक पड़ी है। इसलिए चार नवंबर को वहां के 12 प्रतिशत अश्वेतों ने

राष्ट्रपति चुनाव में अपनी निर्णायक भूमिका निभाते हुए पूरी दुनिया को भी एक संदेश दिया है।

बराक ओबामा के पास कम से कम चार साल का और अधिक से अधिक आठ वर्षों का ही समय है कि वे अमेरिका और अफ्रीका सहित दुनिया के दूसरे मुल्कों में बसने वाले करोड़ों अश्वेतों और दलितों को अपने सपनों में भागीदार बना सकें। बराक ओबामा ही तय करने वाले हैं कि जिस श्वेत भवन में एक अश्वेत के प्रवेश में अमेरिका का 232 वर्षों का इतिहास खर्च हो गया उसे दोहराने में आगे कितना समय लगने वाला है। बराक के लिए चुनौती केवल एक नया अमेरिका बनाने की नहीं बल्कि सदियों को सालों में बदलने की है। बराक का जब जन्म हुआ था जब मार्टिन लूथर किंग ने अश्वेतों को भी श्वेत अमेरिकियों के बराबर नागरिक अधिकार दिलाने के लिए आंदोलन शुरू कर दिया था। महात्मा गांधी के सविनय अवज्ञा की तर्ज पर चलाया गया मार्टिन लूथर किंग का यह आंदोलन जब शिखर पर था, ठीक उन्हीं दिनों बराक ओबामा का जन्म हुआ था। काबिले गौर करने यह भी है कि 1915 में जब महात्मा गांधी दक्षिण अफ्रीका से भारत लौटे थे तब उनकी भी उम्र वही थी जो आज बराक ओबामा की है। कोई आश्चर्य नहीं कि बराक, महात्मा गांधी के जीवन में अपने लिए प्रेरणा के झरनों की तलाश करते हैं। 47 वर्षीय बराक अगर दूसरी बार भी अमेरिका के राष्ट्रपति चुन लिए जाते हैं तो अपनी 55 साल की उम्र में ही वे अमेरिका के पूर्व राष्ट्रपतियों की जमात में शामिल हो जाएंगे। भारतीय संदर्भों में उक्त हकीकत चौंकाने वाली लग सकती है। अमेरिकी चुनावों को लेकर कुछ माह पूर्व व्यक्त किए गए विचारों में लिखा गया था कि मैक्केन की उम्र (72 वर्ष) के आसपास के बूढ़ों की भीड़ वर्तमान में भारतीय राजनीति पर अपना कब्जा जमाए हुए है और हमारे ओबामा कलफ लगे कुर्ते-पाजामे पहनकर या तो चंदा जमा करने में व्यस्त हैं या फिर चुनावी सभाओं में दरियां बिछाने और भीड़ का इंतजाम करने में। लगभग 35 करोड़ की आबादी वाले अमेरिका ने बराक हुसैन ओबामा नामक नायक में भरोसा व्यक्त कर न सिर्फ अश्वेतों के प्रति किए गए अब तक के अपमान और अत्याचारों के प्रति पश्चापात की अभिव्यक्ति की है, बल्कि उनके नेतृत्व में अपने सुखद भविष्य और एक ताकतवर अमेरिका के प्रति भी विश्वास प्रकट किया है। बराक की जीत अश्वेतों की नहीं बल्कि श्वेतों की है। दलितों को

मंदिरों में प्रवेश कराने और सवर्णों के साथ कुंओं पर पानी पीने देने के गांधीजी के सपने अमेरिका की गोरी चमड़ी वाली बहुसंख्यक आबादी ने सिद्ध करके दिखाए हैं। महात्मा गांधी के कान भी बड़े और बाहर निकले हुए थे और बराक ओबामा के भी।

बराक ओबामा की जीत भारत सहित दुनिया के तमाम मुल्कों के लिए सबक है कि इससे पहले कि युवाओं का धैर्य जवाब देने लगे सत्ता का हस्तांतरण हो जाना चाहिए। जो मुल्क इस दिशा में कोशिश नहीं करेंगे वे इसलिए पीछे रह जाएंगे कि दुनिया के इस सबसे ताकतवर मुल्क की शर्तें अब बदलने वाली हैं। श्वेत भवन में एक अश्वेत राष्ट्रपति की उपस्थिति अमेरिकियों की जीवन पद्धति के कई समीकरणों में परिवर्तन करेगी। इस अमेरिकी फिल्म में किसी नायक को एक दिन के लिए मुख्यमंत्री बनकर चमत्कार नहीं दिखाने हैं। बराक ओबामा की जीत के साथ उन तमाम अश्वेतों के सपने और संपन्नता की उम्मीदें जुड़ी हैं जो पिछले 232 वर्षों से आंखों में आंसुओं और पीठ पर जख्मों के साथ इस अद्‌भुत क्षण की प्रतीक्षा कर रहे थे। अगर ओबामा इसमें सफल होते हैं तो शिकागो से उठी यह लहर समूची दुनिया को अपने आगोश में ले लेगी। अमेरिकी चुनाव परिणाम के संकेत हैं कि जो सत्ताएं समय के साथ नहीं चलेंगी वे समाप्त हो जाएंगी। 9/11 के आतंकवादी हमले की आग के बाद अमेरिका का जो क्रूर और झुलसा हुआ चेहरा प्रकट हुआ था, बराक ओबामा की जीत ने उसे एक कोमल कविता में परिवर्तित कर दिया है।

हम ओबामा पर संदेह क्यों करें?

अमेरिका के इतिहास में अब तीसरा गौरवशाली अध्याय भी जुड़ गया है। पहली बार 1776 में संयुक्त राज्य अमेरिका की स्थापना ने वहां के लोगों को गौरवान्वित किया था। वर्ष 1863 में गौरव का दूसरा पन्ना अब्राहम लिंकन द्वारा दास प्रथा की समाप्ति की घोषणा से जुड़ा था और तीसरा अवसर नवंबर 2008 को आया, जब सीनेटर बराक ओबामा ने अमेरिकी राष्ट्रपति का चुनाव जीता। महज चौबीस घंटे में उन्होंने अमेरिका और उसकी छवि बदल दी है। एक अश्वेत आदमी को व्हाइट हाउस में भेजने के लिए अमेरिकी जनता बधाई की पात्र है। बराक ओबामा एक करिश्माई, चालाक, साहसी, विवेकी, रणनीतिक तौर पर बुद्धिमान, स्पष्टवादी, उच्च कोटि के राजनेता, वक्ता और दृष्टिसंपन्न

नैतिकतावादी व्यक्तित्व हैं। यानी उनमें वे सारे गुण हैं, जो 21वीं सदी में सफलता पाने के लिए जरूरी है।

1961 के दौर में वहां कोई अफ्रो-अमेरिकी शब्द का प्रयोग नहीं करता था। इसके बजाय निगर और नीग्रो जैसे शब्द चलन में थे। अगस्त, 1963 में मार्टिन लूथर किंग जूनियर के वाशिंगटन मार्च और लिंकन मेमोरियल में उनके क्रांतिकारी भाषण के बाद अश्वेत शब्द प्रचलन में आया। मार्टिन लूथर किंग ने तब करीब ढाई लाख लोगों की भीड़ को संबोधित किया था। 'मेरे पास एक सपना है' वाले उनके उस भाषण को 20वीं शताब्दी के उल्लेखनीय भाषणों में माना जाता है। पैंतालीस वर्ष बाद बराक ओबामा ने उनका सपना साकार किया है।

हमारे यहां कुछ हलकों में ओबामा के रवैये के प्रति जिस संदेह किया जा रहा है। यहां तक कि यूपीए सरकार के अंदर भी कशमकश चल रही है। हमारा संदेह आउटसोर्सिंग पर है। आउटसोर्सिंग कितने भारतीयों को रोजगार दे रहा है? ज्यादा से ज्यादा पचास हजार भारतीयों को। लिहाजा यह कोई उतना बड़ा मुद्दा नहीं है। चीन, वियतनाम, आयरलैण्ड जैसे देशों को भी आउटसोर्सिंग से रोजगार मिल रहा है। यानी हम अकेले नहीं हैं। सवाल यह है कि अगर हम ओबामा की जगह होते, तो क्या करते? जाहिर है, उनकी पहली प्राथमिकता आर्थिक बदहाली का समाधान निकालना और मुल्क को मंदी से बचाना है। इस मुद्दे पर ओबामा अपने सलाहकारों से विचार-विमर्श करेंगे और आर्थिक विशेषज्ञ ही इस समस्या का समाधान ढूंढ़ निकालेंगे।

ओबामा के प्रति संदेह जताने का दूसरा कारण सीटीबीटी है। पूर्व अमेरिकी राष्ट्रपति बिल क्लिंटन ने सीटीबीटी पर दस्तखत करने के लिए वाजपेयी सरकार पर दबाव बनाया था। क्लिंटन के लिए सबसे बड़ा झटका तो यह था कि सीटीबीटी को अमेरिकी सीनेट ने ही खारिज कर दिया था। सीटीबीटी को मरे हुए दस साल हो गए हैं। अगर ओबामा इसे दोबारा जीवित करना चाहते हैं और हमें इस पर दस्तखत करने के लिए कहते हैं, तो हमें विनम्र होकर, लेकिन पूरी दृढ़ता से उनसे कहना होगा कि हम ऐसा नहीं कर सकते। संदेह का तीसरा मुद्दा कश्मीर है। इसमें संदेह नहीं कि चुनाव अभियान के दौरान ओबामा ने कश्मीर पर कुछ ऐसी टिप्पणियां की थी, जो हमें अच्छी नहीं लगीं। तय मानिए,

कि राष्ट्रपति की कुर्सी पर बैठने, कश्मीर मुद्दे की 60 साल पुरानी जटिलताओं को उसकी समग्रता में देखने के बाद उन्हें मामले की गंभीरता समझ में आएगी। पोखरण-दो के बाद बिल क्लिंटन ने कहा था कि जब भारत और पाकिस्तान बातचीत के लिए बैठें, तो उसमें अमेरिका के लिए एक तीसरी कुर्सी भी होनी चाहिए। तब उन्हें बीच में दखल देने से मना किया गया था। अगर ओबामा क्लिंटन की गलती दोहराना चाहते हैं, तो वह ऐसा शौक से करें, हम उन्हें भी बता देंगे कि कश्मीर भारत और पाकिस्तान के बीच का मामला है और इसमें किसी तीसरे पक्ष की जरूरत नहीं है।

और आखिरकार अप्रसार का मुद्दा। हम खुद भी परमाणु अप्रसार के प्रति प्रतिबद्ध हैं। इस संदर्भ में स्वर्गीय राजीव गांधी की उस कार्ययोजना का स्मरण किया जा सकता है, जो उन्होंने जून, 1988 में संयुक्त राष्ट्र में रखी थी। राष्ट्रपति के चुनाव अभियान में भारत-अमेरिकी परमाणु समझौते का जिक्र तक नहीं आया। ओबामा इस समझौते के समर्थक हैं। अगर हम पर किसी तरह की शर्त थोपी जाती है, तो हम किसी और देश से परमाणु ईंधन और रिएक्टर ले लेंगे। ओबामा की सफलता की कई वजहें हैं। दरअसल अपने प्रचार अभियान के दौरान रिपब्लिकन प्रतिद्वंद्वी के साथ वाद-विवाद में तीनों ही बार ओबामा ने खुद को शांत रखा। उन्होंने कहीं गलती नहीं की। पहले उन्होंने अपनी ही पार्टी की मजबूत प्रत्याशी हिलेरी क्लिंटन को दौड़ से बाहर किया, जो ओबामा की छवि को कमतर करके आंक रही थीं। उसी समय कोलिन पॉवेल ने ओबामा का समर्थन किया। फिर न्यूयॉर्क टाइम्स और द वाशिंगटन पोस्ट ने भी ओबामा का अनुमोदन किया।

ओबामा को सबसे बड़ी चुनौती दरअसल इस्रायल और फिलिस्तीन के बीच तालमेल बिठाने में मिलेगी। ओबामा इस्रायल के प्रति प्रतिबद्ध हैं, और यह एक विस्फोटक मुद्दा है। मुस्लिम विश्व ने नए अमेरिकी राष्ट्रपति के तौर पर ओबामा का भले ही स्वागत किया हो, लेकिन अगर पश्चिम एशिया विवाद में वह इस्रायल के पक्ष में झुके हुए दिखाई पड़े, तो मुसलमानों के बीच उनके बारे में राय बदलते देर नहीं लगेगी। दो शब्द अमेरिकी राजनेताओं के लिए। जॉर्ज बुश, मैक्केन और ओबामा ने चुनाव अभियान के दौरान और उसके बाद जिस शालीनता का परिचय दिया, उससे हम भी कुछ सीख सकते हैं।

ओबामा के प्रस्ताव को भारत ने नहीं दी अहमियत

अमेरिका में राष्ट्रपति पद के लिए बराक ओबामा द्वारा जम्मू-कश्मीर मसले पर पूर्व राष्ट्रपति बिल क्लिंटन को विशेष दूत नियुक्त किए जाने के प्रस्ताव को भारत ने महत्व नहीं दिया है। भारत ने साफ कहा है कि जम्मू-कश्मीर भारत और पाकिस्तान के बीच द्विपक्षीय मसला है और इसे दोनों देश आपसी बातचीत से ही हल करेंगे। इस बीच, ओबामा के सलाहकार कार्ल इंदरफुर्थ ने एक साप्ताहिक से बातचीत में कहा कि ओबामा द्वारा बिल क्लिंटन को विशेष दूत नियुक्त करने की रिपोर्टों का अनावश्यक मतलब निकाला जा रहा है। इंदरफुर्थ क्लिंटन प्रशासन में विदेश विभाग में सहायक मंत्री रह चुके हैं। उन्होंने कहा कि वास्तव में ओबामा प्रशासन भारत और पाकिस्तान के बीच वार्ता प्रक्रिया जारी रखने को समर्थन देगा। भारत और पाकिस्तान के राष्ट्रीय सुरक्षा सलाहकारों के बीच चल रही वार्ता का हवाला देते हुए उन्होंने कहा कि दोनों देशों के बीच वार्ता के द्विपक्षीय द्वार खुले हैं और इसे प्रोत्साहित किया जाना चाहिए। उन्होंने कहा कि ओबामा इस प्रक्रिया को समर्थन देंगे।

यहां विदेश मंत्रालय में ओबामा के इस प्रस्ताव पर ठंडा रुख अपनाया गया है, जबकि विदेश मंत्री प्रणव मुखर्जी ने साफ कहा कि कश्मीर भारत और पाकिस्तान के बीच द्विपक्षीय मसला है। बिल क्लिंटन को विशेष दूत नियुक्त करने की रिपोर्टों के बारे में मुखर्जी ने कहा कि इस मसले पर भारत और पाकिस्तान के बीच शिमला और बाद में लाहौर समझौते के अनुरूप ही बातचीत होगी। इन समझौतों के बाद दोनों देशों ने आपसी संबंधों के विभिन्न पहलुओं पर समग्र वार्ता के चार दौर पूरे किए हैं।

इस मसले पर यहां राजनयिक हलकों में भी आश्चर्य जाहिर करते हुए कहा जा रहा है कि बराक ओबामा भारत और पाकिस्तान के रिश्तों की संवेदनशीलता से पूरी तरह अवगत नहीं हैं। हालांकि अमेरिका जम्मू-कश्मीर मसले में बीचबचाव करने की इच्छा जाहिर करता रहा है, लेकिन कहा है कि यदि भारत और पाकिस्तान दोनों चाहें तो अमेरिका बीचबचाव कर सकता है। भारत ने हमेशा ही इस प्रस्ताव को झिड़क दिया है। इस मसले पर भारत की संवेदनशीलता को देखते हुए ही अमेरिका ने अब जम्मू-कश्मीर को द्विपक्षीय मसला बताना शुरू किया है।

1999 में कारगिल युद्ध के दौरान जब पाकिस्तानी सेना पीछे नहीं हट रही थी तब राष्ट्रपति बिल क्लिंटन ने पाकिस्तान के प्रधानमंत्री नवाज शरीफ और प्रधानमंत्री अटल बिहारी वाजपेयी को बातचीत के लिए वाशिंगटन बुलाया था। लेकिन वाजपेयी ने क्लिंटन का वह निमंत्रण स्वीकार नहीं किया और अमेरिका के दबाव में नवाज शरीफ को वाशिंगटन जाना पड़ा। वहां उन्होंने क्लिंटन की यह बात मानी कि पाकिस्तान की सेना जम्मू कश्मीर के करगिल इलाके में नियंत्रण रेखा तक लौट जाएगी।

इसके बाद से अमेरिका की ओर से जम्मू-कश्मीर मसले में बीचबचाव करने की इच्छा जताई गई है, लेकिन भारत ने साफ मना कर दिया है। इसीलिए यह माना जा रहा है कि राष्ट्रपति ओबामा के विशेष कश्मीर दूत के तौर पर बिल क्लिंटन से भारत ने यदि बातचीत की तो भारत-पाकिस्तान मसलों में भारत पहली बार मध्यस्थता स्वीकार कर लेगा। भारत की नीति में यह भारी बदलाव माना जाएगा।

ओबामा और अमेरिका का पुनर्जन्म

वे यदि चाहें तो अमेरिकी नीति ही नहीं, विश्व को भी रचनात्मक दिशा दे सकते हैं

बराक हुसैन ओबामा की विजय अमेरिकी इतिहास की विलक्षण घटना है। यह वास्तव में अमेरिका का पुनर्जन्म है। अब्राहम लिंकन के बाद अमेरिका जड़ हो गया था। समता की फिल्म इतिहास पर्दे पर ही अटक गई थी। 50 साल पहले मार्टिन लूथर किंग ने उसे हिलाया-डुलाया जरूर लेकिन उसे चलाने की चाबी अब बराक ओबामा के हाथ लगी है। इसीलिए ओबामा सिर्फ अमेरिका के 44वें राष्ट्रपति ही नहीं होंगे, इतिहास-पुरुष भी होंगे।

राष्ट्रपति के तौर पर वे कोई क्रांति कर देने का दम नहीं भर रहे हैं लेकिन उनका व्हाइट हाउस में होना अपने आप में एक मौन क्रांति है। ओबामा के नाना-नानी चाहे गोरे रहे हों, मां भी गोरी रही हो और लोग उन्हें अफ्रीकन-अमेरिकन कहकर संबोधित करते रहे हों लेकिन यह सत्य एवरेस्ट पर गड़ी पताका की तरह लहरा रहा है कि वे काले हैं। उनके पिता का जन्म केन्या में हुआ था और उनकी मां के दूसरे पति इंडोनेशियाई थे और मुसलमान थे। पिछले सवा दो सौ

साल के इतिहास में क्या अमेरिका में कोई राष्ट्रपति ऐसा हुआ है, जिसकी पृष्ठभूमि इतनी विविध और जटिल हो? जैसे ओबामा बाल्यकाल में दस साल तक इंडोनेशिया में रहे और इस्लामी मजहब और हिंदू संस्कृति से ओत-प्रोत हुए, क्या कोई अन्य राष्ट्रपति हुआ है? विश्व-सिंहासन पर विराजमान होने वाला ओबामा ऐसा पहला नेता होगा, जिसके जेब में सदा हनुमान की मूर्ति रहती है और दफ्तर की दीवार पर महात्मा गांधी सुशोभित होते हैं।

47 वर्षीय ओबामा के व्यक्तिगत की यह रूपरेखा आशा जगाती है कि वे आइजनहावर रिचर्ड निक्सन, लिंडन जॉनसन और जॉर्ज बुश की तरह अहमन्य और संकीर्णमना राष्ट्रपति नहीं होंगे। उनकी दृष्टि उदार होगी वे सारी दुनिया को अमेरिकी छाते के नीचे धकेलने की कोशिश नहीं करेंगे। आर्थिक संकट में फंसा अमेरिका यदि अब भी एकध्रुवीय अंतरराष्ट्रीय व्यवस्था लादने पर आमादा रहेगा तो न केवल वह खुद का नुकसान करेगा बल्कि दुनिया में तबाही के एक नए दौर की शुरुआत करेगा। ओबामा को यह नहीं भूलना चाहिए कि उनकी विजय, उनकी उम्र, योग्यता, अभियान-कौशल आदि के कारण अवश्य हुई है लेकिन बुश के कारण भी हुई है। बुश ने अपनी दोनों अवधियों में सारे संसार पर अमेरिका को थोपने की जो कोशिश की है, उसने अमेरिका की अच्छाइयों पर पर्दा डाल दिया और उसे सर्वत्र घृणा का पात्र बना दिया। अमेरिकी जनता को बुश ने आर्थिक संकट में फंसा दिया। बेचारे मैक्केन को बुश का क्रॉस ढोना पड़ा। ओबामा चाहें तो अमेरिकी विदेश नीति ही नहीं, विश्व-राजनीति को भी रचनात्मक दिशा दे सकते हैं।

यह ठीक है कि जीत के बाद चुनावी भाषणों को नीतियों में बदल देना आसान नहीं होता लेकिन ओबामा से उम्मीद की जाती है कि राष्ट्रपति के रूप में वे ऐसी नीतियों का सूत्रपात्र करेंगे, जिनसे अमेरिकी समाज में खिंची रंगभेद की खाई पटने लगे। आज भी अमेरिका के काले, हिस्पानी और अश्वेत लोग, जिनकी संख्या लगभग 30 प्रतिशत है, घोर विषमता, गरीबी और उपेक्षा के शिकार हैं। ओबामा के राष्ट्रपति बनने से उनके मन में आशा की एक तेज किरण फूटी जरूर है लेकिन किरण के चांदनी बनने का फासला बहुत लंबा है।

इस लंबाई को घटाने में डेमोक्रेटिक पार्टी को सीनेट और प्रतिनिधि सदन में मिलने वाले बहुमत की भूमिका महत्वपूर्ण होगी। अमेरिका के अंदर ही नहीं,

ओबामा को यूरोप में भी लाखों श्रोताओं ने सुना है। अफ्रीका, एशिया और लातीनी अमेरिका की सहानुभूति उनके साथ है। फिदेल कास्त्रो ने उन्हें बधाई दी है। इस अपूर्व विश्व-सहानुभूमि के आधार पर वे अमेरिका को नए रूप में ढाल सकते हैं।

जहां तक अमेरिका के आर्थिक संकट का सवाल है, ओबामा के पास जादू की कोई छड़ी नहीं है। भोगवाद में डूबे अमेरिका को वे कौन सी आध्यात्मिक बैसाखी पकड़ाएंगे? खरबों डॉलर के कर्ज में डूबे अमेरिकियों को, ऋण करो और घी पीओ की सभ्यता में विश्वास करने वालों को वे यदि त्याग और बचत का उपदेश देंगे तो शीर्घ ही अलोकप्रिय हो जाएंगे। ओबामा की चुनौतियां लिंकन की चुनौतियों से कम नहीं हैं। लेकिन आशा की किरण यही है कि बाल्यकाल में अनाथ का जीवन बिताने वाले ओबामा पूंजीवाद की चकाचौंध में मस्ता रहे अमेरिकियों को जरा कमर कसने का आह्वान कर सकेंगे। सद्दाम के विध्वंकारी हथियारों के कारण नहीं, सस्ते तेल के कारण अमेरिका इराक के दलदल में फंस गया है। अरबों डॉलर और हजारों सैनिक खोकर भी बुश ने कोई सबक नहीं सीखा। अब यह सलीब ओबामा के कंधे पर आ गया है। इराक से अमेरिकी फौजों की वापसी क्या आसानी से हो सकेगी?

अफगानिस्तान और पाकिस्तान के बारे में ओबामा की सोच बिल्कुल सही है। जब तक तालिबान के विरुद्ध जोरदार अभियान पूरी ताकत से नहीं चलेगा, अफगानिस्तान अमेरिकी इज्जत की कब्रगाह बनता चला जाएगा। अपना काम पूरा करके अफगानिस्तान से अमेरिकी फौजें शीघ्रातिशीघ्र वापस हों, यह देखना ओबामा की जिम्मेदारी होगी। अगर अमेरिकी फौजें इराक और अफगानिस्तान में फंसी रहीं तो अमेरिका नए-नए आर्थिक संकटों में फंसता चला जाएगा। ओबामा अगर ईरान को धमकियां देने की बजाय बातचीत का रास्ता पकड़ें तो उन्हें अपूर्व सफलता मिलेगी। तीस साल से बंद पड़े ताले खुल उठेंगे।

ओबामा ने अपने चुनाव-अभियान में भारत के प्रति विशेष मैत्री-संकेत दिए हैं। उनके अभियान में प्रवासी भारतीयों ने जमकर सहयोग भी किया है। लेकिन उन्हें ध्यान रखना होगा कि वे परमाणु-सौदे के बहाने भारत पर अनावश्यक शर्तें थोपने की कोशिश नहीं करें। उन्होंने हाइड एक्ट बनवाने में विशेष भूमिका अदा की थी लेकिन अब उन्हें अपने परमाणु सामंतवाद या

परमाणु अप्रसारवाद पर थोड़ी लगाम लगानी होगी। उन्होंने पाकिस्तान को सही सलाह दी कि आतंकवाद ही उसका सबसे बड़ा दुश्मन है। वे राष्ट्रपति के तौर पर इसी नीति को चलाएं तो दक्षिण एशिया में अमेरिकी नीति काफी सफल हो सकती है। कश्मीर का सवाल बहुत नाजुक है। ओबामा को फूंक-फूंककर कदम रखना होगा। यदि बुश ने इस मुद्दे पर परिपक्वता का परिचय दिया है तो ओबामा से भी काफ़ी चतुराई की उम्मीद की जाती है। ओबामा चाहें तो दक्षिण एशिया में अमेरिकी नीतियों का पुनर्जन्म हो सकता है। भारत में जो दर्जा कभी सोवियत संघ को प्राप्त था, वह अमेरिका को मिल सकता है।

ओबामा युग

अब से 45 साल पहले अश्वेत पादरी और नेता मार्टिन किंग ने नस्लवाद के खिलाफ बहुत बड़े जुलूस का नेतृत्व करते हुए एक ऐतिहासिक भाषण दिया था। आई हैव अ ड्रीम शीर्षक से एक दस्तावेज बन चुके इस भाषण में वे अपने एक ख्वाब का जिक्र करते हैं, जब काले-गोरे सभी अमेरिकी अपने रंग से नहीं, सिर्फ अपनी योग्यता से पहचाने जाएंगे। इसके पांच साल बाद एक अन्य जुलूस का नेतृत्व करते हुए वे मार दिए गए। कोई अश्वेत व्यक्ति कभी अमेरिका का राष्ट्रपति बनेगा, ऐसी कोई बात इस भाषण में नहीं थी। लेकिन किंग की हत्या के 40 साल बाद बराक ओबामा का अमेरिकी राष्ट्रपति चुना जाना यह बताता है कि बड़े सपनों की फितरत अपनी सीमाओं के पार जाकर हकीकत में बदल जाना ही हुआ करती है। आम धारणाओं के विपरीत नस्लवाद आज भी अमेरिका की सोच में बसा हुआ है। और तो और, डेमोक्रेटिक पार्टी के आंतरिक चुनावों में हिलेरी क्लिंटन ने अपने एक भाषण में सीधे-सीधे ओबामा की नस्ल को निशाना बनाते हुए श्वेत वोटरों को अपनी तरफ खींचने का प्रयास किया था। आने वाले समय में ओबामा और उनकी संकट काल में अमेरिका का नेतृत्व करने की क्षमता मौजूद है। यह काम कहने में आसान है, लेकिन इसे करने में व्हाइट हाउस के नए बाशिंदे के पसीने छूट जाएंगे। कुर्सी संभालने के तुरंत बाद ओबामा से अपने तीन सबसे बड़े वादे पूरे करने की अपेक्षा की जाएगी। एक-इराक से अमेरिकी फौजों की वापसी, दो-शिक्षा और स्वास्थ्य पर खर्च बढ़ाना, और तीन-मंदी और बेरोजगारी से कराह रही गरीब-मध्यवर्गीय आबादी को राहत। इन तीनों ही मामलों में बुश ने ओबामा के

हाथ पहले ही बांध दिए हैं, और खुद डेमोक्रेटिक पार्टी की ओर से भी उन्हें इसमें ज्यादा मदद नहीं मिलने वाली है। सरकारी खजाने से 700 अरब डॉलर दीवालिया वित्तीय संस्थानों को बचाने के लिए दिए जा चुके हैं। लिहाजा ओबामा प्रशासन चाहकर भी शिक्षा और स्वास्थ्य के मद में जल्दी कुछ करने की हालत में नहीं होगा। जहां तक सवाल इराक से अमेरिकी फौजों की वापसी की है, तो डेमोक्रेटिक पार्टी में इस मुद्दे पर गंभीर नीतिगत विभाजन मौजूद है। नीति संबंधी कुछ बुनियादी सवालों पर डेमोक्रेटिक पार्टी के आंतरिक मतभेदों का संबंध भारतीय हितों से भी है। चुनावी अभियान के अंतिम दौर में कश्मीर पर एक विवादास्पद बयान देकर ओबामा ने भारत को चौंकाया है। आउटसोर्सिंग पर उनके नजरिए को भी यहां चिंता की नजर से देखा जा रहा है। एक व्यक्ति के रूप में ओबामा इतिहास बना चुके हैं, लेकिन बतौर अमेरिकी राष्ट्रपति अपने कार्यकाल को उतना ही ऐतिहासिक बनाने के लिए उन्हें काफी नरम-गरम झेलना पड़ेगा।

अमेरिका में क्रिसमस पर मंदी का काला साया

प्रेजिडेंट के चुनाव में बराक ओबामा की जीत से पूरे अमेरिका में खुशी के बीच प्रभावशाली अखबार मंदी और आर्थिक संकट की काली घटनाओं की ओर इशारा कर रहे हैं। 'न्यू यॉर्क टाइम्स' ने लिखा कि क्रिसमस से पहले इतनी तंगी पहली बार दिखाई पडी है। क्रिसमस का महत्वपूर्ण त्यौहार बहुत कम खरीदारी के बीच गुजरा। 'वांशिगटन पोस्ट' ने लिखा कि 25 साल में सबसे कमजोर अर्थतंत्र ओबामा को मिला है। संभावना यह है कि ओबामा का पहला साल एक के बाद एक संकट से निपटते गुजरेगा। अमेरिका में बेरोजगारी की दर 14 साल में सबसे ज्यादा 6.5 प्रतिशत पहुंच गई है। बेरोजगार लोगों की संख्या छह लाख तीन हजार से बढ़कर एक करोड़ हो गई है। अखबार ने लिखा कि फ्रैंकलिन रूजवेल्ट और रॉनल्ड रीगन ने आर्थिक संकट में सत्ता संभाली थी और अमेरिकी पूंजीवाद को नई शक्ल व नई परिभाषा दी। अब ओबामा के सामने मजबूत जनादेश के साथ वैसा ही अवसर है।

'न्यू यॉर्क टाइम्स' के अनुसार, रिटेल बिजनेस चरमरा गया। कई रिटेल चेन के वजूद को खतरा पैदा हो गया है। उपभोक्ता जेब में हाथ नहीं डालना चाहते। 5000 डॉलर की महंगी डिजाइनर ड्रेस पहनने वाले हों या 18 डॉलर का

अंडरवियर खरीदने, खर्च करने के मूड में कोई नहीं है। बिक्री में 28-40 प्रतिशत की गिरावट दर्ज की गई। अधिकतर रिटेल दुकानों में डबल डिजिट की गिरावट बताई जा रही है। वॉल मार्ट और होलसेल क्लब की बिक्री बढ़ी तो, लेकिन भारी डिस्काउंट देने के बाद। अमेरिकी अर्थव्यवस्था का दो-तिहाई उपभोक्ता खर्च से जुड़ा हुआ है। रिटेल में गिरावट का मतलब है भारी मंदी। रोजगार के नए अवसर पैदा नहीं हो रहे और बेरोजगारी 6.1 प्रतिशत चल रही है।

रिटेलर्स के लिए हालत इतनी खराब है कि वे किसी भी हाल में उपभोक्ताओं को खींचने की जुगाड़ में लगे हैं। क्रिसमस के सात हफ्ते पहले वे उपभोक्ताओं को आकर्षित करने की तरकीबें निकाल रहे थे। एनपीडी ग्रुप के मुख्य उद्योग विश्लेषक मार्शल कोहिन ने कहा कि इस साल उपभोक्ताओं को इतने गिफ्ट दिए जा रहे हैं कि यकीन नहीं होता। आप हर चीज, हर जगह, किसी भी दाम पर पा सकते हैं। मॉल्स में सात-सात फुट के सेल साइनबोर्ड लगाए जा रहे हैं। डिपार्टमेंट स्टोर देर तक खुले जा रहे हैं।

250 डॉलर की डायमंड रिंग 77.99 डॉलर में बिक्री। केमार्ट ने सिल्वैनिया का 32 इंच वाला एलसीडी टीवी 439.99 डॉलर में बेचा, जिसकी कीमत 549.99 डॉलर है। अक्टूबर में वॉल मार्ट सेल में 2.4 प्रतिशत की बढ़ोतरी हुई थी, इसके बावजूद उसने खाने-पीने की चीजों और गिफ्ट आइटमों पर डिस्काउंट शुरू कर दिया। वॉल मार्ट ने मैग्नो ब्लू रे प्लेयर के दाम 229 डॉलर से घटाकर 198 डॉलर कर दिए। बैटिलशिप बोर्ड गेम की कीमत 14.38 से घटाकर 10 डॉलर कर दी गई।

सिटी ग्रुप के रिटेल एनालिस्ट किंबर्ली ग्रीनबर्गर का कहना है कि पूरे स्टोर में इस हद तक डिस्काउंट पहली बार देखा जा रहा है। कई रिटेलर्स ने ग्रीनबर्गर को बताया कि 40 प्रतिशत तक डिस्काउंट के बाद भी उपभोक्ता अच्छे मूड में नहीं आ रहे। कुछ चीजों के दाम तो 60 प्रतिशत तक घटा दिए गए हैं, फिर भी उपभोक्ता टस से मस नहीं हो रहे। एक एक्ट्रेस ने 'न्यू यॉर्क टाइम्स' से कहा कि आर्थिक चिंता के कारण महिलाएं स्टोरों की ओर देखना भी नहीं चाहतीं। एक अन्य एक्ट्रेस ने कहा कि इतनी दीन-हीन मैं कभी नहीं रही। यह एक्ट्रेस इन दिनों खर्चा पूरा करने के लिए एक रेस्तरां में काम कर रही हैं। उसने बताया कि रेस्तरां में आने वाले ग्राहकों की संख्या कम हो गई है।

एनपीडी ग्रुप के मुख्य उद्योग विश्लेषक मार्शल कोहिन ने कहा कि रिटेलर आमतौर से क्रिसमस के दौरान ज्यादा मुनाफा कमाते हैं। वे डिस्काउंट तो हर साल देते हैं, लेकिन इतना कभी नहीं। ज्यादा डिस्काउंट देने से मुनाफे पर बुरा असर पड़ता है। कुछ रिटेलर्स की बैलेंस शीट मजबूत होती है, लेकिन ज्यादातर पर यह लागू नहीं होता। कर्ज मिल नहीं रहा, जिससे इन रिटेलर्स को खतरा है। विश्लेषकों का कहना कि कई और रिटेलर दीवालिया हो सकते हैं।

ईरान का अमेरिका को अहम संदेश

ईरान के प्रजिडेंट महमूद अहमदीनेजाद ने एक महत्वपूर्ण कूटनीतिक कदम उठाते हुए अमेरिका के नवनिर्वाचित राष्ट्रपति बराक ओबामा को बधाई संदेश भेजा। 'वांशिगटन पोस्ट' अखबार ने विश्लेषकों के हवाले से लिखा कि ईरान ने इस लेटर के जरिए अमेरिका से संबंध सुधारने का संदेश दिया है। 1979 में ईरान ने इस्लामी क्रांति के बाद अमेरिका को अपने ढंग का यह पहला बधाई संदेश भेजा। इसमें अमेरिकी जनता की तारीफ करने के साथ ही उम्मीद जताई गई कि अमेरिकी प्रशासन दूसरे देशों को धमकाने, उन पर कब्जा करने, धोखा देने और हस्तक्षेप की नीतियों पर नहीं चलेगा। पत्र में कहा गया कि अमेरिकी प्रशासन की इन नीतियों से कई देश नाराज हुए और अमेरिकी जनता व प्रशासन की इमेज खराब हुई।

अहमदीनेजाद ने लिखा कि पशिचम एशिया से उम्मीद की जा रही है कि 60 साल से चली आ रही अन्यायपूर्ण हरकतों की जगह सभी देशों, खासतौर से फिलिस्तीन, इराक और अफगानिस्तान के दबाए हुए लोगों को सभी अधिकार प्रदान करने की नीति अख्तियार की जाएगी। उल्लेखनीय है कि ओबामा ने बिना किसी शर्त के ईरानी नेताओं से बात पर जोर देते रहे हैं हालांकि किसी भी प्रकार की बातचीत से पहले ईरान यूरेनियम का शोधन रोके। ईरान का कहना है कि उसका परमाणु कार्यक्रम शांतिपूर्ण उद्देश्यों के लिए है।

तेहरान में इंस्टिट्यूट फॉर नॉर्थ अमेरिकन एंड यूरोपियन स्टडीज के प्रमुख मुहम्मद मरांडी का कहना है कि ईरान सरकार की प्रतिक्रिया का मतलब यह है कि वह अमेरिका से सीधी बातचीत का इच्छुक है। ईरान ओबामा से उम्मीद करता है कि वह दोनों देशों में तनाव कम करने के लिए कुछ ठोस कदम उठाएंगे। ईरान के सबसे बड़े सरकारी वकील आयतुल्ला कुर्बान अली नजफाबादी

ने कहा कि ओबामा ईरान पर लगाए गए प्रतिबंध हटा सकते हैं। ओबामा पूर्ववर्ती अमेरिकी सरकारों द्वारा लगाए गए दमनकारी प्रतिबंध हटाकर सद्भावना का परिचय दे सकते हैं। ईरान ने एक सप्ताह के दौरान दूसरी बार अमेरिका से बातचीत की इच्छा जताई। 4 नवंबर 2008 को ओबामा की जीत की घोषणा के बाद ईरान के विदेश मंत्री मंसूर मुतक्की और अहमदीनेजाद के सहायकों ने कहा था कि अमेरिका को बातचीत की प्रक्रिया शुरू करनी चाहिए। ईरान ने संकेत दिया है कि ओबामा प्रशासन के साथ उसकी बातचीत संभव है।

जीत को जीत ही रहने दो, कोई नाम न दो

भारत का मध्यवर्ग अमेरिका से बेहद आकर्षित रहा है और उसके राष्ट्रपतियों की झलक पाने के लिए बेताब। बिल क्लिंटन का जब भारतीय संसद में भाषण हुआ था तो हमारे सांसद उनसे हाथ मिलाने, उन्हें छू भर लेने के लिए कितने व्यग्र हो उठे थे। गांवों की औरतें उनके साथ नाच रही थीं और युवतियां फूल बरसा रही थीं मानों कोई मेहमान नहीं महबूब आया हो। चरित्रहीनता का लांछन लगने के बावजूद भारत में बिल क्लिंटन का आकर्षण कम नहीं हुआ और राष्ट्रपति जॉर्ज बुश को तो स्वयं हमारे सुयोग्य प्रधानमंत्री मनमोहन सिंह प्रमाणपत्र दे आए कि भारत के लोग उन्हें बहुत प्यार करते हैं। बराक ओबामा के निर्वाचन पर जितने बैंडबाजे मीडिया में बजे, उससे कहीं-न-कहीं भारत की मानसिकता का पता चलता है।

बेसक बराक ओबामा की जीत कई अर्थों में ऐतिहासिक है लेकिन इसकी वजह भी अमेरिका की सामाजिक-आर्थिक स्थितियों और विश्व में तेजी से गिरती उसकी साख में ही निहित है। संसार भर में लोकतंत्र की स्थापना के सही-गलत अनुष्ठान में लगे अमेरिका में एक विशुद्ध काले आदमी को अभी तक राष्ट्रपति बनने का मौका नहीं मिला था? एक सचमुच के लोकतंत्र में नैतिकता के तकाजे से उन अफ्रीकियों के वंशजों को पहले ही ऐसा सम्मान क्यों नहीं मिलना चाहिए चाहिए था, जिन्हें 17वीं शताब्दी में दास बनाकर लाया गया और बाद में दास प्रथा पर प्रतिबंध के बावजूद शताब्दियों तक उनके साथ भेदभाव जारी रहा क्योंकि उनकी चमड़ी का रंग काला था। सैकड़ों सालों तक बसों, स्कूलों और रेस्तराओं में काले लोगों के बैठने की अलग व्यवस्था थी। महात्मा गांधी के अहिंसक आंदोलनों के अनुयायी मार्टिन लूथर किंग जूनियर

के अश्वेत आंदोलन के बाद कहीं 1960 के दशक में जाकर शिक्षा, नौकरियों, मताधिकार आदि के क्षेत्रों में काले लोगों को समान अधिकार मिल पाए। आप कोलिन पावेल या कोंडोलीजा राइस के विदेश मंत्री बनने पर न जाइए। हाथी के खाने और दिखाने के दांत अलग-अलग होते हैं। साढ़े तीस करोड़ की आबादी वाले अमेरिका में सवा चार करोड़ अश्वेत लोग हैं। इनमें कोई 12 प्रतिशत बेहद गरीब हैं और आधे से कहीं ज्यादा अश्वेत गोरों के मुकाबले बेहद कम पढ़े-लिखे हैं। गरीबी, अशिक्षा और बेरोजगारी के कारण कई अश्वेत बालिकाएं 10वीं-11वीं क्लास तक पहुंचते-पहुंचते कुंआरी मां बन जाती हैं और अपराधों में जितने काले अन्ततः सजा पाते हैं उतने गोरे नहीं। इसलिए एक अफ्रीकी-अमेरिकी को राष्ट्रपति चुनकर देश ने अपनी नीतियों को सुधारा है।

जॉर्ज बुश ने आठ सालों में दुनिया की नजरों में अमेरिका की इज्जत और घटा दी। इराक जैसे प्राचीन सभ्यता वाले देश को बर्बाद कर डाला। अपने अरबों डॉलर युद्ध पर खर्च कर डाले और हजारों अमेरिकी सैनिकों और लाखों निर्दोष इराकियों को मरवा डाला। अबू गारिब और ग्वानतेनामों बे जैसे यातनागृहों में कैसे अत्याचार हुए? दूसरी ओर अफगानिस्तान में अमेरिका की उपस्थिति के बावजूद हामिद करजई की सरकार का इकबाल राजधानी काबुल से आगे नहीं रह गया है, जबकि ओसामा बिन लादेन पकड़ा नहीं जा सका और जीते जी एक मिथक बन गया है। पाक-अफगान सीमा पर अमेरिका का पांव फंस रहा है। और ईरान को मजा चखाने की बुश की इच्छा मन-ही-मन में रह गई है। रूस के साथ टकराव की सी स्थिति है और कुछ विशेषज्ञ तो कहने भी लगे हैं कि शीत युद्ध की वापसी हो सकती है। घरेलू मोर्चे पर हालात और भी बदतर हैं। मौजूदा वित्तीय संकट को 1929 की ऐतिहासिक महा-मंदी के रूप में देखा जा रहा है। देश के करीब 20 प्रतिशत लोगों के पास मेडिकल बीमा करवाने के लिए पैसे नहीं हैं और बीमे के अभाव में इलाज लगभग असंभव होता है। लोगों के पास बच्चों की फीस भरने तक के लिए पैसों की कमी की शिकायतें मिली हैं, जबकि खाने-पीने और शानो-शौकात पर खर्च होने वाले आम उपभोक्ता के खर्च में भारी कमी आई है। इसलिए अमेरिका में परिवर्तन कामना अपने शीर्ष पर थी। ओबामा ने इसे ही अपनी पूंजी बनाया। लेकिन परिवर्तन खुद अमेरिका में और दुनिया में कितना और कैसे होता है, यह

देखने वाली बात है। वैसे भी हर संकट हर दबाव और हर विकट स्थिति अपना जवाब ढूंढ़ती है और निश्चय ही बराक ओबामा इस वक्त अमेरिका का सर्वाधिक सम्भावनापूर्ण जवाब है: एक अश्वेत-अमेरिकी बालक जिसने एक टूटे परिवार की विभीषिका देखी हो, जो करीब-करीब अनाथ हो और जिसे नाना-नानी ने पाला हो और जिसने बचपन में अपमान झेलें हों, आज कंजर्वेटिव अमेरिका का देश और दुनिया को प्रगतिशील जवाब है कि देखो एक काला केन्या मूल का अमेरिकी हमारे यहां शिखर पर पहुंच सकता है। चुनाव अभियान के दौरान ईसाई धर्म मानने वाले ओबामा के मुस्लिम मध्य नाम 'हुसैन' को उछालकर उन्हें मुसलमान बताने की भी कोशिश की गई। दूसरी ओर उन्हें कम्युनिस्ट खेमे का आदमी भी कहा गया। यह घृणित दुष्प्रभाव था, लेकिन उनकी निर्णायक जीत ने साबित किया कि देश उनके साथ है। वह समता और न्याय के प्रतीक हैं। वे युवा हैं, जुझारू हैं और दिल की बजाय दिमाग से चलते हैं।

उनके बचपन का एक किस्सा है। जब वे अपनी मां की एक इंडोनेशियाई से दूसरी शादी होने पर उनके साथ जकार्ता गए तो उन्हें वहां की भाषा नहीं आती थी। वे वहां बच्चों से बोलते न थे। कद उनका लंबा था। बच्चे उनसे चिढ़ते थे। एक बार बच्चे उन्हें पानी से भरे एक बड़े गड्ढे तक ले गए और पीछे से धक्का दे दिया। तब के उनके एक दोस्त ने लिखा है कि हम नहीं जानते थे कि ओबामा को तैरना भी आता है या नहीं। जब ओबामा तैरकर ऊपर आए तो वह हंस रहे थे। दोस्त लिखता है-चाहते तो ओबामा धक्का देने वाले बच्चों का भुर्ता बना देते, पर वह शांत रहे। इस घटना से सूत्र लेकर कहा जा रहा है कि ओबामा ठंडे दिमाग से और विवेक से काम करते हैं और उनमें अपने विरोधियों को मित्र बनाने का मादा है। आप हार के बाद मैक्केन के भावुक उद्गार भी जरा देखिए। उनके पास सद्भावना है तो ओबामा के पास उसे पाने की पात्रता है। उन्हें डेमोक्रेटिक पार्टी का अब तक का सबसे अनुशासित राष्ट्रपति उम्मीदवार भी कहा गया लेकिन यह आशा भी की गई कि वे गरमाहट भी दिखाएंगे और जरूरत पड़ने पर गर्ममिजाजी भी, जिसकी राजनय में जरूरत पड़ती है। यहां तक कि, उनमें संकटों में बड़े फैसले लेने की हिम्मत होगी और विनम्रता भी। निश्चय ही सब हो सकता है पर उनके पास कोई जादू

की छड़ी नहीं है और उनकी चुनौतियां बहुत बड़ी हैं। हथियार के सौदागरों को सीमा में रखते हुए क्या वह सचमुच दुनिया में शांति और भाईचारे, समता और न्याय के लिए कुछ करेंगे? दुनिया और देशों को डराने वाले अमेरिका पर लगाम लगाएंगे?

बेशक उनका निर्वाचन अमेरिका के लिए एक बहुत बड़ी बात है लेकिन हमें लहरों में नहीं बहना चाहिए। नेल्सन मंडेला का राष्ट्रपति बनना हमारे लिए इससे कहीं बड़ी घटना थी। उससे पहले जब रॉबर्ट मुगाबे जिम्बाव्बे के राष्ट्रपति बने थे तो उसका भी दुनिया के लिए एक बड़ा प्रतीकात्मक महत्व था लेकिन बाद में वह घनघोर तानाशाह सिद्ध हुए। मंडेला के रहते दक्षिण अफ्रीका ने कश्मीर के मसले पर हमें नीचा दिखाया। अब कश्मीर के सवाल पर पूर्व राष्ट्रपति बिल क्लिंटन को विशेष दूत बनाने की बातें कहीं जा रही हैं। भारत मानता है कि कश्मीर का मसला किसी मध्यस्थता की दरकार नहीं रखता। कारगिल युद्ध के समय अटल बिहारी वाजपेयी ने क्लिंटन का ऐसा ही प्रस्ताव ठुकरा दिया था। सीटीबीटी, आउटसोर्सिंग और एच-1बी वीजा के प्रश्न पर भी ओबामा का नजरिया भारत के प्रतिकूल है। कुछ लोग अमेरिका और ओबामा के प्रेम में बहकर तर्क दे रहे हैं कि समय आने पर वह भारत के प्रति अपना नजरिया सुधार लेंगे। भारत जैसी उभरती आर्थिक ताकत की वह अनदेखी नहीं कर सकेंगे।

हम समझते हैं कि आज की दुनिया में अपनी आर्थिक और सैन्य शक्ति से ही आप अपना लोहा मनवाते हैं। दो देशों की दोस्ती राष्ट्रीय हितों पर आधारित होती है। व्यक्तियों के आने से बेशक द्विपक्षीय रिश्ते प्रभावित होते हों, लेकिन विदेश नीति रातोंरात नहीं बदला करती। इसलिए अमेरिका के साथ अपने रिश्तों में यथार्थ की जमीन हमें नहीं छोड़नी चाहिए और टीवी के तिलिस्म से बनती छवियों की असलियत समझनी चाहिए। आपके अपने मुल्क में एक दलित और पांच अल्पसंख्यक राष्ट्रपति बन चुके हैं। एक सिख आज प्रधानमंत्री है और कोई आश्चर्य नहीं कि एक दलित प्रधानमंत्री भी बन जाए। जगजीवन राम एक बार प्रधानमंत्री बनते-बनते रह गए थे। लेकिन क्या इससे दलितों और अल्पसंख्यकों की हालत सुधर गई? आप इसे एक प्रगतिशील प्रतीक के रूप में ही देख सकते हैं क्योंकि आज भी भारत में सिर पर मैला

ढोने की प्रथा खत्म नहीं हुई है और मुसलमान होना पूर्वाग्रहों को आमंत्रित करना होता है। उधर अफ्रीकी-अमेरिकियों के मूल महाद्वीप अफ्रीका में गरीबी, भुखमरी, बीमारी, युद्ध और अराजकता के बादल छंटने का नाम नहीं ले रहे हैं। इसलिए अमेरिका में हुए परिवर्तन को कोई बड़ा नाम देने में अभी तो संकोच होता है।

क्या कर सकते हैं ओबामा हमारे लिए?

अमेरिका के हमेशा से दो बिल्कुल अलग चेहरे रहे हैं। इनमें से एक अंदरूनी चेहरा है और दूसरा बाहरी। अंदरूनी हिसाब से देखें, तो अमेरिका पूरे विश्व के लिए लोकतंत्र, सशक्तिकरण और सभी के लिए समान अधिकारों का प्रतीक रहा है, लेकिन बाहरी तौर पर मामला कुछ और ही है। दूसरों को अपनी धौंस में लेने के लिए अमेरिका ने अपनी सैन्य और आर्थिक ताकत का भरपूर इस्तेमाल किया है। इसके लिए प्यार से काम चल गया तो ठीक, नहीं तो खून-खराबा करने में भी उसे कोई गुरेज नहीं है। जाहिर है, अमेरिका के अंदरूनी चेहरे की दुनिया भर में तारीफ होती है, जबकि इसके बाहरी चेहरे को लोग जबर्दस्त नापसंद करते हैं।

बराक ओबामा की जीत ने अमेरिका के अंदरूनी चेहरे को शानदार तरीके से चमका दिया है। अमेरिका के इतिहास में ऐसा पहले कभी नहीं देखा गया। इस कामयाबी को पूरी दुनिया में सेलिब्रेट किया गया। अपने आप में यह कितनी शानदार बात है कि जिस अमेरिका में अश्वेतों को सदियों तक गुलाम बनाकर रखा गया, जहां 1964 तक उन्हें पूरी आजादी से वोट देने का भी हक नहीं था, वहां एक अश्वेत को राष्ट्रपति चुन लिया जाता है। नस्ल और रंग को अप्रासंगिक बनाते हुए अमेरिका ने अपने इतिहास को जीत लिया है। यह जीत सिर्फ ओबामा की नहीं है, बल्कि सभी अमेरिकियों की है, अमेरिकी विचार की है।

अमेरिका की अंदरूनी जीत की खुशियां मनाकर अब हमें यह पूछना चाहिए कि अमेरिका के बाहरी चेहरे के लिए ओबामा की जीत के क्या मायने हैं? भारतीय राजनेताओं और कारोबारियों ने ओबामा की जीत पर खुशी की है लेकिन उन्हें कुछ संदेह भी है। चुनाव प्रचार के दौरान ओबामा का नारा था 'यस वी कैन'। जरा सोचकर देखें कि कुछ खास मुद्‌दों पर इसके मायने क्या हैं।

1979 के बाद अमेरिका इन दिनों मंदी के सबसे बुरे दौर से गुजर रहा है। क्या ओबामा कुछ ऐसे कदम उठा सकते हैं, जिनसे सॉफ्टवेयर और व्यापारिक सेवाओं के मामले में भारत से आउटसोर्सिंग कम की जा सके? हां, ऐसा हो सकता है।

क्या भारत में डायरेक्ट और पोर्टफोलियो इनवेस्टमेंट के प्रवाह को कम करने के तरीके अपना सकते हैं? वह कैपिटल गेन्स टैक्स को 15 से बढ़ाकर 20 फीसदी करना चाहते हैं। इससे अमेरिकी निवेशकों का रिस्क रिवार्ड रेश्यो खराब हो जाएगा, जिसके चलते वे भारत जैसे उभरते हुए बाजारों में इनवेस्ट करने से और भी परहेज करेंगे, क्योंकि उभरते बाजार अमेरिका के मुकाबले ज्यादा रिस्की होते हैं।

क्या ओबामा कोई ऐसा तरीका ईजाद कर सकते हैं, जिससे उन कंपनियों को सजा दी जा सके, जो अमेरिका की जगह भारत जैसे देशों में इनवेस्ट करेंगी? नौकरियों को गरीब देशों से अमेरिका में वापस शिफ्ट करने के लिए क्या ओबामा कुछ संरक्षणवादी तौर-तरीके अपना सकते हैं? वह ऐसा कर सकते हैं और उन्होंने इसका वादा भी किया है। मकई आधारित इथेनॉल पर क्या सब्सिडी बढ़ा सकते हैं? ऐसा भी हो सकता है।

अमेरिकी फार्म सब्सिडी को ऊंचा रखने के लिए बुश से भी ज्यादा कठोर रुख अपनाते हुए ओबामा डब्ल्यूटीओ के दोहा राउंड को खत्म कर सकते हैं? बिल्कुल कर सकते हैं। अपने विदेशी मुद्रा भंडार को बढ़ाने के लिए अगर भारत रुपये को कमजोर करता है, तो क्या ओबामा इसका विरोध कर सकते हैं? हां वह ऐसा कर सकते हैं। चीन ने जब ऐसे ही कदम उठाए थे, तो उन्होंने चीन को सजा देने के हक में वोट दिया था। वर्तमान वित्तीय संकट के दौर में तीसरे विश्व के देशों के लिए अपने विदेशी मुद्रा भंडार को बढ़ाने का काम है, लेकिन अमेरिका के संरक्षणवादी इस बात को नहीं समझते।

अब हमें खतरों को ज्यादा बढ़ा-चढ़ाकर पेश नहीं करना चाहिए। दूसरे दिनों के मुकाबले चुनाव प्रचार के दौरान राजनेता ज्यादा जनवादी होते हैं। ओबामा के संरक्षणवादी कदम भारत के मुकाबले चीन और नाफ्टा के ज्यादा खिलाफ रहे हैं, लेकिन इस वक्त जबर्दस्त मंदी का दौर शुरू हो चुका है और अमेरिका में बेरोजगारी की दर बढ़कर 8-9 प्रतिशत हो सकती है। खबरें ऐसी

भी हैं कि ओबामा एक और 'नई डील' पर मशक्कत कर रहे हैं। यहां बता दें कि इस 'नई डील' से हमारा मतलब अमेरिका के सबसे खतरनाक संरक्षणवादी युग से है। अब बात विदेश नीति की। इस मामले में कुछ पॉजिटिव बातें हैं। ओबामा ने इराक पर हमले कि खिलाफ वोट किया था और ईरान के साथ बातचीत का पक्ष लिया था। राजनीतिक एकता की चाह में ओबामा कुछ रिपब्लिकन को भी अपनी कैबिनेट में लाना चाहते हैं। इससे लगता है कि विदेशी नीति में कोई खास बदलाव नहीं आने वाला है।

कश्मीर मुद्दे पर क्या ओबामा भारत पर दबाव बना सकते हैं? हां, वह ऐसा कर सकते हैं। वह पहले ही कह चुके हैं कि अगर कश्मीर मुद्दा हल हो जाए, तो पाकिस्तान अल-कायदा और तालिबान पर ज्यादा अच्छी तरह से ध्यान दे सकता है। भारत-अमेरिकी न्यूक्लियर डील हो चुकी है, लेकिन क्या ऐसा हो सकता है कि वह उसमें कोई रुकावटें पैदा करें? उम्मीद है कि वह ऐसा नहीं करेंगे, लेकिन यह भी सच है कि वह ऐसा कर सकते हैं। उनके चाहने वालों में परमाणु अप्रसार के हिमायती लोग भी हैं, जो अब भी भारत को सजा देना चाहते हैं। क्या वह भारत पर एक ऐसा कानून बनाने का दबाव डाल सकते हैं, जो किसी भारतीय न्यूक्लियर पावर प्लांट में होने वाले हादसे की स्थिति में अमेरिकी न्यूक्लियर सप्लायर्स की जवाबदेही को कम कर दे? क्या वह भारत से एक ऐसा अंतरराष्ट्रीय समझौता करने के लिए कह सकते हैं, जिससे पूरी जिम्मेदारी इक्विपमेंट सप्लायर्स से न्यूक्लियर प्लांट चलाने वाली कंपनी की तरफ शिफ्ट हो जाए? हां, ओबामा ऐसा कर सकते हैं।

एक बार फिर वही बात। हमें खतरों को ज्यादा बढ़ा-चढ़ाकर पेश नहीं करना चाहिए। हमें यह समझ लेना चाहिए कि अमेरिकी नीतियों में ज्यादा बदलाव नहीं होगा। इतिहास इस बात का गवाह है कि भारत-अमेरिकी संबंध आमतौर पर डेमोक्रेटिक की तुलना में रिपब्लिकन राष्ट्रपतियों की हुकूमत में ज्यादा अच्छे रहे हैं। डेमोक्रेट्स ज्यादा संरक्षणवादी होते हैं और परमाणु अप्रसार के मामले में अपेक्षाकृत ज्यादा कठोर भी।

बिल क्लिंटन व्यक्तिगत रूप से भारत में बहुत पॉपुलर थे, लेकिन उन्होंने हमारे लिए कुछ नहीं किया। हां, पोखरण-2 के बाद हमारे ऊपर प्रतिबंध जरूर लगा दिए। दूसरी तरफ बुश को निजी तौर पर भारत में पसंद नहीं किया जाता,

फिर भी उन्होंने न्यूक्लियर डील को पास करवाकर हमारे लिए एक अभूतपूर्व काम किया। क्या ऐसा ही कुछ ओबामा भी कर सकते हैं? वह कर तो सकते हैं, लेकिन वह वाकई ऐसा कुछ करेंगे, इसमें शक है।

अमेरिका का सिर्फ अभी रंग बदला है या चरित्र भी

- पहली बार काले लोग भूख और गरीबी से अलग संदर्भ में देखे गए।
- एटम बम गिराने वाला अमेरिका आज सबसे ज्यादा मानवाधिकारों की बात करता है।
- मिस्टर चेंज क्या दुनिया के प्रति अमेरिकी नजरिया में कोई बदलाव ला सकेंगे?

यह अमेरिकी सपना अब साकार हो गया है कि 'हर पुरुष या महिला को उसकी नस्ल और धर्म आदि से निरपेक्ष अपनी क्षमताओं के विकास और अवसरों की प्राप्ति का समान हक हो और वह एक संपूर्ण और समृद्ध जीवन गुजर-बसर करे।' इस तरह अमेरिका ने यह भी साबित किया है कि सिर्फ सक्षम लोगों के सपने साकार होते हैं, सभी के नहीं। बराक ओबामा का राष्ट्रपति बनना एक व्यक्ति की सफलता से अधिक अमेरिकी नागरिकों की, उनके संकल्प की सफलता है।

यह भी अमेरिकी विरोधाभास ही है कि जो अमेरिका अब तक बुश प्रशासन के अंतर्गत 'व्हाइट मैन बर्डन' की आकांक्षा से संचालित हो सारी दुनिया को 'पुलिसमैन बन नियंत्रित' करना चाहता था, अब वह खुद ही बदलाव को अंगीकार कर रहा है। बराक ओबामा ने एक तरह से खुद को 'मिस्टर चेंज' कहा है। राष्ट्रपति पद के लिए अपने स्वीकृत भाषण में ओबामा ने कहा कि अमेरिका में बदलाव आ गया है। अपने चुनाव अभियान और अपनी उपस्थिति से बराक ओबामा ने न केवल अमेरिका, बल्कि सारी दुनिया में आशा और उत्सुकता जगाई है। अमेरिका के धुर विरोधी राष्ट्रों, जैसे क्यूबा, वेनेजुएला और ईरान ने भी ओबामा की जीत का स्वागत किया है और बदलाव की उम्मीद जताई है।

ओबामा कितना कुछ बदल पाएंगे अथवा खुद बदलेंगे-यह तो आगे आने वाला वक्त ही बताएगा, पर एक चीज निश्चित रूप से बदल चुकी है, वह है

ब्लैक काले लोगों का मीडिया में और मीडिया के माध्यम से जनता में बना नजरिया। इसे मीडिया का स्वभाव कहा जाए या ब्लैक लोगों की दशा का सच, कि अभी तक हम ब्लैक समाज की एक ही तस्वीर से परिचित रहे हैं-भूखा, अनपढ़, अभाव ग्रस्त और हिंसक समाज। इस समाज की इससे अलग न कोई पहचान थी और न चेहरा। पहली बार लोगों ने देखा कि एकाध ओपरा विनफ्रे, कोंडोलीजा राइस अथवा माइक टायसन और अन्य एथलीटों के अलावा भी एक बहुत बड़ी आबादी है, जो 'परायी' नहीं वरन् हम लोगों की तरह ही हंसती, मुस्कराती, रोती है और शांतिप्रिय है। इसके पहले कभी मीडिया ने इतनी बड़ी ब्लैक आबादी को इस तरह नहीं दिखाया, जैसा कि पिछले कुछ ही दिनों में दुनिया ने देखा- हंसते, गाते, चीखते, रोते, विजय उत्सव मनाते काले-गोरे लोगों के समूह!

'ब्लैक' रंग पहली बार टीवी पर उल्लास और उम्मीद से सराबोर दिखा। ऐसा लगा कि मीडिया ने पहली बार यह सत्य जाना है कि हर्ष, आशा और जोश का रंग उजला और भूख, विवशता और हिंसा का रंग काला होता है, स्किन का नहीं। यह भी ध्यान देने की बात है कि इस पूरे विजय समारोह से हिंसा का कोई समाचार अब तक नहीं आया है। इससे यह आस बंधती है कि यह उल्लास सफलता और बराबरी के हक से उपजा है, किसी वर्चस्व की लड़ाई का नतीजा नहीं है। इसकी पुष्टि ओबामा के मिले वोटों से भी होती है। ओबामा की जीत में ब्लैक, शिक्षित, युवाओं, महिलाओं और कैथोलिक तथा कभी चर्च न जाने वाले लोगों के वोटों का निर्णायक योगदान रहा है। इतिहास में इस तरह के बहुत उदाहरण नहीं हैं। इस मायने में ओबामा का कथन अक्षरशः सही है कि यह सब इस धरती पर सिर्फ अमेरिका में ही हो सकता था। अमेरिका ने साबित किया है कि वह मुल्क समानता, स्वतंत्रता और लोकतंत्र की सिर्फ बात ही नहीं करता, बल्कि उसे अमल में भी लाता है। पर क्या अमेरिका सिर्फ इतना ही है? यह नहीं भूलना चाहिए कि अमेरिका ही दुनिया का एकमात्र देश है, जिसने एटम बम का इस्तेमाल किया था। वही दुनिया का एक ऐसा देश है, जिसने शीतयुद्धोत्तर कालीन मान मर्यादाओं और समस्त अंतरराष्ट्रीय समुदाय को धता बताते हुए बिना किसी कारण के इराक के खिलाफ युद्ध छेड़ रखा है। वही एकमात्र देश है, जिसे दुनिया अगर आशा और अवसर के मुल्क के रूप में देखती है, तो घृणा और आतंक से भी कम

नहीं देखती। अमेरिका ही वह देश है, जहां अगर लिबर्टी की मूर्ति है, तो इसी देश को दुनिया के बहुत बड़े भाग में साम्राज्यवादी देश के रूप में भी देखा जाता है। मुश्किल यह है कि ये दोनों विरोधी विशेषताएं अमेरिकी चरित्र की अपनी विशेषताएं हैं और वे कोई ओढ़ी हुई या दिखावटी नहीं हैं। संभवतः एक ही सिक्के के दो पहलू इन खासियतों में नजर आते हैं। ऐसा क्यों है? शायद इसलिए कि अमेरिका खुद को विश्व के सबसे पुराने लोकतंत्र के रूप में देखता है और पूरी दुनिया में लोकतंत्र के प्रसार और संरक्षण को अपनी जिम्मेदारी भी मानता है।

संरक्षण प्रदान करने की यही स्वघोषित जिम्मेदारी कई बार उसे विश्व का दादा या दरोगा बनने से नहीं रोक पाती है। सवाल इस बात का नहीं है कि अमेरिका अपनी इस जिम्मेदारी को कितने न्यायपूर्ण या अन्यायपूर्ण तरीके से निभाता है, बल्कि यह है कि क्या हमें इस तरह की अमेरिका केंद्रित दुनिया की जरूरत है? एक ऐसा विश्व, जहां अमेरिका पर आतंकवाद के हमले का आशय होता है पूरे विश्व की शांति पर खतरा और अमेरिका में मंदी का आशय है सारे विश्व में मंदी।

जाहिर है कि ऐसा वर्ल्ड ऑर्डर गैर-बराबरी पर आधारित है, अन्यायपूर्ण और अलोकतांत्रिक है, इसलिए स्वयं में विश्व शांति के लिए सबसे बड़ा खतरा है। इसलिए ओबामा के लिए असली चुनौती उस परिकल्पना से सामंजस्य बिठाने की है, जो दुनिया में हर व्यक्ति और देश को बराबरी पर लाने वाले वर्ल्ड ऑर्डर की बात करता हो।

ओबामा की असली परीक्षा यह है कि वे एक ऐसे वर्ल्ड ऑर्डर में काले और गोरे, ईसाई और मुस्लिम को बराबरी का दर्जा मिल सके। वे ऐसी दुनिया बनाने में तत्पर हों, जिसमें एक अमेरिकी नागरिक या अमेरिका को भी जीने का उतना ही हक हो, जितना कि भारतीय को या भारत अथवा ईरान या दक्षिण अफ्रीका को। इसी से परखा जा सकेगा कि सिर्फ अमेरिका की स्किन को कलर ही बदला है या फिर उसके चरित्र का कंटेंट भी बदल गया है, जैसी कि मार्टिन लूथर किंग ने कल्पना की थी। या फिर इतिहास फिर एक बार अपने का दोहराएगा कि सत्ता का एक अपना चरित्र होता है। उसका अपना एक रंग होता है और उसका स्किन के उजलेपन या कालेपन से कोई रिश्ता नहीं होता।

भारत में ओबामा के होने का मतलब

- अमेरिकियों ने ओबामा को चुना, ताकि शासन व्यवस्था और देश के प्रति विश्व दृष्टि बदले।
- हमारी जनतांत्रिक व्यवस्था में प्रगति के बावजूद राजनीति का स्तर लगातार गिरा है।
- हमें राष्ट्रीय चुनौतियों को अहमियत देने वाले नेताओं की जरूरत है।

जब से बराक ओबामा अमेरिका के राष्ट्रपति चुने गए हैं, भारत में कई स्तरों पर एक सवाल उठ रहा है-क्या भारत में भी कोई बराक ओबामा हो सकता है? इस सवाल के जवाब में कई नाम सुझाए भी गए हैं। इन नामों पर बहस हो सकती है, लेकिन इससे ज्यादा महत्वपूर्ण मुद्दा यह है कि भारत में किसी बराक ओबामा के होने का मतलब क्या है।

अमेरिकी राष्ट्रपति का चुनाव अक्सर रोमांचक होता है। लेकिन इस बार मामला कुछ ज्यादा रोचक था। मुद्दा रिपब्लिकन पार्टी या डेमोक्रेट पार्टी के उम्मीदवार के जीतने का ही नहीं था, बल्कि किसी ओबामा और किसी मैक्केन के जीतने का भी था जो राजनीतिक स्तर पर ही नहीं, वैयक्तियक सोच और सार्वजनिक जीवन में मूल्यों और विचारों के स्तर पर भी संस्कृतियों का प्रतिनिधित्व कर रहे थे। ओबामा की जीत ने बुश का शासन ही समाप्त नहीं किया, बल्कि अमेरिकी इतिहास का एक नया अध्याय भी लिखा है।

साढ़े तीन सौ साल के अमेरिकी इतिहास में पहली बार कोई अश्वेत (ब्लैक कहना ज्यादा उपयुक्त होगा) व्हाइट हाउस में बैठेगा। यह अवसर अब्राहम लिंकन अथवा मार्टिन लूथर के सपने को पूरा करने के साथ-साथ इस बात को प्रमाणित करने का भी है कि अमेरिकी जनतंत्र इतना परिपक्व हो चुका है कि जाति, भाषा, वर्ण या वर्ग की लक्ष्मण रेखाएं उसके मार्ग की बाधाएं नहीं बन सकतीं। ओबामा को सिर्फ कालों ने ही नहीं, गोरों ने भी चुना है। यह बात भी रेखांकित की जानी जरूरी है कि सारे चुनाव प्रचार के दौरान ओबामा ने शायद ही कहीं यह अहसास दिलाया है कि उनकी काली चमड़ी के नाते अश्वेत उनका समर्थन करेंगे। रेखांकित यह भी होना चाहिए कि 52 प्रतिशत अमेरिकियों ने गोरे के बजाय किसी काले को राष्ट्रपति बनाने की आकांक्षा से ओबामा को वोट नहीं दिया, बल्कि वे परिवर्तन चाहते थे ताकि अमेरिकी

शासन व्यवस्था बदले और अमेरिका के प्रति विश्व की दृष्टि बदले। राष्ट्रपति पद के चुनाव प्रचार के दौरान दुनिया ने यह भी देखा कि वर्ण या धर्म इस संदर्भ में हुई राष्ट्रीय बहस का आधार नहीं बना। सारी बहस आतंकवाद, आर्थिक मंदी और जनतांत्रिक मूल्यों को केंद्र रखकर ही होती दिखी। मतदान बदलाव के पक्ष में था।

अब जरा भारत की जनतांत्रिक स्थिति भी देख लें। भारत का मतदाता भी बदलाव चाहता और करता है। आपातकाल के बाद हुए चुनावों में इंदिरा गांधी की कांग्रेस को हराकर हमारे मतदाता ने भी विवेकपूर्ण बदलाव किया था। फिर जब जनता पार्टी ने भी जनता की अपेक्षाओं को पूरा नहीं किया, तो भारतीय जनतंत्र ने एक बार फिर अपने विवेक का परिचय दिया था। लेकिन कितनी बार हमारी राजनीति में वह परिपक्वता दिखी, जो इस बार अमेरिका में दिखी है? यह कहना तो गलत होगा कि अमेरिकी राजनीति में सब कुछ सही होता है, लेकिन इस बार अमेरिकी जनता ने जिस तरह अपने राष्ट्रहित को चुना है, उसकी तारीफ करनी ही होगी। ओबामा की जीत जनतंत्र की जीत का उदाहरण है, लेकिन हमारे देश में जनतांत्रिक व्यवस्था में हुई सारी प्रगति के बावजूद, राजनीति वोटों के गणित तक सिमटी हुई है।

पिछले कुछ महीने दुनिया भर में मंदी से जूझने के रहे हैं। हमारा देश भी इसके परिणामों की चपेट से बचा नहीं है। ओबामा और मैक्केन, दोनों ने मंदी से निपटने को अपने प्रचार का जरूरी मुद्दा समझा था। लेकिन हमारा नेतृत्व इस दौरान क्या करता रहा? यहां इस दौरान संसद का सत्र भी आयोजित हुआ, लेकिन उसमें कहीं भी हमारे राजनेताओं में वह चिंता नहीं दिखी जो मंदी की मार से त्रस्त जनता के प्रति उनकी संवेदना दर्शाती हो। विकास दर कम हो रही है, सेंसेक्स संभल नहीं रहा, बेरोजगारी बढ़ रही है, रुपये की कीमत घट रही है, औद्योगिक उत्पादन घट रहा है। लेकिन हमारी राजनीति में इस सबकी चिंता नहीं दिख रही।

हमारे सांसद मुंबई में उत्तर भारतीयों पर हो रहे अत्याचार के खिलाफ इस्तीफा देने का नाटक करते हैं, रेलमंत्री और बिहार के मुख्यमंत्री में यह दिखाने की होड़ लगती है कि कौन जनता का ज्यादा बड़ा हितैषी है। हर बड़ा नेता इस बात की चिंता में लगा रहा कि मुबई में छठ पूजा शांति से हो जाए।

एक साध्वी आतंकवाद के आरोप में गिरफ्तार हुई, तो आतंकवाद के खिलाफ सख्ती से निपटने की मांग करने वाले दल बीजेपी के नेता कहने लगे कि सांस्कृतिक राष्ट्रवादी आतंकवादी हो ही नहीं सकता। पांच राज्यों में चुनाव होने थे। पांच-छह महीने बाद शायद संसद के चुनाव भी हों, पर चुनावी मुद्दों के नाम हमारे पास इन बातों के अलावा और कुछ नहीं है। ऐसे में जब यह सवाल पूछा जाता है कि क्या भारत में भी कोई ओबामा हो सकता है, तो एक चुप्पी ही हमारा उत्तर हो पाती है।

बेशक, जनता को बदलाव चाहिए। सोच में भी और व्यवस्था में भी, बदलाव की अपेक्षा है। हमें भी कोई ओबामा चाहिए, जो ऐसे बदलाव का माध्यम बन सके। लेकिन क्या ऐसा कोई नेता हमारे पास है? हमारे पास तो राष्ट्रीय कद का कोई नेता तक नहीं है। हमारे पास पार्टियों के नेता हैं, राज्यों के नेता हैं, पर कौन सी पार्टी यह दावा कर सकती है कि उसके पास ऐसा नेता है जो कह सके कि ए भविष्य, लो मैं आ गया। देश को ऐसा नेता चाहिए जो धर्म या जाति या वर्ग के नाम पर समर्थन जुटाने की बजाय अखिल भारतीय चुनौतियों को स्वीकारने का महत्व समझे।

ओबामा के सामने भी चारा फेंका गया था कि वे अपने काले होने को भुनाएं और अपने नाम के साथ जुड़े हुसैन शब्द का फायदा उठाएं, पर चुनाव प्रचार में उन्होंने खुद को ऐसे व्यक्ति के रूप में उभारने की कोशिश की, जिस पर सारा अमेरिका भरोसा कर सके। क्या ऐसा कोई नेता हमारे यहां भी है, जो ऐसे भरोसे की चिंता करता है? हम इस दुर्भाग्य से कब उबर पाएंगे? कब हमारे नेता भारत के लिए चुनाव लड़ना और भारत के लिए चुनाव जीतना चाहेंगे? कब चुनाव में कोई दल या नेता नहीं, भारत जीतेगा?

आर्थिक संकट दूर करना मेरी पहली कोशिशः ओबामा

अमेरिका के नवनिर्वाचित राष्ट्रपति बराक ओबामा ने देश के सामने मौजूद आर्थिक चुनौती से पुरजोर ढंग से निबटने का संकल्प जताया है। राष्ट्रपति चुनाव जीतने के बाद अपनी पहली प्रेस कॉन्फ्रेंस में ओबामा ने कहा कि रोजगार के अवसर पैदा करना और मुश्किल दौर से गुजर रहे अमेरिकी परिवारों को टैक्स रिलीफ देना उनकी पहली प्रायॉरिटी है। उन्होंने देश की इकोनॉमी में नीतिगत बदलाव के संकेत भी दिए।

अमेरिकी चुनाव में ऐतिहासिक उलटफेर करने के दो दिन बाद दिए ओबामा के इस संबोधन में मुख्यरूप से आर्थिक संकट का मुद्दा छाया रहा, जिससे अमेरिका ही नहीं दुनिया की तमाम अर्थव्यवस्थाएं प्रभावित हैं। पर बावजूद इसके वे ईरान के विवादास्पद परमाणु कार्यक्रम का जिक्र नहीं भूले।

पहली प्राथमिकता: अमेरिका के पहले अश्वेत राष्ट्रपति के रूप में चुने गए ओबामा ने कहा कि अमेरिकी इकोनॉमी को बढ़ावा देने के मकसद से अगर 20 जनवरी 2009 को उनके कार्यभार संभालने से पहले आर्थिक पैकेज पारित नहीं हो सका, तो उनके प्रशासन की पहली प्राथमिकता इस पैकेज को पारित कराना होगी। उन्होंने कहा कि जब मैं राष्ट्रपति के रूप में पदभार ग्रहण करूंगा तो मैं क्रेडिट क्राइसिस से निजात दिलाने के लिए, कठिन श्रम करने वाले परिवारों की मदद के लिए और विकास एवं खुशहाली बहाल करने के लिए आवश्यक कदम उठाकर इस आर्थिक संकट से सीधे तौर पर निबटूंगा।

चुनावी वादे निभाऊंगा: ओबामा ने कहा कि चुनाव अभियान के दौरान मैंने कुछ महत्वपूर्ण मुद्दों को रेखांकित किया था, जिनपर मैं काम करना चाहता हूं। हम रोजगार पर ध्यान केंद्रित करने जा रहे हैं क्योंकि रोजगारों के खात्मे का असर उपभोक्ता के विश्वास पर और लोगों की माल व सेवाओं की खरीदारी की क्षमता पर पड़ता है। इससे दूसरी चीजों पर भी असर पड़ता है।

ईरान का जिक्र: ओबामा की इस बीस मिनट की प्रेस कॉन्फ्रेंस मे अगर कोई इंटरनेशनल मसला आया तो वह ईरान था। ओबामा ने कहा कि मेरा मानना है कि ईरान के परमाणु हथियार के विकास को स्वीकारा नहीं जा सकता। हमें ईरान को ऐसा करने से रोकने के लिए अंतरराष्ट्रीय कोशिश करनी होगी। साथ ही आतंकवादी संगठनों को ईरान से मिल रही मदद को भी रोका जाना होगा।

नैंसी रीगन से माफी मांगी: ओबामा ने दिवंगत राष्ट्रपति रोनाल्ड रीगन की पत्नी नैंसी रीगन को आत्माओं से संपर्क करने के क्रियाकलापों से जोड़ने संबंधी अपने बयान पर माफी मांगी। ओबामा ने पहले संवाददाता सम्मेलन में कहा था कि मैंने सभी जीवित पूर्व राष्ट्रपतियों से बात की है। मैं आत्माओं के आह्वान के लिए नैंसी रीगन जैसे पचड़े में नहीं पड़ना चाहता। श्रीमती रीगन का

1988 में उस समय काफी मजाक उड़ाया गया था, जब खबर आई थी कि वह अपने पति का कार्यक्रम तय करने से पहले नियमित रूप से एक ज्योतिषी से सलाह लेती थीं।

आईएईए को उम्मीद: अंतरराष्ट्रीय परमाणु ऊर्जा एजेंसी ने उम्मीद जताई है कि बराक ओबामा के कार्यकाल में ईरान के परमाणु कार्यक्रम को समाप्त कराने और मध्य एशिया में तनाव कम करने में बेहतर सहयोग कायम होगा। वियना में आईएईए महानिदेशक मोहम्मद अलबरदेई ने ओबामा की परमाणु हथियार रहित दुनिया के निर्माण की योजना की प्रशंसा की है।

ओबामा की निगाह में भारत कम नहीं

राष्ट्रपति चुनाव जीतने के बाद बराक ओबामा ने भले ही प्रधानमंत्री मनमोहन सिंह से फोन पर बातचीत न की हो, पर इससे यह अंदाजा नहीं लगाना चाहिए कि वह भारत को कम अहमियत दे रहे हैं। राजनयिक सूत्रों ने यहां हमारे सहयोगी चैनल टाइम्स नाऊ को बताया है कि अमेरिकी राष्ट्रपति जॉर्ज बुश ने भारत को आश्वस्त किया है कि वह खुद अगले राष्ट्रपति ओबामा से कहेंगे कि वह अमेरिकी विदेश नीति में भारत को प्रमुखता दें।

ओबामा अब तक पाकिस्तानी राष्ट्रपति आसिफ अली जरदारी समेत कई देशों के नेताओं से बातचीत कर चुके हैं। ऐसे कुछ लोगों का कयास था कि ओबामा का मनमोहन सिंह को फोन न करना इस बात का संकेत है कि नए अमेरिकी राष्ट्रपति की प्राथमिकता में भारत नहीं है। पर इस मसले पर भारतीय अधिकारी कतई परेशान नहीं हैं। उनका कहना है कि मीडिया इस बात को कुछ ज्यादा ही गंभीरता से ले रहा है। एक अधिकारी ने बताया कि हम दक्षिण कोरिया, ऑस्ट्रेलिया या न्यूजीलैण्ड जैसे देशों की कतार में नहीं हैं। वैसे सितंबर में अमेरिका यात्रा के दौरान ओबामा ने सिंह को एक पत्र भी भेजा था।

पूर्व विदेश सचिव शशांक के मुताबिक हो सकता है कि ओबामा ने विशेष तौर पर अफगानिस्तान और ईरान को लेकर प्राथमिकता तय की हो और उसी के मुताबिक अपने प्लान पर काम कर रहे हों। इसी तरह का मत पूर्व विदेश सचिव ललित मानसिंह का है। वह मानते हैं कि इस तरह के सवाल उठाना ही अपने आप में आत्महीनता की भावना को दर्शाती है।

भारतीय राष्ट्रपति से दस गुना होगी सैलरी

दुनिया की सबसे बड़ी अर्थव्यवस्था अमेरिका के नए राष्ट्रपति बराक ओबामा का सालाना वेतन 4,00,000 अमेरिकी डॉलर होगा। यह राशि भारतीय राष्ट्रपति के वेतन की तुलना में दस गुना से भी ज्यादा है। भारतीय मुद्रा में देखें तो अमेरिका के राष्ट्रपति का सालाना वेतन करीब दो करोड़ रुपये रहता है। अन्य भत्ते इसमें शामिल होंगे। राष्ट्रपति को 4,00,000 डॉलर के सालाना वेतन के अलावा सरकारी दायित्वों के निर्वाह में लागत खर्च के लिए 50,000 डॉलर का खर्च भत्ता भी मिलता है। भारतीय राष्ट्रपति को फिलहाल 1.5 लाख रुपये प्रति माह या 18 लाख रुपये सालाना वेतन मिलता है। सरकार ने सितंबर माह में इसे बढ़ाया था। इन दिनों अपनी नई टीम बनाने में व्यस्त ओबामा इस काम में इंटरनेट की भरपूर मदद ले रहे हैं। वे दुनिया भर से इच्छुक लोगों के आवेदन अपनी वेबसाइट चेंज डॉट जीओवी के जरिए आमंत्रित कर रहे हैं।

5

ओबामा के आईने में भारत

अमेरिकी राष्ट्रपति चुनाव में बराक ओबामा की जीत की दुंदुभी अमेरिका सहित पूरी दुनिया में बजी। जिस एक बात ने इस जीत को ऐतिहासिक बना दिया वह था ओबामा का अश्वेत होना। भारत सहित पूरी दुनिया में उस नई बयार को महसूस किया गया जिसमें असमानता और नस्लभेद के लिए कोई गुंजाइश नहीं बची है। एक सभ्य और लोकतांत्रिक विश्व समाज के सपने को यकीन में बदलने का भरोसा देने वाले ओबामा की जीत के हमारे लिए और क्या मायने हो सकते हैं इसी पर केंद्रित है हमारा यह प्रयास।

बराक हुसैन ओबामा, एक अश्वेत, कुछ समय पहले तक एक अज्ञात व्यक्तित्व, कई मोड़, उबड़ खाबड़ पारिवारिक पृष्ठभूमि, एक मुस्लिम पिता का ईसाई पुत्र, चंद वर्षों की राजनीतिक यात्रा और अब दुनिया का सबसे ताकतवर व्यक्ति यानी अमेरिका का राष्ट्रपति। कुछ दशक पहले तक एक असंभव कल्पना, आज एक ठोस-घटना घटित यथार्थ।

आखिर कैसे संभव हुआ यह चमत्कार? कैसे अस्तित्व में आई यह अनहोनी? कैसे उलट-पुलट हो गया विश्वविजेता श्वेत शक्तिशाली सभ्यता का इतिहास? किस परिघटना का प्रतीक है यह ऐतिहासिक करवट? भविष्य के लिए क्या संकेत हैं इसके? और शेष दुनिया तथा भारत से क्या रिश्ता है इसका? इससे दुनिया की सामाजिक-राजनीतिक व्यवस्थाओं को क्या गति मिलेगी, क्या दिशा प्राप्त होगी?

मानव जाति के इतिहास ने अनेक तरह की सभ्यताओं, संस्कृतियों, धार्मिक राजनीतिक, सामाजिक, आर्थिक व्यवस्थाओं को विकसित किया है। बड़ी-बड़ी

राजशाहियों, बड़े-बड़े साम्राज्य, बड़ी-बड़ी सत्ताएं बनती रही हैं और मिटती रही हैं। जो जीतते रहे वे अपने विचार व्यवहारों को श्रेष्ठ मानते रहे और जो हारते रहे उन पर लादते रहे। पूरी दुनिया में कुछ समूहों ने अपनी शक्ति के बल पर अपनी जातीय, भाषाई, धार्मिक, आर्थिक व्यवस्थाओं को श्रेष्ठतम होने के दावे के साथ स्थापित किया और अपनी इस श्रेष्ठता और अपने इस वर्चस्व को मानवीय व्यवहार का हिस्सा बना दिया। शक्तिशाली जातियों ने कमजोर जाति समूहों को गुलाम बना दिया। और इससे अपनी शक्ति के बल पर ही जायज ठहरा दिया। अपनी श्रेष्ठता के विरोध को दंडनीय अपराध बना दिया। जिस किसी ने भी दुनिया के किसी भी हिस्से में इस वर्चस्व को चुनौती देने की कोशिश की उसे बुरी तरह कुचल दिया गया। मगर चुनौती तो मिली ही।

पिछली दो शताब्दियों में मानव इतिहास ने दूसरी तरह की करवटें लीं। साम्राज्य समाप्त हो गए। राजशाहियां धाराशाई हो गईं। जातीय वर्चस्व अपराध बना दिए गए। ऊंच-नीच, काले-गोरे, सवर्ण-अछूत जैसे श्रेष्ठता और हीनता बोधक भेद अमानवीय ठहरा दिए गए। इन भेदों को मानवीय सभ्यता के विकास का बाधक अपराध घोषित कर दिया गया। मगर इसके लिए पूरी दुनिया में वंचितों-बहिष्कृतों, शोषितों, दमितों को लंबे संघर्ष चलाने पड़े। इन संघर्षों ने जहां एक हीन जाति समूहों में स्वाभिमान, समानता, न्याय और अधिकार का जज्बा पैदा किया तो दूसरी ओर स्वयं को श्रेष्ठता वर्चस्व ग्रंथि में से जाति समूहों को भी अपने इस स्वयंभू श्रेष्ठता संस्कार से बाहर निकलने को विवश किया। आज अगर भारत में दलित वर्ग से आकर मायावती जैसी महिला एक दबंग मुख्यमंत्री के रूप में अपनी सामाजिक-राजनैतिक उपस्थिति दर्ज कराती हैं और अमेरिका में बराक ओबामा जैसा अश्वेत व्यक्ति वहां के सर्वोच्च पद पर आसीन होता है तो मानना चाहिए कि मानवीय समानता के संघर्ष का एक चरण पूरा हो गया है।

दुनिया के दो छोरों पर घटी इन दोनों घटनाओं में कुछ और समानता भी हैं। मायावती की सत्ता उन सवर्णों के सहयोग से चल रही है जिनके विरुद्ध मायावती बिरादरी का सीधा टकराव था और उधर ओबामा ने भी उन श्वेतों के सहयोग से सत्ता हासिल की है, जो कभी कालों के साथ इंसानी सलूक ही नहीं कर पाते थे। यानी दुनिया भर में जाति समूहों का श्रेष्ठता बोध टूट रहा है।

कारण, पूंजीवाद के फैलाव में तलाशे जाएं या पूंजीवाद के विरोध में चले साम्यवादी-समाजवादी-समतावादी आंदोलनों के विस्तार में, मगर यह मानवीय मानसिकता में एक आधारभूत बदलाव है, जो हर जगह घटित हो रहा है। जो घटित हो रहा है वह आगे बढ़ेगा, पीछे नहीं लौटेगा।

पीछे इसलिए नहीं लौटेगा कि दुनिया भर में सामाजिक-आर्थिक समानाधिकार तथा समता आधारित सामाजिक न्याय की धारा लगातार मजबूत हो रही है, फैल रही है, बढ़ रही है। लेकिन भारत जैसे देश में जहां लोकतंत्र निर्बाध बहता प्रतीत हो रहा हैं और शताब्दियों के उपेक्षित-वंचित-अस्पृश्य धड़ल्ले के साथ अपने मताधिकार का प्रयोग कर सत्ता के समीकरण को इधर से उधर पलटने में अच्छी-खासी भूमिका निभा रहे हैं, सबकुछ सही नहीं है। लोकतंत्र के सार्विक मताधिकार ने जहां निम्नवत माने जाने वाले जाति समूहों को अधिकार चेतना दी है, वहां विभिन्न जाति समूहों, क्षेत्र समूहों, धर्म-संप्रदाय समूहों के आपसी रिश्ते राजनीतिक-सामाजिक-आर्थिक वर्चस्व के संघर्ष के चलते अधिक कटु और शत्रुतापूर्ण भी हुए हैं। यह संघर्ष कहीं रोटी के टुकड़ों के लिए भिखारियों की आपसी लड़ाई जैसा है तो कहीं भरे पेट लोगों की नकली शान-पहचान की लड़ाई जैसा। इस अनियंत्रित, अभद्र लड़ाई ने निचली पायदान पर खड़े समूचे भारतीय जन समुदाय के हितों को बुरी तरह आहत किया है। आतंकवाद-प्रतिआतंकवाद, क्षेत्रवाद-प्रतिक्षेत्रवाद, संप्रदायवाद-प्रतिसंप्रदायवाद, जातिवाद-प्रतिजातिवाद जैसी प्रवृत्तियां न केवल पूरी तरह सक्रिय हैं, बल्कि अधिक उग्र और आक्रामक हुई हैं। इस दृष्टि से भारत के सामने अब भी एक बड़ी चुनौती मौजूद है जो सतर्क योजनाबद्ध तरीके से समाधान की मांग करती है। यानी समरस-समतापूर्ण भारत का स्वप्न अब भी साकार होने की प्रतीक्षा में है।

ऐसे बढ़े मुकाम की ओर

1868 अमेरिकी संविधान में 14वां संशोधन कर सभी अश्वेत नागरिकों को जिनमें अफ्रीकी दास भी शामिल थे, मताधिकार का अधिकार दिया गया।

1896 अमेरिका की सर्वोच्च अदालत ने नस्ल के आधार पर सामाजिक बंटवारे को संविधान सम्मत बताया। इस फैसले के बाद दक्षिणी राज्यों जहां अश्वेत अधिक थे, विद्रोह की शुरुआत हुई।

1947 जैकी रॉबिन्सन बड़ी प्रतियोगिताओं में अमेरिका की ओर से खेलने वाले पहले अश्वेत खिलाड़ी बने। उन्होंने मेजर लीग बेसबाल में हिस्सा लिया।

1948 सशस्त्र सेना में श्वेत-अश्वेत अलगाव खत्म करने को लेकर राष्ट्रपति ट्रूमैन ने आदेश जारी किया।

1954 ब्राउन बनाम बोर्ड एजुकेशन मामले में अमेरिकी अदालत ने स्कूलों में श्वेत-अश्वेत अलगाव को असंवैधानिक करार दिया।

1955 अलबामा के मोंटगोमरी में रोजा पार्क नामक अश्वेत महिला ने श्वेतों के लिए आरक्षित बस से सीट छोड़ने से इनकार कर दिया। इस मामले में उनकी गिरफ्तारी हुई और फिर पूरे देश में मार्टिन लूथर किंग की अगुवाई में एक वर्ष तक सरकार के खिलाफ बहिष्कार अभियान चलाया गया।

1963 वाशिंगटन में मार्टिन लूथर किंग ने अपना सबसे प्रसिद्ध भाषण 'आई हैव ए ड्रीम' दिया। इसी वर्ष अलबामा के बर्मिंघम में एक विरोध रैली के दौरान उन्हें गिरफ्तार किया गया।

1965 अमेरिकी कांग्रेस ने मताधिकार कानून पारित किया। इसी वर्ष नागरिक अधिकारों के प्रसिद्ध नेता मैल्कम एक्स की हत्या कर दी गई।

1966 गृहयुद्ध के बाद के दौर में एडवर्ड ब्रुक पहले अश्वेत सीनेटर निर्वाचित किए गए।

1967 थर्गूद मार्शल अमेरिका की सर्वोच्च अदालत के पहले अश्वेत मुख्य न्यायाधीश बने।

1968 टेनेसी के मेम्फिस में मार्टिन लूथर किंग की हत्या कर दी गई।

1990 अश्वेत नेता डगलस वाइल्डर वर्जिनिया के गवर्नर बने। वे पहले अश्वेत थे जिन्हें सीनेट की अगुवाई करने का मौका मिला।

2008 अमेरिका का सर्वोच्च पद बराक ओबामा को हासिल हुआ। ओबामा ने राष्ट्रपति पद के चुनाव में जॉन मैक्केन को परास्त किया। इससे पहले वे इलिनाय के सीनेटर थे। राष्ट्रपति पद के लिए डेमोक्रेटिक पार्टी की उम्मीदवारी उन्होंने हिलेरी क्लिंटन को हराकर हासिल की।

अर्थव्यवस्था के लिए बेहतर ओबामा

हमें यह नहीं भूलना चाहिए कि अमेरिकी अर्थव्यवस्था की बेहतरी में ही भारत का भला है। ओबामा ने ये संकेत पहले ही दे दिए हैं कि वे अमेरिकी अर्थव्यवस्था को पटरी पर लाने के लिए कई सारे कदम उठाने जा रहे हैं।

ओबामा के सत्ता में आने से अमेरिका की छवि सुधरेगी और उनके देश को अर्थव्यवस्था के क्षेत्र में आए संकट से निपटने में मदद मिलेगी। वे अंतरराष्ट्रीय समुदाय के हित में काम करने को आगे आएंगे, इसमें संदेह नहीं है। भारत-अमेरिका के संबंध और तरोताजा होंगे। ओबामा से उम्मीद की जानी चाहिए कि वे अर्थव्यवस्था में नई जान फूंकेंगे। मध्य वर्ग को कर राहत और 50 खरब डॉलर की सरकारी मदद की बात कर वे सकारात्मक संदेश दे चुके हैं। हमें यह नहीं भूलना चाहिए कि अमेरिकी अर्थव्यवस्था की मजबूती में ही भारत का भला है। भारतीय कंपनियों द्वारा किए गए अधिग्रहण और वोक्हार्ट व टीसीएस कंपनी अमेरिका में सर्वाधिक रोजगार देने वाली विदेशी कंपनियां हैं। अमेरिकी मंदी के जोखिम का असर इन कंपनियों पर नहीं पड़े, यह देखना होगा। ओबामा अमेरिकी अर्थव्यवस्था में सुधार करने में सक्षम हैं। सुधारों के बाद वहां की बाजार में मांग में भारी इजाफा होगा इसलिए हमारे निर्यातकों को अवसरों का लाभ उठाने को तैयार रहना चाहिए।

ओबामा की सरकार व्यापार समझौतों में अधिक आक्रमक होगी। अपने चुनावी अभियानों के दौरान वे कई बार इस ओर इशारा कर चुके हैं। किंतु इसमें भारत को चिंता करने की कोई जरूरत नहीं है। ओबामा ने यह भी कहा है कि वे विश्व के सर्वाधिक पुराने और सबसे बड़े संवैधानिक लोकतंत्रों के साथ दृढ़ संबंधों के पक्षधर हैं। साफ है कि भारत उनके लिए महत्वपूर्ण देशों में है। आउटसोर्सिंग के संबंध में उनके बयान में भी चिंताजनक कुछ भी नहीं है। आउटसोर्सिंग पर विराम लगाने के फायदे भी हैं। यह भी एक अवसर बन सकता है। हमारी कंपनियां अवरोध के बाद अपने कार्य ढांचे में बदलाव लाकर फायदे का सौदा पा सकती हैं। हमारी कंपनियों द्वारा ऑन शोर परियोजनाओं पर अधिक जोर दिया जा सकता है और निवेश को बढ़ाया जा सकता है। सरकार कर व दूसरी रियायतें दे इसे लाभदायक स्थिति में बनाए रख सकती है।

ओबामा दुनिया भर में श्रम और पर्यावरण के बेहतर मानक एवं डब्ल्यूटीओ के जरिये बड़ा बाजार पाने को कड़े कदम उठा सकते हैं। किंतु इसमें चिंता की बात नहीं है। इन बिंदुओं पर भारत की जो भी नीतियां हैं उसे बदलने को लेकर वे कड़ा रुख नहीं अपना सकते। उन्हें मालूम है कि भारत खुले बाजार वाली दुनिया की सबसे बड़ी अर्थव्यवस्था है जिसके साथ कार्य करने में ही भला है। अंततः कहा जा सकता है कि वे भारत के लिए ताजा अवसरों का प्रतिनिधित्व करने वाले राष्ट्रपति होंगे जिनके नेतृत्व में वॉल स्ट्रीट भी फलेगा-फूलेगा और मेन स्ट्रीट भी।

जीत में छुपे संदेश

ओबामा की जीत बुश द्वारा पैदा की गई वैश्विक समस्या से निकालने का रास्ता हो सकती है। उनकी प्रकृति किसी भी वर्ग को चोट पहुंचा कर राजनीति करने की नहीं रही है। उनका दो साल का चुनावी अभियान इस बात को समझने के लिए पर्याप्त है कि वे विश्व को एक नई दिशा दे सकते हैं। जिस तरह से बहुनस्लीय अमेरिकी समाज की तमाम अपेक्षाओं पर वे बिलकुल खरे उतरे हैं, वैसे ही वैश्विक समाज के प्रति भी हो तो आश्चर्य नहीं। काले रंग के होने के बावजूद उन्होंने गोरों के खिलाफ कभी प्रतिक्रियावादी रवैया नहीं अपनाया। अमेरिका की सामाजिक समरसता को सींचते हुए वे सबका भरोसा पा सके हैं, जिसे मामूली बात नहीं समझना चाहिए। यह गौर करना चाहिए कि बुश की छवि से उनकी छवि और अमेरिकी राष्ट्र की चौधराहट वाली छवि से तालमेल बिठाने में उन्हें समस्या हो सकती है और वे भी कमोबेश बुश की राह पर चलने को मजबूर हो सकते हैं।

यहां यह महत्वपूर्ण है कि उनका स्वभाव धर्मभीरु प्रकृति का है। वे इंडोनेशिया में रहे जो सर्वाधिक मुस्लिम आबादी वाला देश है तथा जहां रामकथा की मजबूत परंपरा रही है। उन्होंने पढ़ाई के बाद कैरियर बनाने की जगह कई वर्षों तक समाज सेवा भी है। उन्होंने पढ़ाई जारी रखी लेकिन नागरिक अधिकारों के लिए लड़ने में पीछे कभी नहीं हटे। दरअसल, ये बातें इसलिए जरूरी है कि यह उनका स्वभाव दर्शाता है।

ओबामा के पास समस्याओं की कमी नहीं है। ईरान के गोपनीय परमाणु कार्यक्रम को बंद करने, पाकिस्तान-अफगानिस्तान की सरजमीं से आतंकवाद

खत्म करने, रूस के साथ तालमेल बिठाने जैसी समस्याएं उनके सामने हैं। आतंकवाद के खिलाफ लड़ाई में अपना ध्यान पाकिस्तान पर केंद्रित करने की मंशा जता कर उन्होंने भारत के लिए एक उम्मीद सी बंधाई है। वैसे इस मसले पर विवाद भी है और उनकी असल मंशा क्या है, आने वाले समय में ही उजागर हो पाएगी। फिर अमेरिका 1929 के बाद एक बार फिर मंदी की जाल में है। बेरोजगारी दर में वहां 6 प्रतिशत से अधिक का इजाफा देखा जा रहा है। अमेरिकी युवाओं को बाकी जगहों की युवाओं से बड़ी चुनौती मिल रही है। आउटसोर्सिंग पर अपने बेरोजगार युवाओं के दबाव में ही उन्होंने बयान दिया है।

गौरतलब है कि वैश्विक तौर पर युवाओं की आबादी सबसे अधिक है और वे युवाओं के नेता हैं। 18-24 वर्ष के नौजवानों में 68 प्रतिशत ने उनका समर्थन किया है। यह भी सकारात्मक ही है कि नई पीढ़ी जाति, नस्ल और धर्म के आधार पर वोट नहीं कर रही। वैसे इसका श्रेय ओबामा जैसे चरित्र को भी जाता है। क्या धर्म, जाति जैसी संकीर्णताओं के आधार पर राजनीति करने वाले राजनीतिक दल इससे सबक लेना चाहेंगे।

भारत की होगी वैश्विक भूमिका

चंद महीने पहले ही लोगों को पता चला कोई बराक ओबामा है। इससे पहले शायद ही कोई जानता हो इस व्यक्तित्व के बारे में। लिहाजा यह मान लेना कि बराक ओबामा पूरी दुनिया को नई राह एवं दिशा दिखाएंगे, शायद जल्दबाजी होगी। हां इतना जरूर है कि उनके कार्यकाल में अमेरिका का रास्ता और चेहरा अवश्य बदल सकता है, क्योंकि वह युवा हैं, उनकी सोच आधुनिक है और यही अमेरिका की ताकत बनेगी।

हम अपने मुल्क के परिप्रेक्ष्य में देखें तो उनका नजरिया बहुत ही सकारात्मक दिखता है। क्योंकि उन्होंने जब-जब चुनावी भाषण दिए हैं तो भारत के प्रति नरमी दिखाई है। भारत की नीतियों और संबंधों को सराहा है और भारतीय हितों के पक्षधर दिखे हैं। इससे लगता है कि वह भविष्य में भारत को वैश्विक भूमिका दे सकते हैं। इससे हमारा अंतर्राष्ट्रीय मामलों में हस्तक्षेप बढ़ेगा और सभी एग्रीमेंट भारत के मुताबिक होंगे, जिसकी फिराक में हम थे। आने वाले वक्त में पर्यावरणीय मसलों पर भी भारत की कोशिशों को तरजीह मिलेगी। बुश प्रशासन की बहुत ऐसी गलत नीतियां रही हैं जो पूरे विश्व को

अखरती रही है। मंदी का प्रलय भी उन्हीं की देन है। बुश के कार्यकाल के दौरान भारत-अमेरिका संबंध नई ऊंचाइयों पर पहुंचा।

ओबामा जब तक प्रत्याशी रहे, तब तक आर्थिक, राजनीतिक, वित्तीय और विदेशिक नीति में बदलाव की हिमायत कर रहे थे पर अब वे अमेरिका के मुखिया बन चुके हैं। जैसे-जैसे व्हाइट हाउस में प्रवेश करने के लिए आगे बढ़ेंगे, उनके हाथ पद, प्रतिष्ठा समेत तमाम बंधनों में स्वतः बंधने लगेंगे। हालांकि हमें ओबामा से इस तरह की उम्मीद अभी नहीं करनी चाहिए। उन्होंने परमाणु निरस्त्रीकरण, परमाणु अप्रसार को लेकर देश की जनता से तमाम वादे किए हैं। यदि वह सीटीबीटी पर हस्ताक्षर करने या एनपीटी की ओर भारत पर दबाव बनाते हैं तो जरूर सोचने वाली बात होगी।

अब यह देखना होगा कि वह इस बारे में क्या रुख अख्तियार करते हैं। बराक ओबामा के भारत के विषय में जो विचार हाल के दिनों में सार्वजनिक हुए हैं, उनमें दो मुद्‌दे प्रमुख हैं। पहला मुद्‌दा आउटसोर्सिंग का है, जिसका वह विरोध करते हैं। दूसरा मुद्‌दा है पाकिस्तान, जिसको वह कश्मीर से जोड़कर हस्तक्षेप करे। अब ये आगे देखना होगा कि भारत-अमेरिका रिश्ते को ये मुद्‌दे कहां तक प्रभावित करते हैं।

रिश्ते तो सुधरेंगे

भारत को लेकर क्लिंटन के जमाने में भी कई तरह की मुश्किलें पैदा हुई थीं पर भारत के सख्त रवैये ने अमेरिकी रुख को बदलने पर मजबूर कर दिया।

बराक ओबामा की जीत पहले से ही तय मानी जा रही थी। इस जीत के जरिए उन्होंने अमेरिका का नया इतिहास लिखने की राह तैयार की है। जॉर्ज बुश ने अपने कुकृत्यों से जितना अमेरिका और पूरे विश्व को नुकसान पहुंचाया था, ओबामा को उसकी भरपाई करनी होगी। अपनी जीत के जरिए उन्होंने अमेरिकी समाज पर लगे रंगभेद के धब्बे को भी मिटा दिया है। अब अमेरिका पर नस्लभेद का आरोप लगाने वाला कोई सिरफिरा ही समझा जाएगा। आगे उन्हें गोरे व काले दोनों को लेकर चलने का मार्टिन लूथर किंग का सपना साकार करना होगा। ओबामा के लिए सबसे बड़ी चुनौती आर्थिक भंवर से अमेरिका को निकालने की होगी। आखिर आर्थिक मंदी के मुद्‌दे ने ही

रिपब्लिकन पार्टी को सबसे नुकसान पहुंचाया। आतंकवाद के बाद जार्ज बुश को अलोकप्रिय बनाने में इस मुद्दे का सबसे अहम हाथ था। भारत में हालांकि ओबामा को लेकर कई संदेह हैं, किंतु उनका करिश्माई व्यक्तित्व और दूरदृष्टि भारतीय हित में ही काम आएगी, इसमें संदेह नहीं। आउटसोर्सिंग के मुद्दे पर उन्होंने जिस तरह का बयान दिया है उससे चिंता बहुत हद तक वाजिब हैं किंतु हमें यह समझना होगा कि वे आउटसोर्सिंग को पूरी तरह बंद करने के पक्ष में कतई नहीं हैं।

भारत में एक बड़ी आशंका जम्मू-कश्मीर में तीसरे पक्ष के हस्तक्षेप को लेकर उनके बयान से है। ओबामा ने इस मुद्दे पर भारत को चिंता में डाल दिया है लेकिन यह समझना होगा कि ऐसी कोशिश तो पूर्व डेमोक्रेट राष्ट्रपति बिल क्लिंटन के दौर में भी हुई थी। किंतु भारत के कड़े रुख के बाद बात आगे नहीं बढ़ पाई। यह भी ध्यान रखें कि ओबामा का पाकिस्तान पर दिया गया बयान अधिक महत्वपूर्ण है। एक अन्य आशंका सीटीबीटी और एनपीटी जैसी संधियों पर हस्ताक्षर के दबाव को लेकर है।

यह डेमोक्रेटिक पार्टी की ही नीति है, इसलिए ऐसा होगा इसमें संदेह नहीं। क्लिंटन ने भी इसे लेकर भारत पर दबाव बनाया था लेकिन हमारे तीखे विरोध के बाद उनकी एक नहीं चली। क्लिंटन तो इसे लेकर सीनेट भी गए थे किंतु वहां इसे खारिज कर दिया गया। भारत को इस मुद्दे पर स्पष्ट करना होगा कि वह पूर्व में किए गए भारत-अमेरिका करार से बंधा है, किसी और चीज से नहीं। वैसे ओबामा किसी तरह के अड़ंगे का रवैया रखेंगे ऐसा मानना गलत है। वह भारत के प्रति पूरी तरह सहिष्णु व उदार राष्ट्रपति साबित होंगे, ऐसी ही उम्मीद है।

ओबामा के पीछे प्रमुख भारतीय

दुनिया के सबसे ताकतवर देश के सर्वोच्च पद तक की यात्रा करने वाले बराक ओबामा की सफलता के सहयात्री कई भारतीय भी हैं।

सोनल शाह

40 वर्षीय सोनल बराक ओबामा की काफी करीबी मानी जाती हैं। इनके पिता 70 के दशक में गुजरात से अमेरिका में जाकर बसे गए थे। इन्हें ओबामा

ने अपनी जीत के बाद सलाहकारों की टीम में रखा था। अब सोनल का काम होगा प्रशासन चलाने के लिए काबिल लोगों के नामों की सिफारिश करना। सोनल अभी गूगल से जुड़ी हुई हैं। पूर्व में वह वित्तीय कंपनी गोल्डमैन सैक्स की उपनिदेशक थीं। वह आर्थिक मंत्रालय को भी अपनी सेवाएं दे चुकी हैं।

प्रीति बंसल

उत्तर प्रदेश के रुड़की में पैदा हुई प्रीति पेशे से वकील हैं और अमेरिका के सॉलिसिटर पद की प्रमुख दावेदार समझी जा रही हैं। चुनाव के दौरान ओबामा को अंतराष्ट्रीय मानवाधिकार, इमिग्रेशन और वैदेशिक मामलों पर सलाह देने व भारतीय समुदाय में उनकी पैठ बढ़ाने में वह काफी सक्रिय रहीं। वह ओबामा को कॉलेज के दिनों से जानती हैं। हावर्ड लॉ स्कूल से पढ़ी प्रीति पूर्व में न्यूयॉर्क की सॉलिसिटर रह चुकी हैं। वह बिल क्लिंटन के प्रशासन में भी तीन सालों तक काम कर चुकी हैं।

हरि सेवुगन

हरि सेवुगन के माता-पिता आंध्र प्रदेश से 60 के दशक में अमेरिका जाकर बसे। वह इलिनॉय प्रांत के हैं जहां से ओबामा सीनेटर रहे। हरि ओबामा के आधिकारिक प्रवक्ता हैं। इन्होंने कानून की पढ़ाई की है किंतु इनकी विशेषता राजनीतिक संगठन के क्षेत्र में मानी जाती है। ओबामा से जुड़ने से पहले वे क्रिस रॉड को राष्ट्रपति बनाने की मुहिम में थे। सेवुगन सबसे पहले मार्टिन ओ मेरी को मेरीलैण्ड का गवर्नर बनाने के अभियान से जुड़कर चर्चा में आए। मार्टिन की जीत के बाद राजनीतिक गलियारों में उनका कद काफी बढ़ गया।

नीरा टंडन

इन्हें अमेरिकी मीडिया में 'वूमेन बिहाइंड हिलेरी' कहा जा रहा था। दरअसल नीरा शुरू में हिलेरी क्लिंटन के अभियान से जुड़ी थीं किंतु राष्ट्रपति पद की दौड़ की उम्मीदवार में उनकी हार होते ही वह ओबामा के साथ जुड़ गई। नीरा ओबामा के चुनाव प्रचार अभियान के दौरान घरेलू मामलों की नीति निर्माता टीम की निदेशक रहीं। येल यूनिवर्सिटी से कानून में स्नातक नीरा अल गोर के राष्ट्रपति चुनाव अभियान में भी अहम भूमिका में थीं।

भारतीय राजनीति को ओबामा नहीं, ओबामागिरी चाहिए

जमीनी सच्चाई को देखते हुए हमें अपने यहाँ दूसरा ओबामा तलाशने की बजाय अगले चुनावों के लिए ओबामागिरी से प्रेरणा लेनी चाहिए, जिसके मूल में एक सौम्य समन्वयवाद और जनवाद है।

अमेरिका में चलती रही चुनाव प्रक्रिया और उसके नतीजे सचमुच समीक्षा के परे हैं। महीनों तक हिन्दुस्तान समेत पूरी दुनिया उन ऐतिहासिक धाराओं, अन्तर्धाराओं और घटनाओं की जुगाली करेगी, जिनके जहूरे से, मिश्रित रक्त का एक सैंतालीस वर्षीय पहला अश्वेत राष्ट्रपति चुना गया। तेजी से लोकप्रियता का ग्राफ चढ़े बराक हुसैन ओबामा के जीवनवृत्त पर लोग अब घंटों विचार करेंगे और उनकी सफलता के अर्थ और भविष्य में उसके महत्त्व पर किताबें लिखेंगे। अमेरिकी मूल की समाजशास्त्री गेल ओमवेट के अनुसार उम्मीद की जानी चाहिए कि ओबामा की जीत अमेरिका के ही नहीं भारत के भी हर वर्ण, हर धर्म और मूल के व्यक्ति के लिए एक नए युग की शुरुआत साबित होगी। और इस वक्त यह जीत एक दलित महिला (मायावती) के लिए खास महत्व रखती है, जो इस वक्त भारत के सबसे बड़ी जनसंख्या वाले राज्य की मुख्यमंत्री हैं, और आने वाले दशक में भारत की प्रधानमंत्री बनने की पूरी क्षमता रखती हैं।

अफ्रीकी-अमेरिकी राजनीति को भारत की दलित राजनीति का हू-ब-हू प्रतिबिंब मान बैठना कुछ भ्रामक निष्कर्षों की ओर ले जा सकता है। छः दशकों से चुनावों की मार्फत लोकतंत्र कायम रखने और इन सालों के तमाम उतार-चढ़ावों के बावजूद अमेरिकी राजनीति और लोकतंत्र से भारतीय राजनीति और लोकतंत्र की भीतरी संरचना काफी भिन्न है। भारत में सच्चा वर्ग-संघर्ष अभी भी नहीं दिखाई देता, साथ ही कांग्रेस-भाजपा से लेकर जदयू, सपा, बसपा वगैरह अनेक क्षेत्रीय दल अपनी पसंद के सर्वहारा वर्ग की व्याख्या और उसके आरक्षण के पक्ष में प्रचार करते आए हैं, लेकिन फिर भी न तो मनुवादी जाति-प्रथा मिट रही है, न ही जातिविहीन और सबसे निचली सीढ़ी के आदमी के पक्ष में सोचने वाला राज-समाज बन पा रहा है।

एक दमदार दलित-नेत्री के रूप में मायावती निस्संदेह वाम दलों और अंग्रेजी के कुछ स्तंभकारों के द्वारा देश की भावी प्रधानमंत्री के रूप में प्रस्तुत की जा रही हैं, लेकिन अंबेडकर, कांशीराम, जगजीवन बाबू या मायावती जैसे

नेताओं के बावजूद दलित राजनीति दलगत स्तर पर देश की मुख्यधारा की भ्रष्ट और वंश तथा जातिवादी राजनीति के बरक्स एक स्वस्थ और सर्वमान्य विकल्प बन कर वैसे नहीं उभर सकी है, जैसे कि अफ्रीकी-अमेरिकी राजनीति। वहां लिंकन से लेकर किंग और कैनेडी भाइयों से लेकर ओबामा तक अफ्रीकी-अमेरिकी धड़े का मुख्यधारा से समन्वयवादी रिश्ता रहा है। अश्वेत वहां श्वेत का विलोम नहीं, पूरक हैं। इस बात ने ओबामा को सर्वजन स्वीकार्यता दी है। डॉ. रामविलास शर्मा ने भी कभी अपने एक साक्षात्कार में भारतीय संदर्भ में इसी सच्चाई को रेखांकित किया था: ''जैसे बड़ी जाति का 'बुर्जुआ नेशनलिज्म' खतरनाक है, वैसे ही छोटी जाति का जातिवाद खतरनाक है। अगर कोई ब्राह्मणत्व के घमंड में रहता है तो वह खतरनाक है। वैसे ही अगर शूद्र यह समझता है कि क्रांति केवल शूद्र से संभव है, इसलिए कि वह जन्म से शूद्र है (तो) वह भी गलती पर है।''

ओबामा पिछली सदी में अमेरिकी समाज में क्रमशः बनते गए सहज संकरण की स्वस्थ उपज हैं। और कंसास से केन्या तक उनकी जीत का जश्न उस समन्वयवादी विरासत का भी जश्न है जो केन्याई मुस्लिम पिता और श्वेत-अमेरिकी प्रोटेस्टेंट ईसाई मां के पुत्र बराक हुसैन ओबामा में साकार है। ओबामा की तुलना में भारत के नेताओं का जीवन अभी भी पूर्व-निर्मित जातीय गडारों में ही चलता दिखाई देता है। हमारे यहां दलित-पिछड़े नेताओं के बेटा-बेटियों तक ने जातिवाद को नहीं त्यागा है। सवर्ण समाज में उन्होंने जब शादी ब्याह किए भी, तो भी (राजनीतिक वजहों से) उन्होंने अपनी दलित-पिछड़ी पहचान कायम रखना जरूरी माना। और चूंकि वर्णव्यवस्था में सफेदपोश काम उच्चता के लक्षण माने गए हैं, संवर्ण-अवर्ण दोनों नेताओं में मुख्यधारा के सफेदपोश मंचों के प्रति एक बाबू-भूख दिखती है। दलितों का राजनैतिक नेतृत्व भी कमोबेश वे दलित ही कर रहे हैं, जो शुरू में अपने दलित होने को एक हथियार की तरह मनुवादी दलों के खिलाफ उठा कर राजनीति में स्थापित हुए। इसलिए जब हमारी राजनीति में चुनौती दी भी जाती है और टकराव होता है, तो वह पार्टियों के बीच विचारधारा को लेकर नहीं, बल्कि लगभग एक जैसे भ्रष्ट, आततायी, अपनी पार्टी को मुट्ठी में रखने, तानाशाह नेताओं के बीच रेवड़ियों की टोकरी हथियाने के लिए ही होता है।

इधर कई प्रबुद्ध लोगों, खासकर राजनैतिक टिप्पणीयों ने इस बात पर शोक जताया है कि हमारे यहां चुनाव पूर्व जनमत गढ़ने के लिए अमेरिका की तरह हर चुनाव-काल में प्रमुख प्रत्याशियों के बीच खुले और सार्वजनिक वाद-विवाद की कोई ठोस परंपरा नहीं है जैसा कि अमेरिका में। इसकी मूल वजह है कि हमारी राजनैतिक परंपरा में सार्थक बहसों के लिए जगह ही नहीं है। हमारे बड़े नेता तो अपनी-अपनी पार्टी में एक अवतारी हैसियत रखते हैं, इसलिए वे सार्वजनिक बहस या सभा में मतदाताओं द्वारा सवालों के पूछे जाने के आदी नहीं हैं। वे सिर्फ साक्षात्कार देते हैं, और वह भी अपनी मर्जी से समय चुन कर सिर्फ अपनी मर्जी से छांटे गए पत्रकारों, अखबारों तथा चैनलों को। ऐसे साक्षात्कार अपनी इकतरफा तारीफ और प्रतिपक्षी की इकतरफा बुराई के अलावा कोई ज्ञानवर्द्धक वैचारिक दृष्टि नहीं पेश करते। यदि हमारे यहां अमेरिका सरीखी परंपरा मौजूद होती तो हमारे सभी बड़े नेता न सिर्फ जानकारियों से लैस कुशल वक्ता बनने को बाध्य होते, बल्कि वैचारिक तौर से भी वे ऐसे शून्य नजर नहीं आते कि अपनी वक्तृता के बूते रामलीला मैदान तो छोड़ें, मुहल्ले का पार्क भी श्रोताओं से भर सकें।

एक बात और, अमेरिकी चुनाव प्रक्रिया घुमावदार है और यद्यपि अंतिम तौर से उसमें एक व्यक्ति शीर्ष पर चुनकर आता है, लेकिन वह छोटे से छोटे कस्बे और शहर के मतदाता से पद के प्रत्याशियों का सीधा संवाद रचती है। हमारे यहां पार्टी-काडरों पर ग्रासरूट के साथ नेताजी के नाम पर जनसंपर्क का उत्तरदायित्व होता है। करिश्माती नेता जी या नेत्री जी कुछ ही महत्वपूर्ण जगहों पर चुनावकाल में आसमान से अवतरित होते और जनता से चुनाव जिताने की अपील करते हैं। शेष समय नेता का जनता से सीधा संवाद बहुत ही दुर्लभ होता है। हर नेता जी की असली चिंता तथा तवज्जों का मुख्य लक्ष्य पार्टी के 'अपने लोगों' का वह गुट ही होता है, जिनको वे साम-दाम, दण्ड-भेद से उनके हक में आम व्यक्ति को अपनी पार्टी को वोट देने के लिए तैयार करने का काम आउटसोर्स कर देते हैं।

हर लोकतंत्र के चाल-चलन पर उस देश की संस्कृति की अनिवार्य छाप होती है। भारत की राजनीति भी उसकी अपवाद नहीं हो सकती, इसलिए जमीनी सच्चाई को देखते हुए हमारी सलाह है कि हमें अपने यहां दूसरा

ओबामा तलाशने की बजाय अगले चुनावों के लिए ओबामागिरी से प्रेरणा लेनी चाहिए, जिसके मूल में एक सौम्य समन्ववाद और जनवाद है। और जो हर शीर्ष नेता को देश के हर वर्ग-वर्ण के महत्व का कदम-कदम पर गहरा अहसास कराती है।

अमेरिका बनाम भारत

बराक हुसैन ओबामा का अमेरिका का राष्ट्रपति चुना जाना विश्व भर के लिए एक ऐतिहासिक क्षण है। रंगभेद की गहरी जड़ों वाले अमेरिका में अश्वेत ओबामा का राष्ट्रपति बनना एक हैरतअंगेज घटना है, खासकर यह देखते हुए कि लगभग 50 वर्ष पहले इस देश में अश्वेतों को उन तमाम स्थानों में प्रवेश का अधिकार नहीं था जहां श्वेत आसानी से आ-जा सकते थे। बसों और ट्रेनों में उनकी सीटें अलग से निर्धारित थीं। जब ओबामा ने हिलेरी क्लिंटन के साथ डेमोक्रेटिक पार्टी की ओर से राष्ट्रपति पद की दावेदारी पेश की थी तो लगभग सारा विश्व यह मान रहा था कि अमेरिकी जनता उनके मुकाबले पूर्व राष्ट्रपति बिल क्लिंटन की पत्नी को प्राथमिकता देगी, लेकिन बाद में ऐसी स्थिति बनी कि ओबामा हिलेरी से कहीं अधिक आगे निकल गए। डेमोक्रेट पार्टी की ओर से राष्ट्रपति पद के प्रबल प्रत्याशी के रूप में सामने आने के बावजूद इसे लेकर संशय था कि 85 प्रतिशत श्वेतों वाला देश शायद ही अश्वेत ओबामा का चुनाव करे, लेकिन जब चुनाव परिणाम सामने आए तो यह पता चला कि ओबामा ने अपने प्रतिद्वंद्वी जॉन मैक्केन को बड़े अंतर से हराया।

ओबामा एक ऐसे समय राष्ट्रपति पद आसीन हुए हैं जब अमेरिका सहित लगभग पूरा विश्व आर्थिक मंदी की चपेट में है। एक ओर जहां उन्हें अमेरिकी अर्थव्यवस्था को पटरी पर लाना है वहीं दूसरी ओर जार्ज बुश के नेतृत्व में आतंकवाद के खिलाफ छेड़ी गई लड़ाई को तार्किक अंजाम तक पहुचाना है। अमेरिका ने इराक पर हमला करके तो अपने लिए मुसीबतें खड़ी की ही, ईरान के प्रति हमलावर रुख अपना कर मुस्लिम जगत को और अधिक सशंकित करने का काम किया। इराक के दलदल से बाहर निकलना और वहां के हालात खराब न होने देना ओबामा के लिए एक बड़ी टेढ़ी खीर है। अफगानिस्तान के हालात भी ओबामा के लिए जटिल समस्या ही है। ओबामा ने भले ही चुनाव

प्रचार के दौरान यह टिप्पणी की हो कि वह लादेन को खोज निकालने के लिए पाकिस्तान में सेना भेजने से हिचकेंगे नहीं, लेकिन इस कथनी को करनी में बदलना आसान कार्य नहीं, स्पष्ट है कि पाकिस्तान ओबामा के राष्ट्रपति बनने से विचलित होगा। भारत को ओबामा को लेकर विचलित होने की कोई जरूरत नहीं, लेकिन परमाणु अप्रसार के संदर्भ में उनके रवैये को देखते हुए उसे सतर्क तो रहना होगा, क्योंकि यह माना जा रहा है कि वह परमाणु अप्रसार संधि (एनपीटी) पर जोर दे सकते हैं। यदि ऐसा कुछ हुआ तो परमाणु करार की राह में ऐसी कोई अड़चन आ सकती है जो भारत के हितों के प्रतिकूल हो।

ओबामा के समक्ष एक अन्य चुनौती पर्यावरण को बचाने की है। अविकसित एवं विकासशील देशों की लगातार मांग के चलते विकसित देशों पर पर्यावरण को बचाने के लिए अपनी ऊर्जा खपत को कम करने का जो दबाव है उसका सबसे अधिक सामना ओबामा को करना होगा, क्योंकि अमेरिका जैविक ईंधन की खपत में शीर्ष पर है। यह समय ही बताएगा कि कि उपरोक्त मुद्दों पर ओबामा क्या रवैया अपनाएंगे और समस्याओं का समाधान किस तरह करेंगे। जो भी हो, अश्वेत होते हुए भी उनका राष्ट्रपति बनना एक बड़ी उपलब्धि है। यह उपलब्धि अमेरिकी समाज के लिए भी है, क्योंकि इस देश में रंगभेद का असर अभी भी दिखता है, ओबामा की जीत ने दुनियाभर में हलचल पैदा की है और स्वाभाविक रूप से भारत में भी।

भारत के तमाम राजनेता उनकी जीत पर आश्चर्यचकित भी हैं और उत्साहित भी। कुछ राजनेताओं ने तो यह मान लिया है कि जिस तरह गोरों के देश में अश्वेत ओबामा सर्वोच्च पद पर पहुंच गए उसी तरह एक दिन भारत में भी वंचित एवं उपेक्षित वर्ग का कोई राजनेता प्रधानमंत्री की कुर्सी पर पहुंचेगा, लेकिन एक तो अमेरिका और भारत के समाज में जमीन आसमान का फर्क है और दूसरे यहां की राजनीति के तेवर भी बिल्कुल अलग हैं।

हमारे देश में यह समय गठबंधन राजनीति का है। गठबंधन राजनीति के इस दौर में क्षेत्रीय दलों के अनेक नेता प्रधानमंत्री की कुर्सी तक पहुंचने का स्वप्न देख रहे हैं। इसमें कोई बुराई नहीं, लेकिन वे गठबंधन राजनीति की खामियों का लाभ उठाकर प्रधानमंत्री की कुर्सी हासिल करना चाहते हैं। ऐसे नेता इसके लिए विशेष प्रयास कर रहे हैं कि किसी भी दल अथवा गठबंधन

को बहुमत न मिलने पाए ताकि वे कहीं अधिक आसानी से राजनीतिक सौदेबाजी करके सत्ता की ऊंची कुर्सी पर कब्जा कर सकें। इसके लिए जाति, वर्ग, समुदाय, क्षेत्र आदि की खुलकर राजनीति की जा रही है। भिन्न-भिन्न जातियों और वर्गों के समीकरण बनाए जा रहे हैं। कोई भी राजनेता आज इस पर विचार करने के लिए तैयार नहीं कि खंडित जनादेश और गठबंधन राजनीति के चलते बनने वाली सरकारें देश हित में काम नहीं कर पा रही हैं। हमारे राजनेताओं का अधिकांश समय अपनी कुर्सी बचाने और अगले चुनाव में जीत हासिल करने के लिए समाज को अलग-अलग हिस्सों में बांट कर उसका ध्रुवीकरण करने में निकल जाता है।

अमेरिका में ऐसा नहीं होता, बावजूद इसके हमारे राजनीतिक दल न तो राजनीति में सुधार लाने के लिए तैयार हैं और न ही चुनाव प्रक्रिया में सुधार लाने के लिए। आज क्षेत्रीय दलों का शायद ही कोई ऐसा नेता हो जो जाति, समुदाय, भाषा अथवा क्षेत्र की राजनीति न कर रहा हो। ऐसे राजनेता वोट बैंक बनाने और उसे मजबूत करने के लिए समाज को बांटने में संकोच करने से इनकार कर रहे हैं। इसके लिए उन्होंने आरक्षण को अपना प्रिय हथियार बना लिया है। निःसंदेह अमेरिका ने भी रंगभेद की समस्या से पार पाने के लिए आरक्षण की तरह की एक पद्धति अपनाई, लेकिन वहां एफरमेटिव एक्शन नाम से जानी जाने वाली यह पद्धति वोट बैंक बनाने का माध्यम नहीं है। एफरमेटिव एक्शन के जरिए अमेरिकी राजनेता अश्वेत समाज को वास्तव में मुख्य धारा में लाना चाहते हैं। इसके विपरीत भारत के राजनेता आरक्षण के जरिए सिर्फ वोट बैंक बनाना और सत्ता की कुर्सी हासिल करना चाहते हैं। इस बुनियादी फर्क को हमारे राजनेता शायद ही समझने की कोशिश करें।

ओबामा की जीत इस बात का परिचायक है कि अमेरिका में एफरमेटिव एक्शन के सहारे अश्वेतों के साथ किए जाने वाले भेदभाव को दूर करने में सफलता मिली। अश्वेत ओबामा अमेरिकी समाज के सभी वर्गों को एकजुट करने और अपने साथ खड़े करने में श्वेत जॉन मैक्केन से कहीं अधिक सफल रहे। वह केवल अश्वेतों ही नहीं, बल्कि बहुसंख्यक श्वेतों की उम्मीदों के भी किरण बने। उन्होंने अपने चुनावी अभियान के जरिए श्वेत-अश्वेत के बीच के फर्क को कम किया। यदि हम सत्ता के सर्वोच्च पदों के आकांक्षी भारतीय

राजनेताओं को देखें तो वे समाज को खांचों में विभाजित करते अधिक नजर आएंगे। भारत के जो राजनेता ओबामा की जीत से उत्साहित होकर प्रधानमंत्री पद पर पहुंचना चाहते हैं उन्हें यह समझना होगा कि उन्होंने समाज को खंडित करने के स्थान पर एकजुट करके अपनी जीत सुनिश्चित की।

ओबामा से उत्साहित हमारे राजनेता यह देखने से भी इनकार कर रहे हैं कि अमेरिका में राष्ट्रपति पद के प्रत्याशी पार्टी के अंदर चुनाव लड़कर अपनी दावेदारी आगे बढ़ाता है। भारत में ऐसी किसी प्रक्रिया के लिए कोई स्थान नहीं बचा है। इसके चलते कोई भी किसी भी पद के लिए प्रत्याशी बन जाता है। इसका नजारा 6 राज्यों के विधानसभा चुनाव के प्रत्याशियों के चयन मे बखूबी दिखा। भारत विश्व का सबसे बड़ा लोकतंत्र अवश्य है लेकिन राजनीति संचालित करने, चुनाव लड़ने और सरकार गठित करने के तौर-तरीके कुल मिलाकर जनाकांक्षाओं का निरादर करने वाले हैं। यदि इन तमाम कमजोरियों का लाभ उठाकर कोई नेता प्रधानमंत्री पद पर पहुंच भी जाए तो क्या उसे पूरे देश का नेता कहा जा सकता है?

मंदी से उबारना ओबामा की प्राथमिकता

भयावह आर्थिक मंदी के बीच अमेरिका के राष्ट्रपति के रूप में निर्वाचित बराक ओबामा के लिए स्वाभाविक था कि वह इससे उबरने के उपायों को अपनी प्राथमिकता सूची में सबसे ऊपर रखें। इस संदर्भ में उन्होंने एक पैकेज लाने की बात की है। इसमें रोजगार सृजन और करों में कटौती पर जोर होगा। चुनाव जीतने के बाद यहां पहले संवादाता सम्मेलन में ओबामा ने यह बात कही। ओबामा ने ईरान के परमाणु कार्यक्रम को अस्वीकार्य करार दिया, जबकि पाकिस्तान में लोकतंत्र का समर्थन किया।

ओबामा ने आर्थिक मंदी को अपनी जिंदगी की सबसे बड़ी आर्थिक चुनौती बताते हुए उससे जल्दी से उबरने के लिए संकल्प व्यक्त किया। उन्होंने कहा कि उनकी पहली प्राथमिकता होगी कि एक ठोस पैकेज पास कराया जाए। यह उनके शपथ ग्रहण समारोह के पहले या उसके बाद आएगा। उन्होंने ऋण संकट से उबरने, रोजगार पैदा करने, कठोर श्रम करने वाले परिवारों की मदद करने और विकास व संपन्नता लाने के लिए सभी आवश्यक कदम उठाने

की जरूरत प्रकट की। उन्होंने कहा कि उनकी टीम अगले कई महीनों तक आर्थिक स्थिति की मानीटरिंग करेगी।

अंतर्राष्ट्रीय प्रयास से रुके ईरान का परमाणु कार्यक्रमः ओबामा के संवाददाता सम्मेलन की खासियत यह रही कि उसमें अंतरराष्ट्रीय मुद्दे के रूप में एक मात्र ईरान का मसला उठा। उन्होंने कहा कि ईरान द्वारा परमाणु हथियार का विकास अस्वीकार्य है। उन्होंने इसे अंतरराष्ट्रीय प्रयास से रोकने की जरूरत प्रकट की। इसी तरह उन्होंने कहा कि ईरान द्वारा आतंकी संगठनों की मदद के मामले में भी कुछ करना होगा। ईरान के राष्ट्रपति महमूद अहमदीनेजाद द्वारा उनको मुबारकबाद देते हुए भेजे गए पत्र के बारे में उन्होंने कहा कि वह उसकी समीक्षा करेंगे और उसका उचित जवाब देंगे।

पाकिस्तान के लिए अच्छे संकेतः ओबामा ने पाकिस्तान में लोकतंत्र के प्रति अपने पूर्ण समर्थन का भरोसा दिलाया। साथ ही उन्होंने उम्मीद जताई कि दोनों देश द्विपक्षीय रिश्तों को प्रगाढ़ बनाने के लिए मिल कर काम करते रहेंगे। पाक राष्ट्रपति आसिफ अली जरदारी ने भी उम्मीद जताई कि दोनों देशों के बीच रिश्ते दीर्घकालिक और व्यापक होंगे। ओबामा ने पाकिस्तान के राष्ट्रपति आसिफ अली जरदारी से टेलीफोन पर बात भी की थी।

भारत को भाएगी पाकिस्तान पर सख्ती

- तालिबान से निपटने के लिए पाक पर दबाव बनाएंगे ओबामा
- अमेरिका और चीन के संबंधों पर भी रहेगी भारत की नजर

अमेरिका में बराक ओबामा के राष्ट्रपति चुने जाते ही भारत अब इस आकलन में जुट गया है कि एशिया के तमाम मुल्कों को लेकर वाशिंगटन की नीति क्या करवट लेती है। पाकिस्तान, चीन और नेपाल जैसे अपने पड़ोसी देशों के प्रति नए अमेरिकी प्रशासन के रुख पर नई दिल्ली की खास नजर है। ताकि वह अमेरिका की नजरों में इन देशों की अहमियत की घट-बढ़ के मुताबिक अपनी भावी रणनीति तय कर सके।

इस परिप्रेक्ष्य में ओबामा का व्हाइट हाउस में काबिज होना भारत के लिए अच्छी खबर है। समस्या आतंकवाद के खिलाफ सख्ती और इस समस्या का निदान करने के लिए पाकिस्तान पर दबाव बनाने को लकर दो टूक बयान पहले

ही दिया हुआ है। जानकारों की माने तो तालिबान से निबटने के लिए ओबामा हर तरह से इस्लामाबाद के साथ सख्ती से ही पेश आएंगे। यही नहीं, उन्होंने यह भी कहा है कि उनकी कोशिश पाकिस्तान को यह समझाने की होगी कि वह आतंकवाद पर ध्यान केंद्रित करे, न कि भारत के साथ कोई विवाद खड़ा करने पर। जम्मू-कश्मीर में सीमा पार आतंकवाद के मुद्दे का अंतरराष्ट्रीयकरण करने से भारत भले ही बचता आ रहा हो, लेकिन इस समस्या पर ओबामा के सख्त रवैये को नई दिल्ली अच्छा संकेत मान रही है, हालांकि वह सीधे तौर पर इस समस्या के त्रिपक्षीय समाधान के पक्ष में नहीं है। लेकिन पाकिस्तान पर अमेरिकी दबाव का दबी जुबान से स्वागत ही करेगी।

अपने पड़ोसी या तमाम एशियाई मुल्कों के साथ द्विपक्षीय संबंधों को ही आधार बनाकर भारत भले ही अपनी स्वतंत्र विदेश नीति पर चल रहा हो लेकिन उनके प्रति अमेरिका की नीतियों के साथ तालमेल बिठाने पर भी उसका जोर रहा है। लिहाजा अमेरिका के साथ रणनीतिक रिश्ते बढ़ाने पर जोर दे रहे भारत ने आने वाले दिनों में अमेरिका-चीन संबंधों को परखने की तैयारी की है। सरकार यह मान रही है कि अपने अभियान के दौरान चीन को एक मजबूत आर्थिक शक्ति करार दे चुके ओबामा का झुकाव कहीं न कहीं बीजिंग की ओर रहा है। वैसे राष्ट्रपति चुनाव के नतीजों की घोषणा के बाद ओबामा का बयान भारत को खुश करने वाली ही था। उन्होंने कहा कि 'मैं भारत के साथ करीबी रणनीतिक संबंधों को बनाने की दिशा में आगे बढ़ूंगा।' विदेश मंत्रालय इसे अच्छा संकेत इस लिहाज से मान रहा है कि ओबामा ने एशियाई क्षेत्र में भारत को उन देशों की सूची में प्राथमिकता से रखा है जिनके साथ उनका प्रशासन रणनीतिक रिश्ते मजबूत करने का पक्षधर है।

भारत के लिए इस जीत के मायने कई

चुनावों के दौरान कश्मीर सहित कई मसलों पर नव-निर्वाचित राष्ट्रपति ने खुलकर बोला। भारत की नजर भी कश्मीर मसले पर उनके द्वारा उठाये जाने वाले कदमों पर होगी। आउटसोर्सिंग के मामले में उनका यह कहना समीचीन है कि अमेरिकियों को रोजगार प्राथमिकता होगी।

आने वाले दिनों में जब बराक ओबामा की जीत पर कायम उत्साह का ज्वार नीचे आएगा, तो भारत एवं समस्त विश्व के संदर्भ में उसके मायनों का

वस्तुपरक आकलन ज्यादा आसान होगा। ओबामा इस समय विश्व के राजनेताओं में शायद सबसे प्रभावशाली प्रवक्ता हैं और उनके चेहरे से आत्मविश्वास एवं दृढ़ निश्चयी व्यक्तित्व की छवि झलकती है। उनके पास अपने देश एवं दुनिया के लिए साफ नजरिया (विजन) है।

अभी तक महाशक्ति के पायदान पर खड़े देश के नेता का ऐसा आभामंडल दुनिया के लिए अच्छा माना जाएगा, लेकिन ओबामा न भारत की सामूहिक इच्छा के प्रतीक हैं और न विश्व की सामूहिक चेतना के। अगर वे प्रतीक बनकर उभरे हैं, तो आर्थिक संकट से घबराए तथा विश्व में बढ़ते अमेरिकी विरोध के कारण राष्ट्र के भविष्य को लेकर व्याकुल अमेरिकियों के बड़े वर्ग के समुच्चय का। चूंकि अमेरिका अपनी सीमाओं में सिमटा एक साधारण देश न होकर वैश्विक शक्ति है, उसकी वैश्विक नीतियों में भारत भी शामिल है और भारत के साथ सघन बहुआयामी साझेदारी अमेरिकी विदेश नीति का महत्वपूर्ण पहलू है, सो हमारे लिए यह समझना आवश्यक है कि आखिर ओबामा के कार्यकाल में हमारा संबंध अमेरिका के साथ कैसा होगा?

भारत के साथ ओबामा कालीन रिश्ते के दो पहलू हैं। एक तो सीधे भारत संबंधी अमेरिका की नीति और दूसरा उसकी वैश्विक नीतियों का भारत पर पड़ने वाला प्रभाव। भारत में जन्मी सोनल शाह का उनके सलाहकार मंडल में शामिल होने तथा उनके चुनाव अभियान में मुख्य सलाहकार मंडल में शामिल होने तथा उनके चुनाव अभियान में मुख्य सलाहकार रहीं वकील भारतीय मूल की प्रीति बंसल के सॉलिसिटर जनरल पद संभालने की संभावना के कारण ओबामा के कार्यकाल से उम्मीदें काफी बढ़ गई है। वे अपने साथ हनुमान जी की मूर्ति रखते हैं। तथा उनके सीनेट कार्यालय में महात्मा गांधी की तस्वीर लगी थी। उन्होंने भारत के 62वें स्वतंत्रता दिवस पर संदेश में कहा था कि भारत के स्वाधीनता आंदोलन में गांधी की सक्रिय भूमिका ने विश्व भर के युवाओं को अपने देशों की स्वतंत्रता के लिए प्रेरित किया। वे गांधी को दुनियाभर में आम आदमी के संगठित संघर्ष से अद्भुत सफलताएं हासिल करने की प्रेरणा मानते हैं। ये बातें सामान्य तौर पर भारत के प्रति उनके वैचारिक और भावात्मक लगाव को दर्शाती हैं।

भारत के बारे में उन्होंने अपना दृष्टिकोण कई बार स्पष्ट किया है। उनका मानना है कि भारत और अमेरिका के कई सामान्य लक्ष्य और हित हैं। ओबामा ने कहा कि अनिश्चित दुनिया में भारत के साथ अमेरिका के सर्वाधिक महत्वपूर्ण संबंधों में से एक यह है कि दोनों देश, भारत और अमेरिका, अपने-अपने लोगों तथा 21वीं सदी के मूल्यों की रक्षा के लिए काम कर रहे हैं। दोनों ही देश कानून और सांस्कृतिक बहुपक्षवाद को सम्मान देते हैं।

ओबामा ने प्रधानमंत्री मनमोहन सिंह को गत सितंबर में अमेरिका यात्रा के दौरान जो लंबा पत्र लिखा था, उससे भारत के प्रति उनका नजरिया ज्यादा स्पष्ट होता है। उसमें उन्होंने भारत में आतंकवादी हमलों में मारे गए लोगों के प्रति सहानुभूति व्यक्त करते हुए मिलकर आतंकवाद से लड़ने का वचन दिया। उन्होंने यह भी कहा कि मैं दुनिया के सभी देशों से अनुरोध करूंगा कि वे भारत में हिंसा को बढ़ावा देने वाले को पकड़ने में मदद करें। उन्होंने भारत-अमेरिका सामरिक साझेदारी सशक्त करने पर बल दिया। भारत-अमेरिका संबंधो पर नजरिया इन पंक्तियों से ज्यादा स्पष्ट होता है, 'आरंभिक बिंदु के रूप में हमारे सामान्य सामरिक हितों की मांग है कि हम अमेरिका-भारत सैनिक, खुफिया एवं कानूनी क्रियान्वयन सहयोग को दोगुना करें।'

इससे साफ है कि वे वैचारिक तौर पर भारत को करीब-करीब अमेरिका के समान देश मानते हैं। उन्हें यह भी लगता है कि इस अस्थिर दुनिया में दोनों देशों के लक्ष्य भी समान हैं। यानी लोकतंत्र का प्रसार एवं आतंकवाद और कट्टरवाद के खिलाफ संघर्ष। यह अमेरिका की पुरानी नीति है, जिसकी नींव पूर्व राष्ट्रपति बिल क्लिंटन के कार्यकाल में डाली गई एवं जिसे जॉर्ज बुश ने सशक्त करने की कोशिश की, वे इसे नई विश्व परिस्थितियों तथा अपने राष्ट्रीय हितों के अनुरूप बेहतर करना चाहेंगे। उन्होंने पहले नाभिकीय करार पर कुछ आपतियां उठाई थी और विदेश संबंधी समिति में बहस के दौरान उन्होंने एक संबोधन भी पेश किया था, लेकिन बाद में उन्होंने इसका पुरजोर समर्थन किया था। यदि वर्तमान अंतरराष्ट्रीय ढांचे में अमेरिका को हमारी आवश्यकता है, तो हमें भी अनेक मामलों में उसके प्रभावी आवाज एवं पहल की सहायता चाहिए। अमेरिका के विरोधी देश चाहे जितने हों, लेकिन आज भी उसकी आवाज का जितना महत्व है, उतना किसी देश का नहीं। आतंकवाद के

खिलाफ संघर्ष में हमें निश्चय ही विश्व समुदाय का साथ चाहिए। इस प्रकार ओबामा की यह सोच हमारे लिए अनुकूल ही है। हम अमेरिका के साथ सैनिक, खुफिया एवं कानून क्रियान्वयन की दिशा में आगे बढ़े हैं, लेकिन उस दिशा में क्या हम उतना आगे जा सकते हैं, जितना ओबामा चाहते हैं? वस्तुतः हमें सोचना है कि क्या वाकई हमारे लक्ष्य अमेरिका के ही समान हैं?

कश्मीर संबंधी उनका विचार 'असुविधाजनक' है। 'टाइम' पत्रिका को साक्षात्कार में उन्होंने कहा कि अमेरिकी प्रशासन कश्मीर मसले के समाधान के लिए भारत और पाकिस्तान के साथ मिलकर गंभीरता से कदम बढ़ाने पर जोर देगा। वे कूटनीतिक स्तर पर समाधान के लिए विशेष दूत भेजेंगे और भारत से साफ कहना चाहेंगे कि आप आर्थिक महाशक्ति बनने की ओर अग्रसर होते हुए ऐसे मामले पर क्यों उलझ रहे हैं? क्लिंटन को कश्मीर पर विशेष दूत भी बनाने की अटकलें हैं। इससे घबराने की आवश्यकता नहीं है। हमें अपना पक्ष ठीक प्रकार से रखना होगा। क्लिंटन काल में ही खासकर 1999 के कारगिल युद्ध के बाद अमेरिका की कश्मीर नीति में व्यापक बदलाव आया।

बहुआयामी साझेदारी की चाहत रखने वाला व्यक्ति कश्मीर पर भारत के बिलकुल खिलाफ नहीं जा सकता। उन्होंने पाकिस्तान से कहा कि भारत उसके लिए खतरा नहीं है। उसे खतरा आतंकवादियों से है और उसके खिलाफ उसे संघर्ष करना चाहिए। यह सोच भी भारत के पक्ष में जाती है, लेकिन वर्तमान अंतरराष्ट्रीय परिस्थितियां इतनी जटिल हैं और अमेरिका इस तरह अनेक भागों में उलझा हुआ है कि ओबामा के लिए इनसे पार पाना आसान नहीं है। इसका असर भारत पर भी होगा। उन्होंने पाकिस्तान के सीमावर्ती क्षेत्रों में हमला कर ओसामा बिन लादेन को मारने या पकड़ने की घोषणा की है। यानी आतंकवादियों की शरण स्थली का ध्वंस और इससे भारत में भी आतंकवाद का खतरा कम होगा। वे अपगानिस्तान पर फोकस करना चाहते हैं। यह भी भारत के लिए अनुकूल होगी। ऐसी और भी बातें हैं।

आउटसोर्सिंग पर उनके विचार से हमारे यहां चिंता व्यक्त की गई है। उन्होंने कहा कि मैं उन कंपनियों को कर राहत देना बंद कर दूंगा, जो बाहरी देशों में रोजगार की आउटसोर्सिंग करती हैं। मैं यह राहत उन कंपनियों को दूंगा, जो अमेरिका में अच्छे रोजगार उत्पन्न करती हैं। पहली बात यह कि यह भारत

लक्षित बयान नहीं है। माली हालत सुधारने के लिए अमेरिकी कंपनियों पर देश में ही काम करने के लिए दबाव डालना स्वाभाविक है। आउटसोर्सिंग रोजगार भारत में इतनी संख्या में नहीं हैं कि यह गहराई से प्रभावित करें। दूसरे, जो व्यक्ति गहरा सामरिक साझेदारी का पक्षधर हो, वह ऐसा कुछ नहीं करेगा जिससे रिश्ते बिगड़ जाएं।

बदलाव की इबारत

अमेरिकी मतदाताओं ने बदलाव की एक इबारत लिख दी है, जिसके फलस्वरूप अमेरिकी समाज का हर वर्ग और दुनिया के देश अपने नजरिए से तथा अपने फायदे से परिवर्तन की संभावना तलाशते नजर आते हैं, किंतु अमेरिका जैसे देश के राष्ट्रपति के लिए व्यवस्था परिवर्तन आसान नहीं है। व्यवस्था परिवर्तन तथा नीतिगत परिवर्तन से समर्थन के साथ-साथ विरोध भी होगा। ओबामा सबसे पहले और सबसे अधिक ध्यान अमेरिका की आर्थिक स्थिति पर देंगे, क्योंकि यह उनके लिए सबसे बड़ी चुनौती है। दुनिया मानती है कि बुश की गलत नीतियों के कारण अमेरिका सहित विश्व मंदी में है। यदि ओबामा वित्तीय संकट से मुल्क को उबार लेते हैं, तो उनके लिए यह बहुत बड़ी उपलब्धि साबित होगी।

जहां तक अन्तरराष्ट्रीय नीति में परिवर्तन की बात है, तो यह आसान है। कारण साफ है कि मुस्लिम देशों (खासतौर से इराक, ईरान और अफगानिस्तान) को लेकर (पूर्व) अमेरिकी राष्ट्रपति जॉर्ज बुश की नीति का अमेरिका तथा बाहरी मुल्कों में विरोध है। ओबामा ने कहा है, हम दुश्मनों की तरह नहीं, दोस्तों की तरह आगे बात करते हैं तो अंतरराष्ट्रीय स्तर पर क्रांतिकारी परिवर्तन दिखेगा। इस नीति के तहत इराक से फौंजें हट सकती हैं और दोस्ती की पहल हो सकती है, लेकिन अफगानिस्तान के प्रति उनके रवैये में अधिक परिवर्तन की गुंजाइश नहीं दिखती। वहां भी परिवर्तन होगा, लेकिन उतना नहीं जितना कि अन्य मुल्कों में। ईरान के साथ उनके संबंध न अच्छे रहेंगे और न खराब, सामान्य रहने की संभावना है।

उनकी कोशिश रहेगी कि एशिया के अन्य देशों के साथ भी उनके संबंध अच्छे रहें। इसके लिए ओबामा चीन के साथ अच्छे रिश्ते बनाने की कोशिश

करेंगे, लेकिन ध्यान रखते हुए कि अमेरिका का यहां अंतिम संघर्ष तो चीन के साथ ही है तथा वही अमेरिका का प्रतिस्पर्धा है। रही बात भारत-पाकिस्तान की तो इनके आन्तरिक मामलों में उनका दखल नहीं के बराबर होगा, क्योंकि परमाणु करार के फलस्वरूप भारत-अमेरिकी संबंधों में आयी मधुरता को ओबामा कतई खट्टा नहीं करना चाहेंगे।

ओबामा भारत के अच्छे दोस्त साबित होंगे। उनके कार्यकाल में भारत तथा अमेरिका के रिश्ते अधिक मजबूत व टिकाऊ होंगे। जहां तक कश्मीर की बात है, तो भारत उसे अभिन्न अंग मानता है। साथ ही चाहता है कि अमेरिका या किसी दूसरे देश का हस्तक्षेप भारत-पाक के अंदरूनी मामले में कतई न हो। अतः ओबामा न तो इस मामले में ज्यादा दखल देंगे और न ही दबाव की राजनीति अपनाएंगे, क्योंकि वह किसी भी हाल में भारत को नाराज नहीं करना चाहेंगे। इसका एक कारण यह है कि चीन के साथ संघर्ष में यह अमेरिका के 'सैटेलाइट स्टेट' के रूप में अमेरिका का मददगार साबित होगा।

ग्लोबलाइजेशन के दौर में अमेरिकी अर्थव्यवस्था भारत की अर्थव्यवस्था को प्रभावित करती है। यदि ओबामा अर्थव्यवस्था को सुधारने के लिए ठोस कदम उठाते हैं, तो निश्चित तौर पर हमारी अर्थव्यवस्था भी सुधरेगी। उम्मीद है कि उनके शासन में न केवल अमेरिका में बल्कि भारतीय अर्थव्यवस्था पर भी अच्छा असर पड़ेगा। आशंका है कि ओबामा के शासन में, भारत में आउटसोर्सिंग करने वाली अमेरिकी कंपनियों को प्रोत्साहित नहीं मिलेगा क्योंकि उन्होंने अमेरिका में नई नौकरियों का अवसर पैदा करने वाली कंपनियों को टैक्स कम करने का मौका देने की घोषणा की है, ताकि अमेरिकी नौकरियां चीन और भारत जैसे देशों में न जाएं। पर यह मानना है कि इस तरह के टैक्स में वह एक सीमा तक ही छूट दे सकते हैं, क्योंकि आर्थिक मंदी से उबरने के लिए उन्हें सबसे पहले बैंकों को पैसा देना होगा। टैक्स आदि के जरिए जो पैसा खजाने में आता है, उसे घोर मंदी के दौर में एकाएक बंद नहीं किया जा सकता। यदि पैसा कम रहा तो सभी कार्यक्रम खटाई में पड़ सकते हैं। नहीं कह सकते कि आउटसोर्सिंग करने वाली अमेरिकी कंपनियां भारत में बंद होंगी। ओबामा ने घोषणा की है कि आने वाले भारतीय तथा दूसरे देशों के प्रशिक्षित लोगों को काम करने का अधिक मौका दिया जाएगा।

डेमोक्रेट की ओर से राष्ट्रपति चुने जाने, वहां जनतंत्र के मजबूत होने या उसके अच्छे प्रदर्शन के फलस्वरूप भारत पर उसका कोई बहुत सकारात्मक प्रभाव नहीं पड़ने वाला, क्योंकि हमारी लोकतांत्रिक समस्याएं, प्रक्रिया और व्यवस्था अमेरिका से सर्वथा भिन्न हैं। यहां जनतंत्र को मजबूत होने में अभी काफी वक्त लगेगा। एक अश्वेत के रूप में ओबामा का राष्ट्रपति चुना जाना दुनिया के लिए संकेत है कि लोकतंत्र में कुछ भी संभव है। नेताओं के लिए भी संकेत है कि अब उन्हें चरित्र और कार्यों के आधार पर परखा जाए। दुनिया के सबसे बड़े लोकतंत्र भारत के नेताओं को इससे सबक लेना चाहिए।

फर्क नहीं पड़ने वाला

अमेरिका के राष्ट्रपति पद पर निर्वाचित होने के बाद भारत-अमेरिकी संबंधों की नई पीठिका तैयार होने की बात की जा रही है, किंतु सच्चाई यही है कि ओबामा के लिए भारत शीर्ष प्राथमिकता में नहीं है। शुरुआती चुनावी सभा में विदेश नीति के संदर्भ में बहस के दौरान ओबामा और मैक्केन दोनों ने भारत चर्चा करना जरूरी नहीं समझा। ओबामा के आगे मंदी की समस्या है। अफगानिस्तान-इराक से सैनिकों की वापसी का मसला है। ईरान, उत्तर कोरिया और रूस के संदर्भ में अपनी नीतियों को व्यावहारिक आकार देना है। इजरायल-फलस्तीन की समस्या में अपनी नीतियों को व्यावहारिक आकार देना है। इजरायल-फलस्तीन की समस्या में अपना रोल निभाना है। हमें यह भी नहीं भूलना चाहिए कि अमेरिकी विदेश नीति के निर्धारण में केवल राष्ट्रपति नहीं, बल्कि उनकी पूरी टीम हिस्सा लेती है।

क्लिंटन के दौरे में कश्मीर पर इसलिए ध्यान केंद्रित किया गया था कि उसमें मैडलिन अलब्राइट की विशेष दिलचस्पी थी। अलब्राइट के पिता कश्मीर में संयुक्त राष्ट्र के पदाधिकारी के तौर पर नियुक्त थे। ओबामा के परमाणु करार को लेकर नजरिए की बात करें, तो यह जैसा भी हो-भारत को फर्क नहीं पड़ने वाला, क्योंकि हम पहले ही परमाणु करार कर अपने स्वदेशी परमाणु कार्यक्रम का भट्ठा बैठा चुके हैं। कश्मीर पर अमेरिका की नीति हेनरी टूमैन से लेकर जॉर्ज बुश तक कमोबेश एक रही है। प्रत्येक राष्ट्रपति ने इस मसले पर भारत और पाकिस्तान के बीच अपने को शांतिदूत की तरह पेश कर अमेरिका का हित साधा है। यहां तक कि कभी भारत के सर्वाधिक निकट रहे राष्ट्रपति

कैनेडी ने भी 1962 के भारत-चीन युद्ध के दौरान मदद मांगने के बावजूद उस समय अपना बेड़ा भारत भेजना कबूल नहीं किए, जबकि चीन का आक्रमण कमजोर पड़ चुका था। तात्पर्य साफ है कि ओबामा हों या कोई और, उनकी विदेश नीति अपने राष्ट्रीय हित के आईने में ही तैयार होगी। भारत को चाहिए कि वह उनकी नीति को अपनाने की जगह अपने हित में नीतियां बनाए। अभी तक हम यही देखते रहे हैं कि सरकार अमेरिका के आगे लेटने को तैयार रहती है। ओबामा के राष्ट्रपति पद पर जीतते ही हमारी सरकार फिर ऐसा करने को ही तैयार दिख रही है।

आपसी रिश्ते तो बढ़ेंगे, पर सीटीबीटी के लिए दबाव भी

बराक ओबामा के कार्यकाल में भारत-अमेरिका सामरिक साझेदारी के रिश्ते और मजबूत होंगे। यहां राजनयिक हलकों में यही उम्मीद है। खासकर अमेरिकी राजनयिकों का कहना है कि ओबामा हो या मैक्केन, भारत के साथ सामरिक रिश्तों को लेकर अमेरिका के दोनों दल एकमत हैं और अमेरिका की यह सामरिक जरूरत है, इसलिए कोई भी प्रशासन भारत की मौजूदा हैसियत और विश्व माहौल को देखते हुए भारत की उपेक्षा नहीं कर सकता। लेकिन डेमोक्रेटिक कार्यकाल में भारत पर परमाणु परीक्षणों पर रोक लगाने वाली संधि (सीटीबीटी) पर दस्तखत करने का दबाव बढ़ेगा। इसी तरह म्यांमार और ईरान जैसे मसलों पर भी भारत पर दबाव बढ़ सकता है।

राजनयिक हलकों में माना जा रहा है कि ओबामा की जीत का सबसे महत्वपूर्ण पहलू है जोसेफ बिडेन का उपराष्ट्रपति बनना। बिडेन अमेरिकी सीनेट की विदेश संबंध समिति के चेयरमैन रह चुके हैं। अंतरराष्ट्रीय संबंधों का उनका 30 सालों का अनुभव है। इसलिए यहां कहा जा रहा है कि ओबामा के विदेश नीति अनुभवों की कमी को बिडेन पूरा करेंगे। बिडेन 2001 से ही भारत के साथ सामरिक रिश्तों को मजबूत करने के हिमायती रहे हैं। रिपब्लिकन जॉर्ज बुश के विपक्षी डेमोक्रेट सीनेटर होने के बावजूद उन्होंने भारत-अमेरिका परमाणु समझौते को संपन्न करवाने में अहम भूमिका निभाई। इसी तरह माना जा रहा है कि ओबामा का कश्मीर संबंधी बयान विदेशी मामलों में उनकी अपरिपक्वता का परिचायक है और बिडेन के कारण ओबामा प्रशासन की कश्मीर नीति पहले की तरह जारी रहेगी। डेमोक्रेट बिल क्लिंटन ने सत्ता

जाते-जाते पाकिस्तान नीति में भारी बदलाव किया और बुश प्रशासन ने इसे आगे बढ़ाया और कश्मीर मसले से दूर रहने की नीति अपनाई। इसी तरह की नीति पर ओबामा को चलना होगा। यहां तक कि अमेरिकी राजनयिकों ने कहा कि ओबामा जब सत्ता संभालेंगे और उन्हें भारत-पाकिस्तान रिश्तों की सभी जानकारियां मुहैया कराई जाएंगी तब वह तथ्यों से अवगत होंगे। हमें ओबामा के कश्मीर पर बयान का बहुत मतलब नहीं निकालना चाहिए। यह पूछे जाने पर कि ओबामा क्या कश्मीर मसले पर बिल क्लिंटन को अपना दूत नियुक्त कर सकते हैं, एक राजनयिक सूत्र ने टिप्पणी की कि अमेरिकी प्रशासन ने भारत-पाकिस्तान मसलों में न पड़ने की नीति अपनाई है और यह नीति जारी रहेगी। अमेरिकी दूतावास ओबामा के लिए नीति पत्र तैयार करेगा जिसमें कश्मीर मसले पर भारत की संवेदनशीलता से अवगत कराया जाएगा।

सूत्र ओबामा के इस बयान की ओर भी इशारा करते हैं कि ओबामा ने पाकिस्तान को सलाह दी है कि पाकिस्तान को वास्तविक खतरा उसके अंदर से है न कि भारत से। ओबामा ने पाकिस्तान के इलाके में पनप रहे आतंकवादी तत्वों के लिए भी पाकिस्तान सरकार को आड़े हाथ लिया है। साफ है कि नए प्रशासन का जोर आतंकवाद को मिटाने पर रहेगा और इसी संदर्भ में ओबामा का कश्मीर बयान देखा जा सकता है। बिडेन ने भी कई बार कहा है कि अमेरिका के असली दुश्मन अलकायदा और तालिबान हैं और इनके साथ कोई नरमी नहीं बरती जाएगी। बिडेन ने अलकायदा और तालिबान को लेकर बुश प्रशासन की नीतियों की आलोचना की है और इराक से अधिक अफगानिस्तान पर ध्यान देने की बात कही है। ओबामा यह भी चाहते हैं कि पाकिस्तान को आर्थिक मदद तो जारी रखी जाएगी लेकिन सैनिक मदद ठीक नहीं।

परमाणु अप्रसार: भारत के लिए चिंता की बात होगी डेमोक्रेट पार्टी की सीटीबीटी नीति। डेमोक्रेटिक पार्टी ने इसे अनुमोदित करवाने का संकल्प लिया है। इसलिए ओबामा प्रशासन के अजेंडे पर यह मसला रहेगा। यदि अमेरिका ने सीटीबीटी को अनुमोदित कर दिया तब चीन को भी करना होगा। तब भारत भी सीटीबीटी पर दस्तखत करने के दबाव में आएगा। भारत ने मई 1998 के परमाणु परीक्षणों के बाद वादा किया था कि भारत सीटीबीटी को लागू होने से नहीं रोकेगा। इसलिए भारत को परमाणु परीक्षणों के अधिकार पर टिके रहने

की अपनी कड़ी नीति बदलनी होगी। डेमोक्रेटिक प्रशासन एफएमसीटी (विखंडनीय परमाणु सांमग्री उत्पादन पर रोक संधि) को भी आगे बढ़ाने पर जोर देगा। भारत ने पहले ही इसमें सहयोग की हामी भरी है।

आउटसोर्सिंग: अमेरिकी युवकों का रोजगार छिनने से चिंतित ओबामा ने आउटसोर्सिंग पर चोट करने का ऐलान किया है। सूत्रों का कहना है कि ओबामा का यह बयान घरेलू और चुनावी राजनीति के मदेनजर दिया गया था। अब अमेरिकी व्यावसायिक जगत ही नहीं चाहता कि आउटसोर्सिंग अमेरिका की मजबूरी होगी और भारत में रोजगार खोने का डर नहीं होना चाहिए।

6

बराक ओबामा की जीत और भारतीय हित

अमेरिका में जब भी राष्ट्रपति पद के लिए चुनाव होता है, सारी दुनिया में 'लाभ-हानि' के मुद्दे पर अटकलबाजी का दौर शुरू हो जाता है। यद्यपि अमेरिका में मूलत: दो दलीय प्रणाली काम करती है, इसलिए वहां कोई क्रांतिकारी परिवर्तन की कल्पना नहीं की जा सकती, क्योंकि अमेरिका में विश्व राजनीति की एक निर्धारित व्यवस्था है, जिसके इर्द-गिर्द वहां की राजनीति की एक चक्कर लगाती रहती है। यही कारण है कि इन चुनावों के दौरान जब कुछ मीडियावालों ने दुनिया के महानतम बुद्धिजीवियों में से एक नोम चोम्स्की से प्रतिक्रिया जाननी चाही, तो उन्होंने साफ कहा है कि अमेरिका में वास्तव में कोई दल काम नहीं करता, बल्कि वहां यदि कोई दल है, तो वह है बनिया दल (बिजनेस पार्टी) यानी अमेरिकी राजनीति का मूल स्तंभ है व्यापार। इसी व्यापारिक व्यवस्था को कार्ल मार्क्स ने पूंजीवाद कहा था। अत: अमेरिकी राजनीति पर चर्चा करते समय इस मूल मंत्र को कभी नहीं भूलना चाहिए।

अमेरिकी राजनीति कभी दूसरे देश के हित में अहित को ध्यान में रखकर नहीं चलती है। उसका अपना एक चरित्र है, जिसकी रक्षा में वह कार्यरत रहती है। जब 1991 में सोवियत संघ का पतन हुआ, तो उसके बाद के सभी अमेरिकी राष्ट्रपतियों ने दावा किया कि यह विश्वभर में स्वतंत्र समाज तथा जनतंत्र की विजय है किंतु उसी अमेरिका में तत्काल यह निष्कर्ष निकाला गया

कि यह अमेरिकी पूंजीवाद की साम्यवाद पर विजय है। अत: शीघ्र ही सैमुअल हंटिगटन का नया दर्शन आया-'सभ्यताओं का संघर्ष' में धर्म के नाम पर नौ सभ्यताएं गिनाई गईं, जिनमें हिंदू तथा बौद्ध भी शामिल हैं। किंतु एक हैरत की बात यह है कि इसमें ईसाई सभ्यता का नाम नहीं है, बल्कि जो देश ईसाई हैं, उन्हें सिर्फ पश्चिमी सभ्यता के रूप में निरूपित किया गया। इस संघर्ष के बारे में सभी अमेरिकी राष्ट्रपतियों ने अपनी-अपनी नीतियां चलाईं।

शुरुआती दौर में हंटिगटन ने कहा कि सभी सभ्यताएं पश्चिमी सभ्यता की दुश्मन हैं, फिर उन्होंने कहा कि इस्लाम पश्चिमी सभ्यता का दुश्मन है तथा अंत में कहा कि इस्लाम सभी सभ्यताओं का दुश्मन है। उनका यह अंतिम विश्लेषण अति महत्वपूर्ण है, जिसके इर्द-गिर्द अमेरिकी राजनीति संचालित हो रही है। अर्थात सभ्यता के संघर्ष के नाम पर विश्व स्तर पर इस्लामी आतंकवाद के विरुद्ध जो युद्ध चलाया जा रहा है, उसकी चपेट में इस समय सारा विश्व आ चुका है। वर्तमान अमेरिकी राजनीति की यही सबसे बड़ी सफलता है। अत: राष्ट्रपति के इस चुनाव में यही मुद्दा सबसे महत्वपूर्ण बना रहा। किंतु इन तमाम अवधारणाओं के पीछे चाहे वह सभ्यता का संघर्ष रहा हो या विश्वस्तरीय आतंकवाद के विरुद्ध संघर्ष, इन सबके पीछे सबसे महत्वपूर्ण अवधारणा थी-सारे विश्व में भूमंडलीकरण के नाम से अमेरिका निर्देशित पूंजीवाद की स्थापना। इस अवधारणा के तहत पहले दुनिया भर में एक केंद्र संचालित पूंजीवादी स्थापना के बाद ठीक उसी तरह केंद्र संचालित विश्व भर में विदेश नीति लागू करने की कोशिश की गई। अत: वर्तमान अमेरिकी राजनीति के इस मूल ढांचे में कौन देश कितना फिट होता है या नहीं, यही प्रश्न इस चुनाव में लाभ-हानि के संदर्भ में खड़ा किया जाता रहा।

अंतरराष्ट्रीय राजनीति की यह एक विडंबना रही है कि कोई भी विश्व व्यवस्था बिना किसी विश्वव्यापी संघर्ष के संभव नहीं हुई। अत: भूमंडलीकरण के लिए फिर भूमंडली आतंकवाद के विरुद्ध संघर्ष का नारा सामने आया। इसी संघर्ष से उत्पन्न स्थिति से मुकाबला करने का असली मुद्दा चुनाव में हावी था। जहां तक भारत का संबंध है, वह बहुत रोचक है। वर्तमान राष्ट्रपति बुश अमेरिकी हितों की रक्षा में भारत के प्रति एक उदार चरित्र हमेशा दिखाने की कोशिश में लगे रहे, जिसकी कुछ झलक भारत के साथ संपन्न परमाणु समझौते

में देखने को मिली, किंतु उसके बदले धीरे-धीरे भारत की नीतियां चाहे भूमंडलीकरण से संबद्ध हों या विदेश नीति से, दोनों ही अमेरिकी ढांचे में समाने लगीं, जिसका एक खतरनाक परिणाम भविष्य में भुगतना पड़ सकता है। वैसे भारत इराक तथा अफगानिस्तान में अमेरिकी सैनिक हस्तक्षेप में सहभागी नहीं है, किंतु वह इन देशों की विभिन्न विकास योजनाओं में सक्रिय रूप से कार्यरत है। भारत का ऐसा सहयोग अंतरराष्ट्रीय स्तर पर अमेरिका का सहयोग माना जा रहा है, जिससे तीसरी दुनिया में भारत के प्रति शंका उत्पन्न हुई है।

एक समय ऐसा था, जब भारत एक तीसरे विकल्प के रूप में गुटनिरपेक्ष आंदोलन का अग्रणी नेता था। वही भारत आज बुश के सहयोगी के रूप में माना जाने लगा है। अत: बुश की पार्टी के रिपब्लिकन उम्मीदवार जॉन मैक्केन के प्रति भारतीय शासक वर्ग खुद को बड़ी अजीब स्थिति में पा रहा था। यह स्थिति न समर्थन की थी, न विरोध की। खुद अमेरिकी जनमानस में मैक्केन की छवि एक युद्धोन्मादी व्यक्ति की थी। अमेरिका, इराक तथा अफगानिस्तान जैसे देशों के युद्ध में बुरी तरह से परेशान है, अत: वहां से निकलना चाहता है, किंतु एक हारे हुए व्यक्ति के रूप में नहीं। वहीं भावी राष्ट्रपति बराक ओबामा एक अश्वेत व्यक्ति होने के नाते एक उदार चरित्र वाले माने जाते हैं, किंतु जो व्यवस्था कायम हो चुकी है, वह उसके विरोधी नहीं हैं। वह इराक तथा अफगानिस्तान में युद्ध नहीं चाहते हैं, किंतु हार भी नहीं चाहेंगे। यही नीति उन्हें काफी समय तक उलझाए रहेगी। अत: इस तमाम मुद्दों पर अमेरिका के साथ भारत भी उलझा रहेगा।

भारत के साथ परमाणु समझौता लागू होगा या नहीं, ओबाभा की इस जीत से इस पर आशंका अवश्य उत्पन्न हुई है, क्योंकि ओबामा की पार्टी परमाणु अप्रसार संधि पर चाहती है कि भारत पहले इस पर हस्ताक्षर करे। दूसरा मुद्दा कश्मीर समस्या का है। ओबामा चूंकि एक मुस्लिम पिता के पुत्र हैं, इसलिए उनके प्रति आम मुसलमानों में एक सहानुभूति का रवैया है। ओबामा ने अपने चुनाव के दौरान कश्मीर समस्या एक अत्यंत संवेदनशील समस्या रही है, किंतु ओबामा की मुस्लिम पृष्ठभूमि का इस पर कोई विशेष प्रभाव नहीं पड़ने वाला है। वैसे भी अंतर्राष्ट्रीय आतंकवाद जिसे इस्लाम से जोड़कर देखा जा रहा है,

उस पर भी ओबामा की पृष्ठभूमि का असर नहीं होगा, किंतु मनोवैज्ञानिक दृष्टिकोण से एक संवेदनशीलता का आभास अवश्य होता रहेगा।

यदि मैक्केन विजयी हुए होते, तो संभवतः इराक और अफगानिस्तान के ढर्रे पर ईरान पर अमेरिकी हमले की गुंजाइश संभव थी, किंतु ओबामा के आने से फिलहाल यह संकट निकट नहीं दिखाई देता। अतः ईरान पर अपनाई जाने वाली ओबामा की नई नीतियां ही भविष्य में अंतरराष्ट्रीय संकट हल करने की दिशा में एक नई कसौटी सिद्ध होगी, जिससे भारत भी प्रभावित हुए बिना नहीं रह सकता। ओबामा की भी नीतियां हमेशा की तरह अमेरिका की श्रेष्ठता कायम रखने वाली होंगी तथा अमेरिकी श्रेष्ठता का मतलब है-पूंजीवादी की श्रेष्ठता।

भारत में ओबामा की खोज

वे थे। वे चारों तरफ थे। वे मीडिया में भी थे और मीडिया के बाहर भी थे। वे भारत में बराक ओबामा की खोज में थे। वे भारत को अमेरिका बनते देखना चाहते थे। जब अमेरिका के बैंक डूब सकते हैं, और भारत के बैंक भी शक के दायरे में आ सकते हैं, जब अमेरिका की अर्थव्यवस्था भी मंदी का शिकार हो सकती हैं, जब अमेरिका की तरह हमारे यहां भी समलैंगिकता एक मुद्दा बन सकती है और लिव-इन रिलेशनशिप को मान्यता दी जा सकती है, तो अमेरिका की तरह हमारे यहां भी एक अदद ओबामा क्यों नहीं पैदा हो सकता? हमारे सुपर पावर बनने में बस एक ही कमी दिखाई दे रही है। ओबामा मिल जाए, तो यह शर्त भी हम पूरी कर लेंगे।

इस बारे में कुछ बुद्धिमान लोगों से बात की गई। सबसे पहले तो यही सवाल उठा कि ओबामा इसलिए आए क्योंकि अमेरिकी अपने बुश से छुटकारा पाने के लिए बेताब थे, तो भारत का बुश कौन है। इस पर चुप्पी देखने लायक थी। मनमोहन सिंह का नाम लिया गया, तो हिचकिचाहट और बढ़ गई। अब मनमोहन सिंह जैसे विद्वान अर्थशास्त्री को कैसे बुश बता दिया जाए? क्या सोनिया गांधी की तुलना जॉर्ज बुश से की जा सकती है? राम-राम, वे तो धर्मनिरपेक्षता की अवतार हैं। उन्हीं की वजह से तो हम भाजपा के कुशासन से मुक्त हो पाए हैं। वे नहीं होतीं, तो हमारा पता नहीं क्या होता।

फिर 'बुश नहीं तो ओबामा नहीं' का फॉमूर्ला त्याग दिया गया। यह जानना चाहा गया कि भारत के किन राजनीतिकर्मियों में ओबामा बनने की क्षमता है। दबी जुबान पर दलित स्त्री। यानी दुगनी दलित। जिस दिन कोई दलित या दलित महिला भारत का प्रधानमंत्री बनेगा, उस दिन भारत में भी ओबामा क्रांति के दर्शन होंगे। दलित राष्ट्रपति बना कर देख लिया। हुआ, थोड़ा-सा हुआ, पर कुछ खास नहीं हुआ। होता कैसे? असली पावर तो प्रधानमंत्री के पास होता है।

इस पर सवाल उठा कि मायावती का असली किला तो दलित समुदाय है। बाकी लोग तो किसी न किसी झांसे में आ कर या इस अथवा उस सिंह से आजिज आ कर उन्हें वोट दे देते हैं। इसके विपरीत, ओबामा मुख्य धारा के राजनेता हैं। वे किसी वर्ग विशेष की नहीं, सभी वर्गों की समस्याओं का समाधन निकालने की बात करते हैं। वैसे, मायावती भी अब सभी जातियों को लेकर साथ लेकर चलना चाहती हैं। पर ओबामा की तरह वे शिक्षा, स्वास्थ्य, गरीबों के लिए मकान, अमीरों पर टैक्स बढ़ा कर मध्य वर्ग और गरीबों को टैक्स रहित देने की बात कभी नहीं करतीं। उनका तो एक ही नारा है, मुझे दिल्ली चाहिए। जहां तक क्रांति आने की बात है, मायावती तीन दफा उत्तर प्रदेश की मुख्यमंत्री बन चुकी हैं। इस हिसाब से तो उत्तर प्रदेश में तीन बार क्रांति हो चुकनी चाहिए थी। फिर यह उम्मीद कैसे करें कि दिल्ली की गद्दी पर उनके एक बार बैठ जाने से देश में क्रांति हो जाएगी? कांशीराम जी की बात और थी। वे पढ़े-लिखे समझदार और प्रतिबद्ध आदमी थे।

तो? तो क्या भारत में ओबामा क्रांति नहीं होगी? नहीं जी, कैसे नहीं होगी? चंद्रमा तक पहुंच गए हैं, तो यूएसए कितना दूर होगा? तो देर क्यों हो रही है? कमी किस बात की है? चर्चा के दौरान यह दर्द सामने आया कि हाय, हमारे यहां तो कोई डेमोक्रेटिक पार्टी ही नहीं है, फिर ओबामा को टिकट कौन देगा? डेमोक्रेटिक पार्टी की बात छोड़िए, हमारे देश में कोई ऐसी पार्टी भी नहीं है जिसमें थोड़ी-बहुत डेमोक्रेसी हो। फिर ओबामा ने हिलेरी क्लिंटन से दो साल तक बहस कर यह साबित कर दिया कि वे बेहतर उम्मीदवार हैं। हमारे यहां टिकट देने के मामले में ऐसी खुली बहस तो होती नहीं। नीतियों पर चर्चा का तो सवाल ही नहीं उठता। फिर ओबामा की खोज कैसे पूरी हो?

सब ओर से निराश हो कर मैंने प्रस्ताव किया कि आइए, हमीं लोग कुछ कोशिश करें। एक अच्छा-सा दल बनाएं, जमीनी स्तर पर काम करके उसकी साख जमाएं और फिर देश भर में चुनाव लड़ें। उसका नाम लोक सेवक संघ, भारत सेवक दल या कुछ भी हो सकता है। यहां आकर बंदर डाल से कूद पड़ा। एक सज्जन ने कहा-हम तो लेखक हैं। हम लिख सकते हैं, सक्रिय राजनीति करना हमारी प्रकृति में नहीं है। दूसरे सज्जन का कहना था-हम विचारक हैं। हमारा काम विचार करना है। विचारों पर अमल करने के लिए एक्टिविस्टों को सामने आना चाहिए। तीसरे सज़्जन शुद्धतावादी थे। बोले राम-राम कहिए। राजनीति के कीचड़ में धंसने के लिए हमीं बचे हैं? चौथे सज्जन कुछ उदार निकले। कहने लगे-आपका प्रस्ताव तो बहुत अच्छा है। मेरा मन भी है। बल्कि बहुत दिनों से मेरा मन है। बस कुछ दिन ठहर जाइए। पहले मेरा बेटा सेट हो जाए। वैसे तो इस समय वह सिंगापुर में है, पर यूएस में जमना चाहता है। बेटी भी बड़ी हो गई है। उसकी शादी करनी है। कई एनआरआई परिवार निगाह में हैं। उसके बाद फुरसत ही फुरसत है।

मैं खिलखिला कर हंस पड़ा। न सीता हैं, न राम हैं। शिव का धनुष भी नहीं है। फिर भी इच्छा है कि स्वयंवर हो जाए और उसमें से ओबामा जैसा कोई विजेता उभर कर आ जाए। अगर चाहने भर से जानवर मुंह में आ कूदते, तो सभी शेर चौबीसों घंटे खर्राटे न भरते रहते?

ओबामा आगमन से अमेरिका में बदलाव के आसार

कहते हैं कि इतिहास समय-समय पर करवटें बदलता है और राष्ट्रीय तथा अंतरराष्ट्रीय राजनीति में कभी-कभी बड़ी अप्रत्याशित घटनाएं घट जाती हैं। बराक ओबामा जैसे अश्वेत उम्मीदवार का अमेरिका में राष्ट्रपति निर्वाचित होना एक ऐसी ही आश्चर्यजनक घटना है। राष्ट्रपति चुनाव का बारीकी से अध्ययन करने से यही पता चलता है कि ओबामा की भारी जीत का मुख्य कारण यह था कि लोग राष्ट्रपति बुश के प्रशासन से तंग आ गए थे। उन्हें लगने लगा था कि यदि रिपब्लिकन पार्टी के उम्मीदवार जॉन मैक्केन नये राष्ट्रपति के रूप में चुनाव जीत गए तो वे वही करेंगे जो जॉर्ज बुश आज तक करते आ रहे थे।

अमेरिकी जनता ने जॉर्ज बुश को इस बात के लिए माफ नहीं किया कि उन्होंने बिना सोचे समझे अमेरिका को इराक की लड़ाई में झोंक दिया। वहां पर

आज भी अनेक अमेरिकी युवा सैनिक मारे जा रहे हैं। अमेरिका की सामाजिक व्यवस्था से जो लोग परिचित हैं वे इस बात को अच्छी तरह जानते हैं कि अमेरिका किसी भी हालत में अपने युवा सैनिकों का विदेशों में मारा जाना पसंद नहीं करते हैं। शायद यही कारण था कि वर्षों तक वियतनाम युद्ध में लड़ाई जारी रखने के बाद भी अमेरिका को शर्मनाक हार मानकर वहां से निकलना पड़ा था क्योंकि अमेरिकी जनता नहीं चाहती थी कि बिना मतलब उसके युवा सैनिक विदेश में मारे जाएं।

इसमें कोई संदेह नहीं कि जॉर्ज बुश की इराक नीति पूर्णत: असफल रही। आंख मूंदकर जॉर्ज बुश का समर्थन करने के कारण ही ब्रिटेन के तत्कालीन प्रधानमंत्री टॉनी ब्लेयर को अपमानित होकर अपने पद से हटना पड़ा। जॉर्ज बुश का तो कार्यकाल समाप्त हो ही रहा था। परंतु अमेरिकी मीडिया में और चुनाव पूर्व सर्वेक्षणों से यह साफ झलक रहा था कि लोगों की नफरत रिपब्लिकन पार्टी से हो गई है और वे किसी भी हालत में रिपब्लिकन पार्टी के उम्मीदवार को राष्ट्रपति नहीं बनने देंगे।

अमेरिका में अब्राहम लिंकन के समय से ही नस्ल-भेद चरम पर है और उसे समाप्त करने के प्रयास में ही अब्राहम लिंकन की जान गई थी। मार्टिन लूथर किंग ने भी नस्लभेद के खिलाफ आवाज उठाई थी और वे भी मारे गए थे। अत: लगता नहीं था कि निकट भविष्य में अमेरिका से नस्लवाद समाप्त होगा। परंतु अमेरिकी जनता अन्य देशों की जनता से ज्यादा जागरूक है। उसने महसूस किया कि समय तेजी से बदल रहा है। अत: यदि श्वेत लोग पहले की तरह अश्वेतों से घृणा करेंगे तो देश रसातल में चला जाएगा। इसीलिए श्वेत और अश्वेत के भेद को भूलकर लोगों ने ओबामा को भारी बहुमत से विजयी बनाया।

ओबामा के चुनाव के सिलसिले में यह देखा गया कि कई राज्यों में मतदाता पांच-पांच घंटे तक सर्दी के मौसम में बाहर खड़े रहकर अपनी बारी आने और वोट देने का इंतजार करते रहे। इसके पहले ऐसा कभी नहीं हुआ था। ओबामा के पक्ष में मतदान करने वालों में युवा वर्ग के लोग अधिक थे और महिलाओं ने भी श्वेत और अश्वेत का भेद भुलाकर ओबामा के पक्ष में मतदान किया। अमेरिका में भारतीय मूल के लाखों लोग बसे हुए हैं। प्रमाणित सर्वेक्षण

के अनुसार 81 प्रतिशत भारतीय मूल के लोगों ने ओबामा के पक्ष में मतदान किया। ओबामा के निकटतम मित्रों और सलाहकारों में कुछ भारतीय मूल के प्रतिष्ठित लोग हैं और आशा की जाती है कि वे समय-समय पर ओबामा को सही रास्ता दिखाते रहेंगे।

ओबामा का जीवन विविधताओं से भरा हुआ है। उनके पिता मूलतः केन्या निवासी काले अफ्रीकी थे और मां श्वेत नस्ल की अमेरिकी थी। दोनों में प्रेम विवाह हुआ था और ओबामा का बचपन वर्षों तक इंडोनेशिया में गुजरा। ओबामा की श्रद्धा इंडोनेशिया में ही हिंदू धर्म के प्रति शुरू हो गई थी और तभी से वे अपने गले के लॉकेट में हनुमान जी की छोटी-सी मूर्ति रखते हैं। राष्ट्रपति बनने से पहले ओबामा सीनेटर थे। अपने ऑफिस में उन्होंने महात्मा गांधी की तस्वीर लगा रखी है और इस बात को स्वीकार करने में उन्हें जरा भी झिझक नहीं होती थी कि महात्मा गांधी के जीवन और आदर्शों से वे बहुत प्रभावित हुए हैं। ओबामा एक राजनेता हैं और राजनेता को जनता को रिझाने के लिए तरह-तरह की बातें करनी पड़ती हैं। अपने चुनाव प्रचार के दौरान ओबामा ने दो-तीन ऐसी बातें कह दीं जिससे भारतीयों का चिंतित होना स्वाभाविक है। ओबामा ने कहा कि यदि वे राष्ट्रपति चुने गए तो वे 'आउटसोर्सिंग' पर कड़ी लगाम लगाएंगे। जैसा कि सर्वविदित है अमेरिका के कारण ही भारत का 'आउटसोर्सिंग' उद्योग तेजी से फला-फूला है और दिल्ली, गुड़गांव, नोएडा तथा मुंबई जैसे शहरों में सैकड़ों कॉल सेंटर खुल गए हैं जिनमें हजारों युवक-युवतियों को मोटी तनख्वाह पर नौकरी मिली हुई है। इसके अतिरिक्त 'आईटी सेक्टर' में भी अमेरिका से भारत को पर्याप्त बिजनेस मिलता है। ओबामा ने अपने चुनाव भाषण में कई बार कहा कि जो कंपनियां आउटसोर्सिंग करेंगी उन पर वे 40 प्रतिशत टैक्स लगा देंगे। इसका सीधा असर सबसे अधिक भारत पर पड़ेगा। यद्यपि पाकिस्तान, बंगलादेश, मलेशिया और सिंगापुर भी इससे प्रभावित होंगे, परंतु सबसे अधिक प्रभावित तो भारत ही होगा।

हाल के महीनों में अमेरिका में बेरोजगारी की दर बढ़कर 7 प्रतिशत हो गई है। पहले ऐसा कभी नहीं हुआ था। वैसे भी इन दिनों अमेरिका भयानक मंदी से जूझ रहा है। कंपनियां धड़ाधड़ बंद हो रही हैं और हजारों युवक बेरोजगार हो गये हैं। ऐसे में ओबामा ने अमेरिका के युवकों को यह भरोसा दिलाया है

कि आउटसोर्सिंग पर लगाम लगाकर वे उनके लिए रोजगार के नये अवसर पैदा करेंगे। कॉल सेंटर भले ही भारत में कम हो जाएं लेकिन आईटी उद्योग में आउटसोर्सिंग को बंद करना अमेरिका के बस की बात नहीं है। देखना यह है कि ओबामा इस दिशा में क्या रुख अपनाते हैं। आज की तारीख में अमेरिका की सबसे बड़ी समस्या वहां व्याप्त मंदी है। यदि ओबामा उस मंदी को काबू करने में सफल नहीं हो सके तो वे एक सफल राष्ट्रपति साबित नहीं हो पाएंगे।

भारत की दूसरी बड़ी चिंता यह है कि ओबामा ने बार-बार अपने चुनाव भाषणों में कहा है कि अमेरिका कश्मीर समस्या के समाधान के लिए पहल करेगा। यही नहीं राष्ट्रपति पद पर निर्वाचित होने के साथ ही उन्होंने ऐलान किया कि वे पूर्व राष्ट्रपति बिल क्लिंटन को कश्मीर के मामले में 'विशेष राजदूत' बनाएंगे। ओबामा के इस तरह के वक्तव्य भारतवासियों को जरा भी पसंद नहीं है। कश्मीर भारत का अभिन्न अंग है और यदि कश्मीर को लेकर भारत और पाकिस्तान के बीच कोई मनमुटाव है भी तो दोनों देश मिल-बैठकर उसको सुलझाने का प्रयास कर रहे हैं। भारत ने सदा से कहा है कि कश्मीर के मामले में वह किसी तीसरे पक्ष की मध्यस्थता बर्दाश्त नहीं करेगा।

अमेरिकनों के साथ एक बड़ी दिक्कत यह है कि वे भारतीय उपहाद्वीप की राजनीति को ठीक से समझ ही नहीं पाते। उदाहरण के लिए जब जॉर्ज बुश पहली बार राष्ट्रपति बने थे तब उन्हें पता ही नहीं था कि भारत कहां पर है तथा अमेरिका और भारत के संबंध कैसे हैं। बाद में उन्हें हकीकत का ज्ञान हुआ और अपने कार्यकाल के अंतिम वर्षों में वे भारत के सबसे निकटतम मित्रों में से हो गए। ओबामा के भारतीय मूल के अमेरिकन मित्र उन्हें बताएंगे कि उन्हें कश्मीर के मामले में कुछ भी बोलने की जरूरत नहीं है और संभव है ओबामा इस सिलसिले में अपनी विचारधारा बदल दें।

अफगानिस्तान और पाकिस्तान में बढ़ती हुई आतंकवादी घटनाओं के बारे में ओबामा का चिंतित होना स्वाभाविक है और उन्होंने वादा किया है कि अफगानिस्तान और उत्तर-पश्चिमी पाकिस्तान से वे आतंकवादियों का सफाया कर देंगे। सारी दुनिया सांस रोककर प्रतीक्षा करेगी कि इस सिलसिले में ओबामा कैसी पहल करते हैं। वैसे भी भारत एशिया में सबसे अधिक आतंकवाद से पीड़ित रहा है। अतः आतंकवाद पर नकेल कसने में ओबामा को भारत का

साथ लेना ही होगा। एक बात और है कि अंतरर्राष्ट्रीय राजनीति में, खासकर एशिया की राजनीति में अमेरिका को चीन की बढ़त रोकनी ही होगी और इसमें भारत का साथ उसके लिए आवश्यक हो जाएगा। इराक से ओबामा तुरंत अमेरिकी फौज को हटाने में सक्षम नहीं हो सकेंगे। परंतु धीरे-धीरे भी यह प्रक्रिया शुरू हो जाए तो सारी दुनिया को इससे राहत मिलेगी। ओबामा ने ठीक ही कहा है कि ईरान के साथ बातचीत शुरू करेंगे। कोई डराने-धमकाने की बात नहीं करेंगे।

कुल मिलाकर ओबामा भारत के एक सच्चे मित्र साबित हो सकते हैं और ज्यों-ज्यों उनका अनुभव बढ़ेगा त्यों-त्यों भारत और अमेरिका के आपसी रिश्ते मजबूत होंगे।

बड़े बदलाव की आकांक्षा

आप पूछ सकते हैं कि नाम में क्या रखा है, लेकिन कभी-कभी नाम ही महत्वपूर्ण हो जाता है। अमेरिकी और भारतीय इलेक्ट्रोनिक मीडिया पर अमेरिकी चुनाव परिणाम के प्रसारण के दौरान नव निर्वाचित राष्ट्रपति का नाम अलग-अलग तरह से लिया गया। अमेरिकी मीडिया में विजयी डेमोक्रेट उम्मीदवार बस बराक ओबामा थे। उनके साथ या तो सीनेटर या फिर निर्वाचित राष्ट्रपति जोड़ा जा रहा था, जबकि भारतीय चैनलों के लिए वह बराक हुसैन ओबामा थे। चैनलों का मध्य नाम पर विशेष जोर रहा। किसी अन्य देश के चुनाव को व्यक्तिगत राजनीतिक रुचि के संदर्भ में देखने का प्रलोभन अत्यंत सम्मोहक होता है भले ही इसमें यथार्थ को दफन कर दिया गया हो। ओबामा के पक्ष में अश्वेत मतदाताओं की चौकाने वाली जबरदस्त गोलबंदी तथा श्वेत समुदाय का बहुमत अपने पक्ष में खींचने में उनकी असफलता के बावजूद यह स्पष्ट है कि अमेरिकी राष्ट्रपति चुनाव का आधार न तो नस्लीय था और न ही मध्य नाम विजेता रहा।

यदि ऐसा होता तो इस पर संदेह है कि ओबामा इतने निर्णायक तरीके से जीतने में सफल रहते। वास्तव में अमेरिकी चुनाव का एक गौण पहलू यह है कि न नस्ल और न ही व्यक्ति का मूल स्थान इस शीर्ष पद के लिए उपयुक्तता का निर्धारण कर सकता है। इस मामले में अमेरिकी मतदाताओं ने आदर्श

स्थापित किया और उस सपने को साकार किया जिसके लिए अब्राहम लिंकन और मार्टिन लूथर किंग ने अपने जीवन का बलिदान कर दिया था। ओबामा अमेरिकी मायावती नहीं हैं, जो जाति अनुक्रम को उल्टा कर दें। वह मुख्यधारा के अमेरिकी राजनेता हैं, जिन्होंने बड़ी बुद्धिमत्तापूर्ण और चतुराई के साथ चुनाव प्रचार को अंजाम दिया। यह विश्व के सर्वश्रेष्ठ चुनाव प्रचार को अंजाम दिया। यह विश्व के सर्वश्रेष्ठ चुनाव प्रचारों में से एक था। उन्होंने सार्थक विचारों और प्रतिबद्ध समर्थकों के बल पर मात्र व्यक्तिगत करिश्मे के जरिए पूर्व प्रचालित पूर्वाग्रहों को आगे बढ़ाया है। अपने दृढ़ निश्चय से ओबामा ने अब तक सबसे अधिक संख्या में उदासीन अश्वेत मतदाताओं के वोट हासिल किए हैं। साथ ही उन्हें परंपरागत रूप से युवा डेमोक्रेटिक समर्थकों के वोट मिले।

हालिया अमेरिकी इतिहास में मात्र रोनाल्ड रीगन ही चुनाव में इतनी भारी गोलबंदी कर सके। ओबामा को इस बात का फायदा मिला कि रीगन के जमाने के दो स्तंभ-अमेरिकी सामरिक आधिपत्य और घरेलू संपन्नता में बुश के कार्यकाल के दौरान न पाटी जा सकने वाली दरारें पड़ गईं। ओबामा को काल्पनिक लोक में तलाशने के बजाय अमेरिका के वास्तविक जगत में ही देखने की जरूरत है, क्योंकि भारत समेत पूरे विश्व का अगले चार या शायद आठ साल तक इस प्रशासन से वास्ता पड़ेगा। मार्टिन लूथर किंग के स्वप्न को साकार होने का जश्न मनाना मायने रखता है, किंतु विजय के वैश्विक उन्माद में डूबे एक खिलाड़ी मात्र बनने से बुनियादी सवाल का जवाब नहीं मिलेगा कि हमारे लिए ओबामा के क्या मायने हैं? इसका जवाब अभी मालूम नहीं है। शब्दाडंबर के अभियान से शासन के दर्शन तक पहुंचने में कुछ समय लगेगा। कम से कम छह माह का समय तो लगेगा ही। फिर भारत पहले ही अमेरिका के साथ सामरिक साझेदारी में बंध चुका है। ओबामा के अभियान का मुख्य मुद्दा 'परिवर्तन' था।

सबसे पहले ओबामा को यही प्रयास करना होगा कि उनका प्रशासन जॉर्ज बुश के प्रशासन से स्पष्ट तौर पर अलग दिखाई दे। पहले ही समग्र पश्चिम, खासतौर पर यूरोप के दिमाग में एक नई वैश्विक आर्थिक व्यवस्था की अवधारणा घूम रही है। ऐसे में ओबामा को निश्चित तौर पर अमेरिका को गहरी मंदी से बाहर निकालने पर ध्यान केंद्रित करना होगा। पाश्चात्य पूंजीवाद के

रोगों का उपचार करने से भारत का अमेरिका के साथ कोई बड़ा टकराव अपेक्षित नहीं है। आउटसोर्सिंग और रोजगार उपलब्ध कराने के सवाल पर उलझाव जरूर हो सकता है।

भारत को यह स्वीकारना होगा कि आईटी क्षेत्र की धूम अब खत्म हो चुकी है। अमेरिका के लिए अधिक समझदारी इसमें खत्म हो चुकी है। अमेरिका के लिए अधिक समझदारी इसमें होगी कि वह मुक्त बाजार की अपनी वचनबद्धता पर खरा उतरे। आर्थिक मामले में केंद्रीय मुद्दा यह सिद्धांत होगा कि किसी भी राष्ट्र को पूर्ण स्वायत्तता नहीं मिलनी चाहिए ताकि वैश्वीकरण की वृहतर वचनबद्धता की पुष्टि की जा सके। अनेक अर्थों में ओबामा निश्चित रूप से यूरोप की आकांक्षा की पूर्ति को ही प्रतिबिंबित करते हैं कि साझा स्वायत्तता पर आधारित एक बहुपक्षीय व्यवस्था स्थापित होनी चाहिए। ओबामा पहले ही घोषणा कर चुके हैं कि वह अपने देश और भारत जैसे उन तमाम देशों को सीटीबीटी के दायरे में लाना चाहते हैं जो अब तक इससे बाहर हैं। ओबामा परमाणु अप्रसार के दायरे में खींचने के लिए भारत की बांह मरोड़ सकते हैं। आतंकवाद के मुद्दे पर मुस्लिम जगत में अमेरिका की छवि सुधारने, एक अच्छे शासक के रूप में छवि बनाने और आतंकवाद की तथा कथित जड़ों पर प्रहार करने का इसी प्रकार लुभावना प्रयास किया जाएगा। यह सुझाव कि कश्मीर समस्या को सुलझाने के लिए बिल क्लिंटन को विशेष दूत बना देना चाहिए, एक अनुभवहीन उम्मीदवार द्वारा अनजाने में नहीं दिया गया है।

कॉलेज के दिनों में काफी समय उग्र सुधारवादियों के बीच बिता चुके ओबामा जैसे लोगों का पश्चिम एशिया, बाल्कन, चेचन्या, कांगो और कश्मीर में संघर्ष खत्म करने का प्राकृतिक रूप से रुझान है। जॉर्ज बुश के विपरीत ओबामा प्रत्येक समस्याग्रस्त इलाकों में इसी मानदंड को लागू करना चाहेंगे। वह अपनी पहल पर यूरोप से भी विस्तृत सहयोग हासिल करते नजर आ रहे हैं। परिवर्तन की यह यात्रा निरंतरता की राह पकड़ सकती है। फिर भी भारत जोखिम उठाने की स्थिति में नहीं है। हमारे सामने या तो ओबामा के नेतृत्व वाले जहाज में गुमनाम यात्री के रूप में सफर करने का निरर्थक विकल्प है या फिर हम कह सकते हैं कि हम अपने भाग्य के नियंता खुद बनेंगे।

ओबामा भारत के लिए शुभ संकेत

दुनिया अब तक एकध्रुवीय है इसलिए अमेरिका में जो कुछ होता है वह पूरी दुनिया के लिए महत्वपूर्ण है। दरअसल डेमोक्रेट उम्मीदवार बराक हुसैन ओबामा ने राष्ट्रपति पद का चुनाव जीतकर अमेरिका को बदल दिया है। ओबामा 217 साल के अमेरिकी इतिहास में पहले अश्वेत राष्ट्रपति हैं। इसी के साथ यह सच भी जुड़ा हुआ है कि वे अफ्रीकन-अमेरिकन हैं। बराक का पैतृक मूल आवास केन्या में है। हालांकि उनका जन्म अमेरिका में हुआ। बराक ने यह तथ्य कभी नहीं छुपाया कि उनके नाम के बीच में हुसैन है। सच्चाई यह है कि ओबामा अब ईसाई धर्म मानते हैं।

अमेरिका में हुए राष्ट्रपति चुनाव को एक तरह से लोकतांत्रिक क्रांति कहा जा सकता है। लोकतंत्र में दुनिया में अब तक जितनी छवियां दिखाई हैं, संभवत: यह उसकी सबसे प्रभावशाली तस्वीर है। यह तस्वीर इतिहास में तो दर्ज होगी ही, इसीलिए भी महत्वपूर्ण मानी जाएगी कि उसमें अमेरिका को देखने की दुनिया की दृष्टि बदलने का मादा है। इन चुनावों से दुनिया में अमेरिका की इज्जत अचानक कई गुना बढ़ जाएगी और दुनिया एक बार फिर देखेगी कि लोकतंत्र की ताकत क्या होती है।

इस बार के अमेरिकी चुनाव के बहुत सारे पहलू हैं लेकिन अगर इन्हें केवल भारत के संबंध में और उस पर होने वाले असर के रूप में देखा जाए तो सबसे खास बात यह होगी कि बराक ओबामा अपना विदेश मंत्री किसे बनाते हैं। इसी के साथ यह भी महत्वपूर्ण होगा कि भारत में अमेरिका का नया राजदूत कौन होगा। वर्तमान अमेरिकी राजदूत की नियुक्ति राजनीतिक थी इसलिए रिपब्लिकन राजदूत को इस्तीफा देना ही होगा। इन दोनों नियुक्तियों का असर भारत पर कुछ अधिक होगा क्योंकि हाल के दिनों में दोनों देशों के रिश्ते सुधरे हैं और दोनों काफी करीब आ गए हैं। विदेश मंत्री की नियुक्ति का प्रभाव चीन, भारत, रूस, अफगानिस्तान और पाकिस्तान के संदर्भ में भी महत्वपूर्ण होगा। ऐसा लगता है कि भारत के साथ अमेरिका के बेहतर होते संबंधों के दौर में एक तरह से स्वयं को उपेक्षित महसूस करने वाले पाकिस्तान के साथ उसकी नीति बहुत ज्यादा नहीं बदलेगी क्योंकि आतंकवाद के खिलाफ लड़ाई में पाकिस्तान की भौगालिक स्थिति अमेरिका के लिए अर्थपूर्ण बनी रहेगी।

पाकिस्तान की अंदरूनी हालत नाजुक है और आतंकवाद घरेलू स्तर पर भी उसके लिए बहुत बड़ा मुद्दा है। आतंकवाद से निपटने के लिए अमेरिका को सबसे मदद लेनी होगी। इसलिए वह पाकिस्तान को उसके हाल पर नहीं छोड़ सकता। ओबामा ने अपने चुनाव अभियान के दौरान भारत को आउटसोर्सिंग रोकने और रोजगार वापस अमेरिका लाने का बयान दिया था। इसे लेकर भारत में खासी बहस हुई।

दरअसल अमेरिका स्वयं वैश्विक आर्थिक मंदी का शिकार है और निश्चित रूप से ओबामा की प्राथमिकता मंदी से निपटना ही होगा। संभव है कि कुछ कंपनियों की नौकरियां अमेरिका चली जाएं लेकिन बहुत बड़े पैमाने पर ऐसा होने का खतरा नहीं है। वैसे भी दोनों देशों के बीच के हालिया संबंधों के मद्देनजर इस बात की संभावना ज्यादा दिखाई देती है कि वे मिल बैठकर आउटसोर्सिंग की समस्या का हल ढूंढ लेंगे। दोनों तरफ समझदार लोग हैं और वे इसका हल निकाल सकते हैं। रिपब्लिकन बुश की जगह डेमोक्रेट ओबामा का आना भारत के लिए कई मायनों में अच्छा होगा। बुश के आठ साल के कार्यकाल में भारत के संदर्भ में केवल एक उल्लेखनीय घटना का जिक्र किया जा सकता है। भारत-अमेरिका असैनिक परमाणु करार। हालांकि यह अपने आप में बड़ी बात है पर इसके अतिरिक्त बुश की ओर से की गई किसी अन्य पहल का खयाल नहीं आता। अगर एक पल के लिए मान लिया जाए कि इन चुनावों में बराक ओबामा की जगह रिपब्लिकन जॉन मैक्केन की जीत हुई होती तो क्या परमाणु करार को आधार मानकर दोनों देशों के बीच बेहतर संबंधों की दलील दी जा सकती थी।

इसकी संभावना कम ही लगती है। इसलिए भी कि मैक्केन पर बुश के कार्यकाल की गतिविधियों का भारी बोझ होता और उनके लिए कोई नई शुरुआत कर पाना मुश्किल होता। कम से अभी तो ऐसा ही लगता है कि इस दृष्टि से ओबामा मैक्केन के मुकाबले नए संबंधों की शुरुआत कर रहे होंगे। वह एक ऐसी कापी लेकर शुरुआत कर रहे हैं जिस पर अभी कुछ लिखा ही नहीं गया है। हो सकता है कि भारत के संदर्भ में ओबामा का आना सचमुच बहुत अच्छा साबित हो जो उनके भारत संबंधी बयानों और महात्मा गांधी के प्रति उनके विचार से भी लगता है। ओबामा की नजर में ये बात भी है कि

भारत दुनिया का सबसे बड़ा लोकतंत्र है और वह आर्थिक उदारीकरण का पक्षधर है तथा परमाणु शक्ति संपन्न देश है।

बराक ओबामा के लिए फिलहाल पहली प्राथमिकता घरेलू स्थितियों को सुधारना होगा। अतंरराष्ट्रीय संबंधों पर उनकी सरकार की दृष्टि सही मायनों में इस समस्या से निपटने के बाद ही पड़ेगी और तभी उसकी परख भी हो पाएगी। फिलहाल जो संकेत हैं उनसे यही लगता है कि ओबामा बुश की तुलना में कहीं अधिक उदार महाशक्ति के रूप में व्यवहार करेंगे, जो हाल के दशकों में लगातार नीचे जा रही अमेरिकी प्रतिष्ठा को नई ऊंचाई तक ले जा सकेंगे। भारत एक लोकतांत्रिक और आर्थिक शक्ति के रूप में अमेरिका के लिए हमेशा जरूरी बना रहेगा।

ओबामा और भारत

बराक ओबामा ने अपने चुनाव अभियान के दौरान जिस तरह से भारत की सराहना की और पाकिस्तान को आतंकवाद की जननी कहा, उससे सहज ही यह आशा बंधी है कि उनके राष्ट्रपति काल में भारत के साथ अमेरिकी रिश्ते और मजबूत होंगे। लेकिन कुछ मामले ऐसे भी हैं, जिन पर ओबामा से रियायत की उम्मीद हमें कम ही है।

अमेरिका में आई नई सरकार के नेतृत्वकर्ता बराक ओबामा हैं। भारत-अमेरिकी संबंधों की बेहतरी का दारोमदार भी उन्हीं के कंधों पर है। यह सचमुच देखने लायक है कि उनके दौर में अमेरिकी विदेश नीति में क्या कुछ बदलाव आता है। हालांकि अपने चुनावी भाषणों में बराक ओबामा भारतीय हितों के पक्षधर दिखे हैं। लेकिन कुछ मुद्दों पर वह बुश प्रशासन की भारत नीति से असहमत भी रहे। मसलन, वह रिपब्लिकन उम्मीदवार जॉन मैक्केन की यथावाद नीति को, जो उन्हें जॉर्ज बुश से विरासत में मिली, कोसते दिखे। ओबामा की ऐतिहासिक जीत की एक वजह यह भी रही है। दरअसल उन्होंने लगातार बदलाव की बात कही। एक ऐसा बदलाव, जो हर मोर्चे पर हो। संभवतः इसका नफा-नुकसान भारत को उठाना पड़ सकता है।

आने वाले वक्त में ओबामा भारत को वैश्विक भूमिका दे सकते हैं। इससे अंतरराष्ट्रीय मामलों में भारत का हस्तक्षेत बढ़ेगा, और सारे फैसले भारतीय

चश्मे से गुजरेगा, जो अब तक मुमकिन नहीं हो सका है। आने वाले वर्षों में पर्यावरणीय मुद्दे पर भी भारत की कोशिशों को तरजीह मिल सकती है। ग्लोबल वार्मिंग और कार्बन उत्सर्जन मसले पर हमारी सोच को स्वीकार्यता मिल सकती है। इसके अलावा विश्व शांति की हमारी अपील को भी अंतरराष्ट्रीय मान्यता मिल सकती है, क्योंकि ओबामा शांति के पुजारी महात्मा गांधी के जीवन-दर्शन से काफी प्रभावित माने जाते हैं। ऐसे में इराक, ईरान, कोरिया, अफगानिस्तान और पाकिस्तान के मसले पर ओबामा भारत से सलाह-मशविरा करें, तो आश्चर्य नहीं होगा। उन्होंने अपनी किताब 'अडोसिटी ऑफ होप' में लिखा है कि जब हम जबरन लोकतंत्र थोपने की कोशिश करते हैं, पड़ोसी और करीबी राष्ट्र को पैसा देते हैं, तो निस्संदेह हम विफलता की ओर बढ़ रहे होते हैं। ओबामा के इस रुख से साफ होता है कि वह इराक से अमेरिकी सेना वापस बुलाकर वहां अमेरिकी दखलअंदाजी बंद करेंगे। भारत भी शुरू से यही चाहता है। अगर ओबामा सचमुच यह फैसला लेते हैं, तो मध्य पूर्व में भारत की स्थिति बेहतर होगी। आतंकवाद के नाम पर बुश ने इराक में जो विध्वंसक खेल खेला उसे ओबामा अमेरिकी इतिहास की सबसे बड़ी भूल मानते हैं।

हालांकि वैश्विक आतंकवाद पर उनका रुख जॉर्ज बुश और मैक्केन से अलग और भारत के काफी करीब है। आतंकवाद के खिलाफ जारी अमेरिकी लड़ाई से भारत को अब तक प्रत्यक्ष तौर पर फायदा नहीं पहुंचा है। बुश द्वारा छेड़ी गई इस लड़ाई में एक खास समुदाय की और संदिग्ध पहचान बनी है, जिसका खामियाजा भारत भुगत रहा है। इसके अलावा अफगानिस्तान से तालिबान का सफाया अब तक नहीं हो सका है। ओबामा के हाल के बयानों के मुताबिक आतंकवाद की जड़ अफगानिस्तान और पाकिस्तान में है। गौरतलब है कि भारत शुरू से ही अमेरिका का ध्यान इस ओर दिला रहा है। यानी ओबामा की नजर में पाकिस्तान संदिग्ध है और इसका फायदा भारत को सीधे तौर पर मिलेगा। उम्मीद की जा सकती है कि पाकिस्तान में आतंकवाद और अलकायदा का सफाया हो जाएगा। भारत को अमेरिका का स्वाभाविक सहयोगी मानने वाले ओबामा की प्राथमिकताओं में भारत के साथ रणनीतिक भागीदारी कायम रखना और इसे मजबूत बनाना शामिल है। इसके अलावा

नस्लवाद की पीड़ा भली-भांति समझने वाले ओबामा से अप्रवासी भारतीयों को लाभ मिल सकता है। आने वाले वर्षों में आव्रजन कानून में सुधार और एच 1 वीजा कार्यक्रम में बदलाव दिख सकता है।

अब बात नुकसान की। ओबामा कश्मीर मुद्दे पर शांति रक्षक की भूमिका निभाने को तत्पर दिख रहे हैं। जबकि कश्मीर मसले पर किसी तीसरे की दखलअंदाजी के हम सख्त विरोधी हैं। इसकी आशंका है कि पाकिस्तान इसका फायदा उठा सकता है। लिहाजा कश्मीर मसले को दोबारा संयुक्त राष्ट्र में ले जाने की कोशिश हो सकती है। दूसरी बात यह भी है कि पाकिस्तान अमेरिका के लिए उपजाऊ जमीन है। आतंकवाद के खिलाफ घोषित अमेरिकी नीति में पाक अर्थव्यवस्था को काफी फायदा हो रहा है।

एशिया में शक्ति संतुलन बना रहे, इसके लिए ओबामा पाकिस्तान को काफी मदद पहुंचा सकते हैं, जिसका घाटा हमें ही सबसे ज्यादा होगा। ओबामा के कुछ विदेश नीतिकारों के साथ भी भारत के कटु अनुभव रहे हैं। मसलन लेक, स्ट्रोक टालबोट और रिचर्ड होलब्रुक ओबामा के करीबी हैं, और ये बिल क्लिंटन के दौर में भारत के लिए तकलीफदेह रहे हैं। इसके अलावा चुने गए उपराष्ट्रपति जो बेडेन का रवैया भी भारत के प्रति सख्त रहा है। परमाणु अप्रसार के प्रबल समर्थक ओबामा यह भी चाहेंगे कि भारत व्यापक परमाणु परीक्षण प्रतिबंध संधि (सीटीबीटी) पर हस्ताक्षर करे। 23 सितंबर को अपने चुनावी भाषण में उन्होंने कहा भी कि भारत को सीटीबीटी पर दस्तखत करना चाहिए। जाहिर है, इससे भारत-अमेरिकी परमाणु करार को धक्का पहुंच सकता है और भारत पर नए प्रतिबंध की बहस अमेरिका में छिड़ सकती है।

इसके अलावा ओबामा वैरियेबुल फिसाइल मैटेरियल को भी सीटीबीटी के दायरे में लाने के पक्षधर हैं। उल्लेखनीय है कि परमाणु रिएक्टरों को सुचारू रूप से चलाने के लिए फिसाइल मैटेरियल की जरूरत पड़ती है। अगर भारत भविष्य में सीटीबीटी पर दस्तखत नहीं करता, तो आपसी संबंध बिगड़ सकते हैं। अगर ओबामा के दबाव को भारत नजरअंदाज कर दे, तो परोक्ष रूप से ओबामा फिसाइल मैटेरियल को सीटीबीटी के दायरे में ले आएंगे, जिसे फलसीटी कहा जाता है। ऐसे में, अमेरिका से भारत को फिसाइल मैटेरियल मिलना बंद हो सकता है। इसके विपरीत, यदि भारत सीटीबीटी पर दस्तखत

करता है, तो परमाणु परीक्षण पर पाबंदी लग जाएगी, जो हमारे सामरिक हित और विदेश नीति के खिलाफ है।

जहां तक आर्थिक सहयोग की बात है, तो यह आर्थिक मंदी पर निर्भर करेगा। हालांकि ओबामा के अब तक के विचारों से यही लगता है कि इस मंदी से निपटने के लिए वह संरक्षणवादी नीतियां अपना सकते हैं। इसका मतलब यह है कि अमेरिका में रोजगार के नए अवसर सृजित किए जाएंगे और आउटसोर्सिंग रोक दी जाएगी। ओबामा ने अपने चुनावी भाषण में इस पर जोर भी दिया है। इससे भारत को काफी आर्थिक नुकसान हो सकता है। हालांकि यह फैसला ओबामा के लिए उतना आसान नहीं होगा, क्योंकि भारतीय बाजार तेजी से फल-फूल रहा है और अमेरिकी उद्योगपतियों की नजर इस पर है। भारत से बेहतर आर्थिक ऑफर की चाह में आउटसोर्सिंग बंद कराने की जहमत ओबामा के लिए खुद के पैर पर कुल्हाड़ी मारने जैसी होगी।

लब्बोलुआब यही कि बराक हुसैन ओबामा के नेतृत्व में अमेरिका की विदेश नीति बदलेगी, लेकिन भारत के साथ बेहतर संबंध बने रहेंगे। हां, जैसा कि मैक्केन भारत को जी-8 का स्थायी सदस्य बनाने की इच्छा रखते थे, वह ओबामा के शासन काल में मुमकिन नहीं हो पाएगा। लेकिन सबसे बड़ा फर्क अब हमारे प्रति अमेरिका के रुख में होगा। बुश प्रशासन हमें छोटा भाई समझकर फायदा देता रहा है। इसके विपरीत ओबामा हमें समकक्ष का दर्जा देना चाहते हैं जो हमारे लिए सम्मान की बात है। बस घाटा इतना ही है कि नफा-नुकसान दोनों ही तराजू पर बराबर होंगे।

❑❑❑